Die Bibel in Bildern

DIE BIBEL IN BILDERN
Schatzkammer der Malerei
© 1987 für die deutsche Ausgabe by Naumann & Göbel Verlagsgesellschaft, Köln
Für den Bildteil: © der englischen Originalausgabe by Orbis Publishing, London
Erweiterung des Bildteils und Bilder des biographischen Anhangs:
Archiv für Kunst und Geschichte, Berlin
Einleitung, Bildtexte und Text des biographischen Anhangs: Karl-Friedrich Hahn
Vorwort: Dr. Eberhard Zwink, Bibelsammlung der Württembergischen Landesbibliothek
Lektorat: Waltraud Still · Graphische Gestaltung: Hermann Bischoff
Schutzumschlagmotiv: Archiv für Kunst und Geschichte, Berlin
Satz: Böninghausen GmbH, Köln · Reproduktionen: Dahmen & Morgenstern, Duisburg
Gesamtherstellung: R. Oldenbourg, München
Printed in West Germany
Alle Rechte vorbehalten
ISBN 3-625-10510-1

Die Bibel

in Bildern

Schatzkammer der Malerei

NAUMANN & GÖBEL

**Dirks Bouts
(um 1410–1475)
»Die Anbetung der Könige«
(München,
Alte Pinakothek)**

Die außerordentliche Fein-
heit der Malerei rechtfertigt
den poetischen Namen
»Perle von Brabant«, der dem
Dreiflügelaltar verliehen
wurde. Als Altar ist das
Gemälde Gegenstand der
Anbetung durch Gläubige.
Anbetung ist auch sein
Thema. Die Heiligen Drei
Könige knien vor der
Madonna mit Kind und wer-
den damit zum Vorbild
aller Gläubigen, die ihr Ge-
bet vor einem Andachtsbild
verrichten.

Vorwort

Worte der Bibel und Bilder zur Bibel stehen in einem gewissen Spannungsverhältnis zueinander. Diese Behauptung mag befremdlich sein, wenn man den vorliegenden Bildband mit Wiedergaben der großartigen Gemälde, welche die Malerei der letzten siebenhundert Jahre hervorgebracht hat, zur Hand nimmt und durchblättert. Verdanken doch gewiß viele der Bilder Entstehung und Ausdruckskraft sowohl künstlerischer Genialität als auch religiöser Inbrunst und ehrlicher Frömmigkeit ihres Schöpfers. Wo sollte hier ein Vorbehalt liegen?

Das Alte Testament gewinnt seine überragende Einzigartigkeit gegenüber den anderen, benachbarten Religionen des alten Israel zunächst dadurch, daß Jahwe, Israels Gott, sich nicht im Götterbild, sondern im Wort und in der Tat offenbart. „Ich bin der Herr, dein Gott, der ich dich aus Ägyptenland, aus dem Diensthause, geführt habe. Du sollst keine anderen Götter neben mir haben. Du sollst dir kein Bildnis noch irgend ein Gleichnis machen… Bete sie nicht an und diene ihnen nicht…" (2. Mose 20, 2–5).

Die ersten beiden Vorschriften der Zehn Gebote verklammern zweierlei: den hier sich einzigartig herausbildenden Monotheismus und das ebenso strikte wie exklusive Bilderverbot. Kultbilder, Götzenfiguren entstammen der Verfügbarkeit der Menschen. Solche Bilder sind beliebig herzustellen und beliebig zu vermehren. Die Qualitäten, die den Götzen eignen sollen, sind von den Menschen aus angedichtet und auch beliebig austauschbar. Aber der Gott Israels erklärt sich zum einzigen, zum allmächtigen, allgegenwärtigen, unendlichen, barmherzigen und liebenden Gott. Ihn ins Bild, in die dimensionierte Beschränktheit zwingen zu wollen, ist Blasphemie. Die ersten Epochen der Geschichte des auserwählten Gottesvolkes sind so gezeichnet vom Kampf zwischen Jahwe-Verehrung und Hinwendung zum Bilderkult nur vordergründig konkurrierender Götter.

Bei diesem Strang theologischer Entwicklung über den Gottesbegriff in Israel, der nahezu das „sich Vorstellen" Gottes verbietet, stehenzubleiben, wäre aber verkehrt. Die Bibel in ihrer Gesamtheit führt uns eine Fülle von Gottesbildern und Aussagen über Gott vor Augen, die allerdings immer mit dem Vorbehalt verstanden sein wollen, daß es sich in biblischer Rede über Gott stets nur um Sinnbilder handeln kann. Die Anthropomorphismen, also die Bezeichnungen über menschliches Aussehen sowie menschliches Denken, Fühlen und Handeln Gottes, sind keine Verniedlichung des Gottesbildes, sondern pure Notwendigkeit, das Unfaßbare in unsere Beschränktheit einzubringen. Der verborgene Gott ist uns immer zugleich auch der sich offenbarende Gott (Luther: Deus absconditus et revelatus), der handelnde, richtende, vergebende und liebende Gott. Die Menschwerdung seines Sohnes ist neben dem letztgültigen Versöhnungswerk zunächst Sichtbarwerden von Gottes Herrlichkeit. Gott bildet sich für uns selbst ab. So versteht sich denn auch die scheinbar zum Zweiten Gebot widersprechende Stelle aus der Schöpfungsgeschichte: „Gott schuf den Menschen ihm zum Bilde, zum Bilde Gottes schuf er ihn" (1. Mose 1, 27).

Vom ersten Kapitel der Bibel an existiert also die Entsprechung zwischen Gott und Mensch, die darin besteht, daß wir an ihm teilhaben. Nur, das Bilderverbot weist den Menschen in seine Schranken. Gott darf nicht vermenschlicht, verfügbar werden. Umgekehrt braucht die religiöse Erfahrung das Sinnenhafte, das Hören und das Schauen, ja auch das Schmecken und Riechen. Dies beweist uns die Frömmigkeitsgeschichte des Christentums. Nicht nur die für manchen Abendländer problematische Ikonenverehrung der Ostkirche oder die naiv-fromme Anbetung von Heiligenbildern, Madonnenfiguren oder Medaillen im Katholizismus sind Wege von Religionsausübung. Die Bildende Kunst stellte sich schon früh unter dem Druck der heidnisch-antiken Kultur in den Dienst religiöser Verkündigung. Dies geschah zunächst gegen den Willen der dem Bilderverbot verpflichteten Kirche, die sich hier in sonst wenig geübter Eintracht mit den Juden verbunden wußte.

Bildende Kunst war im Mittelalter – ähnlich wie die Musik – nahezu ausschließlich christliche Kunst. Heute, in unserer säkularen und pluralen Welt, sind viele Künstler, fromme und unfromme, von den fundamentalen Themen der Bibel noch immer gefangen, der Bibel, die uns die Wirklichkeit von Gott und Welt im Wort „sichtbar" macht, was den Künstler zu seiner Art von Antwort herausfordert.

Verkündigung der biblischen Botschaft geschieht zweifelsohne durch das Wort, die Predigt. Ihr zur Seite tritt die Erfahrung des Sichtbaren in der Liturgie, in Musik und Gesang, im künstlerisch gestalteten Kirchenraum, im illustrierten, den Text verdeutlichenden Buch. So ist die bebilderte Bibel altehrwürdige Tradition seit dem frühen Mittelalter. Die Reformatoren, die dem Unwesen, Heiligenbilder zu stiften, Einhalt geboten und die Bilderverehrung ablehnten, behielten in den Ausgaben ihrer neuen Bibelübersetzungen die traditionelle Bebilderung bei, Luther wie Zwingli. Die schlichten Bibeldrucke der Bibelgesellschaften, die Kinder des Pietismus sind, verzichteten zunächst wegen der genuinen Verachtung des Sinnlichen auf bebilderte Ausgaben, andererseits auch wegen der erhöhten Kosten. Im neunzehnten Jahrhundert jedoch wurde die Bilderbibel, etwa die von Julius Schnorr von Carolsfeld, zum meist angeschauten Buch in der evangelischen Familie. Seit sich die Katholische Kirche nach dem Zweiten Vatikanischen Konzil auf die Bibel als Grundlage des Glaubens aller Christen besonnen hat, werden heute bebilderte Ausgaben ohne jedwede Probleme verbreitet. Die modernen Reproduktionstechniken gestatten es, über die konventionellen Graphiken, wie Holzschnitt, Kupferstich, Lithographie hinaus alle nur erdenklichen Kunstwerke im Buch abzubilden und zu vervielfältigen.

So liegt es nahe, Gottes Wort mit dem zu zieren und auszulegen, was menschliche Kunst zu schaffen vermochte, die selbst wiederum Abbild sein mag für die göttliche Schöpfungstat und uns den Durchblick eröffnet kann für das, was hinter den Dingen ist.

Den Meisterwerken abendländischer Malerei ist in Auszügen eines der hervorragendsten, vielleicht das niemals wieder übertroffene Zeugnis deutscher Sprache und Literatur als Bibeltext beigegeben, die Übersetzung von Martin Luther, in der noch nicht an unsere Alltagssprache angepaßten Revision von 1912.

Heiliger Text, von Menschen für Menschen geschrieben, und christliche Kunst, von Künstlern vieler Jahrhunderte geschaffen, sie mögen zu einem einheitlichen Werk der Verkündigung verschmelzen.

Dr. Eberhard Zwink

Bibelsammlung der
Württembergischen
Landesbibliothek Stuttgart

Einführung

Das Wort

»Am Anfang war das Wort«. Die ersten Worte des Johannesevangeliums gelten auch für alle Kunstwerke, die diesen Band illustrieren. Das Wort geht dem Bild voraus. Kein Bild hält ein Geschehen fest, das der Künstler selbst als Augenzeuge erlebt hat. Der Künstler schöpft aus einer anderen Quelle als der unmittelbaren Anschauung. Diese Quelle ist ein Buch, das Buch der Bücher, die Heilige Schrift.

Kein anderes literarisches Werk hat eine solche Vielfalt an Bildern hervorgebracht. Das Blättern in diesem Bildband führt durch die Jahrhunderte, durch viele Länder, durch Kirchen, Paläste und Bürgerhäuser. Wir begegnen darin den unterschiedlichsten Künstlern, einfachen Kleinmeistern und tiefsinnigen Denkern. Und dennoch ist diese äußere Vielfalt verklammert durch eine innere Einheit. All die verschiedenartigen Bildschöpfungen haben eine gemeinsame Grundlage, die Bibel.

Dürers »Vier Apostel« (Abb.) symbolisieren in ihrer strengen Statuarik die Säulen, auf denen die ganze christliche Bildwelt ruht. Wie aber konnten die Schriften der Evangelisten und der Apostel, ergänzt um den hebräischen Kanon, das Alte Testament, zur Grundlage einer so umfangreichen künstlerischen Produktion werden?

Für das Judentum galt das Bilderverbot des Alten Testaments. In der orthodoxen Kirche brachte der Bilderstreit das künstlerische Schaffen für Jahrhunderte zum Erliegen. Die Reformation wurde begleitet von einem Bildersturm. Und noch heute hat im protestantischen Haus der Bibelspruch als Wandschmuck Vorrang vor dem Bild.

Tatsächlich kennt die Heilige Schrift Bildwerke nur als Götzenbilder. Erst nachträglich unterschob die Legende der Heilsgeschichte zwei christliche Bilder. Das Schweißtuch, mit dem die Heilige Veronika das Antlitz Christi bei der Kreuztragung getrocknet haben soll, wurde mit seinem Gesichtsabdruck zum ersten authentischen Christusbild (Abb.). Der Evangelist Lukas wurde zum Maler erklärt, der die Madonna noch nach dem lebenden Modell malte (Abb.).

Ohne daß die Bibel dazu auffordert, bemächtigte sich die bildende Kunst ihres Inhalts. Kunst und Bibel gingen eine Verbindung ein, die nicht unbedingt im Interesse der Religion, ganz sicher aber im Interesse der Kunst lag. Denn mit der Verkündigung des Wortes trat der Künstler neben den Priester. Nicht nur von der Kanzel ertönte das Wort Gottes; es sprach auch aus Bildern. Die biblischen Gestalten erwachen zu neuem Leben. Die Heilsgeschichte rollt noch einmal vor dem Auge des Betrachters ab. Vor dem Bild fühlt sich der Gläubige dem Heilsgeschehen auf wunderbare Weise näher als bei der bloßen Anhörung des Wortes. Im Wunderglauben verschwamm die Grenze zwischen Bild und Wirklichkeit. Der Gekreuzigte neigte sich zum Gläubigen herab; das Madonnenbild begann zu bluten, zu weinen oder verriet sich durch Gesang.

Wie durch ein Wunder war das Göttliche im Bild eingefangen. Der Künstler, dem dies gelang, mußte deshalb in einem besonderen Verhältnis zu Gott stehen. Wie die Evangelisten die Schrift von Gott selbst empfingen, oder wie die Heiligen in mystischer Schau Offenbarungen erlebten, so glaubte man auch an die göttliche Inspiration des Künstlers. Die ersten Künstler, die als Propheten oder Apostel verehrt wurden, waren Raffael und Michelangelo.

Albrecht Dürer: Die vier Apostel; München, Alte Pinakothek.

Schon ihre Erzengelnamen Raphael und Michael deuteten auf eine Nähe zu Gott. Raffaels Tod an einem Karfreitag wurde als Parallele zu Christus erkannt. Nur aus einer visionären Erscheinung glaubte man Raffaels Madonnenbilder oder seine »Transfiguration« (Seite 183) erklären zu können. Michelangelos »Jüngstes Gericht« (Seite 265) wurde als prophetisches Menetekel verstanden, mit dem der Künstler seine Zeitgenossen an das Ende mahnt. Daß die Päpste die Künstler als Gleichberechtigte behandelten, sie in der Werkstatt besuchten und Leo X. an das Sterbebett Raffaels eilte, wurde als versteckte Heiligsprechung gedeutet. Raffael und Michelangelo wurden in Kirchen beigesetzt und mit aufwendigen Grabmälern geehrt. Das Wohnhaus Michelangelos wurde zum Sanktuarium umgestaltet, in dem eine Statue den Verstorbenen repräsentiert und Gemälde sein Leben und seine Apotheose schildern. Im 19. Jahrhundert schließlich rückten in Ausstattungsprogrammen von Museen die Künstler auf den Platz, der in der Kathedrale Propheten und Heiligen vorbehalten war. So wird das Portal der Gemäldegalerie in Dresden flankiert von zwei Statuen, die Michelangelo und Raffael darstellen.

Wie der Künstler in den Rang eines Propheten oder Apostels aufstieg, so wurde auch die Kunst zu einer zweiten Religion. Die Heilige Schrift gab einen Teil ihrer Heiligkeit ab an die Bilder, die sie illustrierten. Die Verehrung, die der Gläubige dem religiösen Bildwerk entgegenbrachte, verselbständigte sich. Das Bild löste sich aus seiner dienenden Funktion in der Kirche und schuf sich eine eigene Kirche. Ein Großteil der Kunstwerke auch dieses Bandes befindet sich nicht mehr an dem Ort, für den sie geschaffen wurden, sondern im Museum. Zahlreiche jüngere Werke entstanden nicht mehr für die Kirche, sondern als Galeriebilder für das Museum selbst. Der Aufbewahrungsort der Kunst, das Museum, wurde zu einer der wichtigsten Bauaufgaben des 19. Jahrhunderts. Seine architektonische Form entlehnte es der Sakralbaukunst. Es schuf eine weihevolle Atmosphäre, in der das Publikum nicht die Nähe Gottes, sondern des Künstlers suchte. Der Betrachter trat vor das Bild mit der Bereitschaft zur andächtigen Versenkung, die ihr Vorbild in der Anbetung des Heiligenbildes hatte.

Meister des späten 15. Jahrhunderts: Der Hl. Lukas malt die Madonna; Nürnberg, Germanisches Nationalmuseum.

Erst durch die Darstellung christlicher Glaubensinhalte wurde die abendländische Kunst zu dem, was sie heute für uns ist, eine zweite Religion. Es war die christliche Aussage, die ihr diese Stellung eroberte. Noch das Selbstverständnis des modernen Künstlers hat seine Wurzeln im Apostolat der christlichen Künstler. Auch seine Kunst hat für uns Offenbarungscharakter.

Die Zeit

Jedes Kunstwerk trägt die Zeichen der Zeit, in der es entstand. Die Kunstgeschichte faßt diese zeitlichen Merkmale zusammen zu Stilbegriffen. Gotik, Renaissance, Manierismus, Barock, Klassizismus und Historismus sind aber mehr als nur Hilfskonstruktionen zur Datierung von Kunstwerken. Mit der Änderung ihrer Ausdrucksmittel reagiert die Kunst auf Veränderungen, die gleichzeitig im Weltbild, in der Gesellschaft und in der Kirche vor sich gehen. Auch die Darstellung biblischen Geschehens ist ein Zeitdokument. Die Weise, wie jede Zeit die Bibel neu deutet, gibt uns Aufschluß über die Probleme, die den Künstler und seine Zeitgenossen bewegten.

Ausdruck des mittelalterlichen Weltbildes war die Kathedrale. In ihrer Gesamtheit repräsentierte sie die geistliche und weltliche Ordnung. Auch die Künste waren in ihr einer strengen Hierarchie unterworfen. An erster Stelle stand die Architektur, gefolgt von der Skulptur.

Malerei und Kunstgewerbe hatten nur einen untergeordneten Rang. Auf diesen untersten Bereich, Glasfenster und Buchmalerei, war zunächst die Darstellung biblischen Geschehens beschränkt.

Mit dem Entstehen der Bettelorden, einer Erneuerung der Volksfrömmigkeit und einer neuen, persönlicheren Form des Glaubens, der Mystik, traten neue künstlerische Bedürfnisse auf. Der Kirchenbau wurde ergänzt um Kapellen, die im Auftrag privater Stifter freskiert oder mit Altären ausgestattet wurden. Es entstand das Tafelbild, das der frommen Versenkung des einzelnen dient. Die Kunst versuchte nun, durch die Darstellung menschlichen Empfindens den Betrachter unmittelbar zu ergreifen.

Giotto, der die Kirche des Ordensgründers Franziskus von Assisi und Privatkapellen in Florenz und Padua freskierte, schildert erstmals das Leben und die Passion Christi in der Sphäre menschlicher Empfindungen. So verschiedenartige Gefühle wie Verehrung, Dankbarkeit, Schmerz und Wut werden in einer differenzierten Gestensprache anschaulich gemacht.

Krisen, Pestepidemien und der Fall Konstantinopels 1453 erschütterten die Menschen des Spätmittelalters und verschafften sich in Nordeuropa Ausdruck in der gesteigerten Expressivität der Spätgotik. In Rogier van der Weydens Passionsszenen äußert sich die Erschütterung nicht nur in den Gesichtern; auch die Form, etwa der Faltenwurf, beteiligt sich am Ausdruck.

Gleichzeitig entstand in Italien mit der Renaissance ein neues Welt- und Menschenbild. Mit dem Aufblühen der Wissenschaften erhob auch die Kunst den Anspruch, eine Wissenschaft zu sein. Die künstlerische Ausbildung wurde zum methodischen Studium. Schon in van Eycks Genter Altar ist die Natur aufmerksam beobachtet. Masaccio zeigt erstmals den Menschen in seiner Körperhaftigkeit, umgeben von einem Raum, der den realen Raum jenseits der Bildfläche fortsetzt. Die Antike lieferte Michelangelo und Raffael das Vorbild für ein neues Ideal des geistig und körperlich vollkommenen Menschen. Die Göttlichkeit ihrer biblischen Gestalten besteht nur noch darin, daß sie allgemeingültige, ideale Menschen verkörpern.

Mit dem Auftreten Martin Luthers (Abb.) zerbrach die Einheit der christlichen Kunst. Unter dem Mäzenat Leos X. (Abb.) erreichte die Hochrenaissance ihre letzte Blüte. Noch einmal gelang es, die Spannungen einer Krisenzeit im Sinne eines klassischen Ausgleichs zu überwinden. Doch schon ab 1520 zeigte sich die Erschütterung durch die Glaubenskämpfe in einem antiklassischen Manierismus, der sich auch im

Zu einer Sonderform gelangte El Greco in Spanien, dem Zentrum einer neuen Mystik. Seine Bilder sind die Parallele zu den Visionen der Heiligen Therese oder des Ignatius von Loyola. Die Szenerie wird von Blitzen erhellt. Die Gestalten verlieren ihre Schwerkraft und sprengen die natürlichen Proportionen. El Grecos Kunst wird zum Flammenzeichen, das lei-

schen oder römischen Geschichte darstellt.

Die Französische Revolution 1789 bedeutete das Ende einer kirchlich gebundenen, religiösen Kunst. Die Inhalte der Bibel wurden frei verfügbar und die Künstler suchten nach neuen, individuellen Lösungen. Wie Caspar David Friedrich war auch für Turner und Martin die Land-

Martin Schaffner: Die Heiligen Petrus und Paulus mit dem Schweißtuch der Heiligen Veronika; Karlsruhe, Staatliche Kunsthalle.

Spätwerk der großen Meister Michelangelo und Raffael angekündigt hatte.

Mit der Ausbreitung der Reformation kam in den protestantischen Ländern die Kunstproduktion zum Erliegen. Die Gegenreformation jedoch, mit der die katholische Kirche den Kampf um die Rückeroberung der Gläubigen aufnahm, gab der Kunst neue, langanhaltende Impulse. Das Tridentinische Konzil formulierte 1545–63 auch für die Kunst neue Richtlinien. Sie wurde zu einem Instrument der Glaubenspropaganda.

Der neue Stil, der vom Manierismus schließlich zum Barock überleitet, wird vertreten von Tintoretto. Seine Kunst ist ein optisches Reizmittel. Starke Kontraste und Lichteffekte ziehen das Auge auf sich. Kurven und Diagonalen, starke Bewegungen und ausholende Gesten reißen den Betrachter mit sich. Um ihn in das Bildgeschehen einzubeziehen, wird die Grenze zwischen Bild und Wirklichkeit aufgehoben. Es entstand die illusionistische Malerei, die den Himmel dem Blick des Betrachters öffnet.

denschaftliche Verzückung, aber auch Fanatismus sichtbar macht.

Die Trennung der nördlichen reformierten Niederlande von den südlichen spanisch-katholischen Provinzen spaltete auch die Kunst. Während in Amsterdam Rembrandt zu einer protestantisch verinnerlichten Bildsprache findet, führt Rubens schon eine Generation früher die flämische Barockmalerei zu ihrem Höhepunkt. Die naturalistisch gesehene Naturform steigert Rubens zum Ausdruck triumphierender Kraft. Selbst Christus am Kreuz erscheint nicht mehr als Leidender, sondern als herkulischer Sieger im Kampf mit dem Tod.

Durch den Absolutismus Ludwigs XIV. war in Frankreich neben der geistlichen eine starke weltliche Macht entstanden. Früher als in anderen Ländern wurde die Kunst hier zu einer Staatskunst. Schlachten- und Geschichtsdarstellungen waren ihre Hauptaufgabe, und auch das religiöse Bild wurde verweltlicht. Bei Poussin wird das biblische Geschehen zu einem historischen Ereignis, das er mit denselben Mitteln wie ein Ereignis der griechi-

schaft das Medium, mit dem sie biblische Themen in einer neuen Sicht zu gestalten versuchten. Salonmaler wie Gerard, Poynter oder Solomon setzten die Tradition des biblischen Historienbildes fort, ohne damit eine eigenwertige religiöse Kunst zu schaffen. Die Bestrebungen der Präraffaeliten, die religiöse Kunst zu erneuern, fanden ihre Grenze in dem zeitgebundenen Naturalismus. Ihren Bildern eine religiöse Aura zu verleihen, gelang auch ihnen nicht.

Der Künstler

Der größere Teil religiöser Bildwerke verrät uns nichts über den Menschen, der sie geschaffen hat. Der Künstler tritt zurück hinter der Verkündigung des Wortes; er setzt eine Bildtradition fort und spiegelt seine Zeit im Allgemeinen. In ganz anderer Weise berühren uns Bilder, durch die hindurch eine Persönlichkeit sichtbar wird. Wir erkennen in ihnen die zurückgelassene Spur wirklichen Lebens. Lebensumstände und Ereignisse finden ihren Niederschlag im Bild. Gefühle, die der Künstler empfunden und in sein Bild hineingelegt hat, wirken auf uns zurück. Gedanken, die ihn bewegt haben, springen über. Die Kunstbetrachtung wird, über die Zeiten hinweg, zu einem Dialog mit dem Künstler.

Zwischen Weltentstehung und Weltende, zwischen Gott und den Menschen, Leben und Tod, Gut und Böse, entfächert die Bibel ein unerschöpfliches Kaleidoskop an Ereignissen, Empfindungen und Gedanken. Dieser innere Reichtum ermöglichte es dem Künstler, in scheinbar überzeitlichen Themen auch Persönlichstes zur Sprache zu bringen. Erschreckt von den Voraussagen von Flutkatastrophen, gab Baldung-Grien seinen Ängsten in einer »Sintflut« Ausdruck (Seite 30). William Dyce ließ zwischen seiner Verlobung und Hochzeit Jahre verstreichen und fand in Jakob, der ebenso lange auf Rahel gewartet hatte, seine Rechtfertigung (Seite 60). Beim Tod seines Vaters malte Turner eine Szene aus der Apokalypse, den »Tod auf fahlem Pferd« (Seite 254/255).

So wird die Bilderwelt der Bibel zu einer gemeinsamen Sprache, mit der sich Künstler und Betrachter verständigen. Michelangelos Sixtinische Fresken erzählen uns nicht nur von der Erschaffung der Welt, sondern auch von ihrer eigenen Entstehung. Das Walten des Schöpfers ist zugleich die schöpferische Tätigkeit des Künstlers, der sich eine eigene Welt erschafft. Michelangelos Denken und Fühlen kreiste um einen einzigen Gegenstand, den Menschen. Landschaften, Tiere und Gegenstände tauchen in seinen Bildern nur am Rande auf. Er selbst war häßlich und zudem durch einen Faustschlag entstellt, mit dem Torrigiani ihm das Nasenbein zertrümmert hatte. Um so leidenschaftlicher suchte Michelangelo in seiner Kunst das Bild des schönen Menschen zu verwirklichen. In Modellstudien näherte er sich dem äußeren Abbild der Idee, die er als »Disegno interno« in sich trug. Indem er Leichen sezierte, durchforschte er die Geheimnisse der Schöpfung. Für Michelangelo hatte die »Erschaffung Adams« (Seite 14/15) deshalb eine ganz andere Bedeutung als nur die Entstehung des Menschengeschlechts. Gott ist, indem er den Menschen formt, der erste und vollkommenste Künstler, mit dem Michelangelo in Wettstreit tritt.

Adam ist das vollkommenste Kunstwerk, das Michelangelo in seinen Bildwerken zu wiederholen versucht. Die biblische Szene der »Erschaffung Adams« verrät uns also mehr über das Geheimnis des Schöpferischen als das Historienbild von Eugène Delacroix, der Michelangelo in seiner Werkstatt darstellt (Abb.).

Ein völlig anderer Charakter tritt uns in Caravaggio entgegen. Die zeitgenössischen Quellen zeichnen ihn als gemeingefährlich. Caravaggio sei großspurig mit Degen und Diener von Ballspiel zu Ballspiel gezogen, immer bereit, sich in Wortwechsel und Duelle einzulassen. Er verletzte mehrere Personen, wurde wegen Waffenbesitzes festgenommen und mehrfach eingekerkert. 1606 ermordete er in einem Gefecht Ranuccio Tommasoni und mußte aus Rom fliehen.

Caravaggios Bilder zeigen uns die Innenseite dieser Existenz. Der Künstler gibt sich zu erkennen als ein Mensch, der an sich selbst leidet.

171) fällt, ist das Kellerlicht der Spelunken und Kerker, in denen Caravaggio lebte. Der Kreis um Matthäus unterscheidet sich nicht von der zwielichtigen Gesellschaft der Freunde Caravaggios. Es sind versessene Spieler und herausstaffierte Halbwüchsige mit Degen, darunter auch das Modell, das Caravaggio bereits als Bacchus dargestellt hatte. Christus und Petrus treten heran, als wollten sie Matthäus festnehmen. Schuldbewußt führt dieser die Hand gegen die Brust. Die biblische Szene wird zu einem Spiegel des Lebens Caravaggios und zum Ausdruck seiner Hoffnung, aus diesem Leben heraus zum Jünger Christi berufen zu werden.

Ein besonderes Schicksal betraf Artemisia Gentileschi. Sie war Künstlerin in einer Zeit, die der Frau nur die Wahl zwischen Ehe und Kloster ließ. Artemisia wurde als Fünfzehnjährige jedoch von einem Mann entführt. Unter der Folter mit Daumenschrauben beschwor sie, daß ihr Ver-

Lucas Cranach der Ältere: Martin Luther, aus einem Doppelporträt mit Katharina von Bora; Florenz, Galleria degli Uffizi.

Raffael (Raffaello Santi): Leo X. mit seinen Kardinälen Luigi de Rossi und Guilo de Medici (Ausschnitt); Florenz, Galleria degli Uffizi.

In ihnen kehrt er die Aggressivität gegen sich selbst; das abgeschlagene Haupt des Goliath verwandelt sich in ein Selbstporträt. In der Darstellung von Berufungen, Bekehrungen und Martyrien ringt Caravaggio um die Befreiung aus den Fesseln seiner eigenen Existenz. Das Licht, das auf die »Berufung des Matthäus« (Seite

führer ihr die Ehe versprochen habe. Da dieser aber bereits verheiratet war, blieb nur die äußere Wiederherstellung ihrer Ehre, indem sie rasch mit einem anderen Mann verheiratet wurde. Nicht die Prozeßakten, aber die Gemälde Artemisias geben Einblick, wie sie selbst diese Ereignisse erlebte und verarbeitete. Artemisia

Eugène Delacroix: Michelangelo in seinem Atelier; Montpellier, Musée Fabre.

zeigt uns die Frau als Opfer und als Rächerin. Im Alten Testament fand sie die Vorbilder, an denen sie sich aufrichtete. Susanna und Bathseba fallen Männern zum Opfer; in Judith rächt sich eine Frau auf grausamste Weise.

Der Ehrenkodex ihrer Zeit hatte Artemisia nur die Wahl zwischen Eheschließung und Blutrache gelassen. Sie wählte die Blutrache. Doch fließt das Blut nicht in Wirklichkeit, sondern im Bild (Seite 129). Noch auf dem Liebeslager überwältigen zwei Frauen Holofernes. Eine Magd drückt seinen Oberkörper in die Kissen; Judith durchtrennt kaltblütig mit einem Schwert seinen Hals. Artemisias Frauengestalten sind heroisch. Sie kämpfen für die Freiheit nicht nur des Volkes Israel, sondern zugleich für die Freiheit ihres

Geschlechts. Artemisia hatte diesen Kampf gekämpft und zumindest für sich selbst gewonnen.

Am nächsten steht uns Rembrandt. Sicher verdankt Rembrandt seine außerordentliche Popularität nicht allein seinem Helldunkel, sondern mehr noch der Tatsache, daß sich zahlreiche Menschen in seinen Bildern wiedererkennen. In seinen Selbstbildnissen, aber auch verschlüsselt in seinen biblischen Darstellungen, tritt uns Rembrandt selbst entgegen. Wie sich mit den Bildern Rembrandts eine Bibel illustrieren läßt, könnte anhand der Bilder auch Rembrandts eigenes Leben erzählt werden.

Als Rembrandt in einem Verhältnis mit seiner Magd Hendrickje Stoffels lebte, das nach kirchlicher Auffassung Sünde war, malte er Hen-

drickje als Bathseba (Seite 102). Während er seinen Blick auf das Modell und sein Abbild richtete, übernahm er selbst die Rolle Davids, der im Bild nicht mehr erscheint. Auch wir sehen Bathseba mit den Augen Davids. Wir fühlen Rembrandts Schuldbewußtsein und lernen gleichzeitig ihn verstehen.

In seinem »Verlorenen Sohn« (Seite 192) berührt Rembrandt die letzten Dinge. Es ist die Stimme des Sterbenden, die wir vernehmen. Der Tod hatte immer engere Kreise um Rembrandt gezogen. 1663 war Hendrickje, 1668 sein einziger Sohn Titus gestorben. Der vereinsamte Meister fühlte, daß der Tod nun auch vor seiner Tür stand. Er blickte zurück auf sein Leben und erkannte sich selbst als verlorenen Sohn. Auch er hatte gepraßt, in Sünde gelebt und das Elend kennengelernt. Es blieb ihm die Hoffnung auf Vergebung. In seinem Gemälde flüchtet sich ein verlorener Sohn über die Bildgrenze hinweg in die Arme eines Vaters, der ihn verzeihend bei sich aufnimmt. Wir werden zu Zeugen von Rembrandts Reue und Hoffnung.

Die Betrachtung von Bildern mit biblischen Szenen ist damit mehr als nur Belehrung oder Kunstgenuß. In der Zwiesprache mit dem Künstler begegnen wir unserem Nächsten. Er stellt uns Fragen, auf die wir eine Antwort finden müssen, und er beantwortet Fragen, die wir an ihn herantragen. Eine Vertrautheit wie zwischen Freunden stellt sich ein. Ohne Befangenheit dringt das Gespräch zu den wesentlichen Fragen des Lebens und Glaubens vor, die uns gemeinsam bewegen. In einem neuen, gleichwohl gültigen Sinn erfüllt sich dabei das Christuswort: »Denn wo zwei oder drei versammelt sind in meinem Namen, da bin ich mitten unter ihnen.«

Karl-Friedrich Hahn

Kunsthistorische Dokumentation, Archiv für Kunst und Geschichte, Berlin

Das Alte Testament

Am Anfang
schuf Gott Himmel und Erde

Am Anfang schuf Gott Himmel und Erde. Und die Erde war wüst und leer, und es war finster auf der Tiefe; und der Geist Gottes schwebte auf dem Wasser. Und Gott sprach: Es werde Licht! und es ward Licht. Und Gott sah, daß das Licht gut war. Da schied Gott das Licht von der Finsternis und nannte das Licht Tag und die Finsternis Nacht. Da ward aus Abend und Morgen der erste Tag. Und Gott sprach: Es werde eine Feste zwischen den Wassern, und die sei ein Unterschied zwischen den Wassern. Da machte Gott die Feste und schied das Wasser unter der Feste von dem Wasser über der Feste. Und es geschah also. Und Gott nannte die Feste Himmel. Da ward aus Abend und Morgen der andere Tag. Und Gott sprach: Es sammle sich das Wasser unter dem Himmel an besondere Örter, daß man das Trockene sehe. Und es geschah also. Und Gott nannte das Trockene Erde, und die Sammlung der Wasser nannte er Meer. Und Gott sah, daß es gut war.

Und Gott sprach: Es lasse die Erde aufgehen Gras und Kraut, das sich besame, und fruchtbare Bäume, da ein jeglicher nach seiner Art Frucht trage und habe seinen eigenen Samen bei sich

selbst auf Erden. Und es geschah also. Und die Erde ließ aufgehen Gras und Kraut, das sich besamte, ein jegliches nach seiner Art, und Bäume, die da Frucht trugen und ihren eigenen Samen bei sich selbst hatten, ein jeglicher nach seiner Art. Und Gott sah, daß es gut war. Da ward aus Abend und Morgen der dritte Tag.

**William Blake
(1757–1827)
»The Ancient of Days«
(Cambridge, Fitzwilliam
Museum)**

Schon die mittelalterliche Buchmalerei kennt Gottvater mit dem Zirkel als Architekt des Weltgebäudes. Blake parodiert diese Vorstellung in der Gestalt des Urizen, einer Kunstfigur, die nach Blakes Verständnis über das gefallene Europa der Gegenwart herrscht.

**Raffael (Raffaello Santi)
(1483–1520)
»Die Erschaffung der Tiere«
(Rom, Vatikan, Loggien)**

Die kleinformatigen Fresken in den Loggien des Vatikans waren als die »Bibel Raffaels« in Stichreproduktionen weit verbreitet. Der Zyklus beginnt mit der Schöpfung und endet mit dem Abendmahl. An der Gestaltung der Details waren in großem Umfang Raffaels Schüler beteiligt. Die Tiermotive werden Giovanni da Udine zugeschrieben.

13

**Michelangelo Buonarroti
(1475–1564)
»Die Erschaffung Adams«
(Rom, Vatikan,
Sixtinische Kapelle)**

Nicht als Menschenbildner
in Ton erscheint der Schöpfer, sondern als dynamisch
geladenes Kraftfeld, aus dem
der Lebensfunke über die
Fingerspitzen auf Adam
überspringt. Menschlich
vertieft wird dieser Vorgang
durch den Blickkontakt.
Adam erwacht traumschwer
und erblickt seinen Gott. Die
ideale Schönheit, die Adam
als Gottes Geschöpf zu-
kommt, variiert Michelangelo
in zwanzig Jünglingsfiguren,
die er um die Bildfelder
des Gewölbes gruppiert.

Und Gott schuf den Menschen aus dem Staub der Erde

Also ist Himmel und Erde geworden, da sie geschaffen sind, zu der Zeit, da Gott der Herr Erde und Himmel machte. ◆ Und allerlei Bäume auf dem Felde waren noch nicht auf Erden, und allerlei Kraut auf dem Felde war noch nicht gewachsen; denn Gott der Herr hatte noch nicht regnen lassen auf Erden, und es war kein Mensch, der das Land baute. ◆ Aber ein Nebel ging auf von der Erde und feuchtete alles Land. ◆ Und Gott der Herr machte den Menschen aus einem Erdenkloß, und er blies ihm ein den lebendigen Odem in seine Nase. Und also ward der Mensch eine lebendige Seele.

William Blake (1757–1827) »Elohim, der Adam erschafft« (London, Tate Gallery)

Erst aus Blakes eigener prophetischer Dichtung, in der er biblische Motive bis zur Französischen Revolution fortspinnt, wird die Darstellung verständlich. Indem der Schöpfergott mit Adam zugleich die Schlange formt, macht Blake ihn für das Böse in der Welt verantwortlich.

Gott schuf Eva
aus einer Rippe Adams

**Michelangelo Buonarroti
(1475–1564)
»Die Erschaffung Evas«
(Rom, Vatikan,
Sixtinische Kapelle)**

Die Scheidung der
Geschlechter vermochte
Michelangelo nicht im
selben Maße zu inspirieren
wie die Erschaffung Adams.
Gerade seine eigenen ana-
tomischen Studien mußten
ihm die bildliche Darstellung der Rippenamputation
erschweren. Sie ist durch
Evas Schrittmotiv nur angedeutet.

**William Blake
(1757–1827)
»Adam, der den Tieren
Namen gibt«
(Glasgow, Pollok House)**

Blakes Adam hat als Pendant
einen segnenden Christus.
Dies erklärt seine ikonen-
hafte Strenge, die an ein Hei-
ligenbild denken läßt. Schon
Paulus hatte Adam und
Christus als Vertreter des
irdischen und himmlischen
Menschen einander gegen-
übergestellt.

Und Gott der Herr sprach: Es ist nicht gut, daß der Mensch allein sei; ich will ihm eine Gehilfin machen, die um ihn sei. ◆ Denn als Gott der Herr gemacht hatte von der Erde allerlei Tiere auf dem Felde und allerlei Vögel unter dem Himmel, brachte er sie zu dem Menschen, daß er sähe, wie er sie nennte; denn wie der Mensch allerlei lebendige Tiere nennen würde, so sollten sie heißen. ◆ Und der Mensch gab einem jeglichen Vieh und Vogel unter dem Himmel und Tier auf dem Felde seinen Namen; aber für den Menschen ward keine Gehilfin gefunden, die um ihn wäre. ◆ Da ließ Gott der Herr einen tiefen Schlaf fallen auf den Menschen, und er schlief ein. Und er nahm seiner Rippen eine und schloß die Stätte zu mit Fleisch. ◆ Und Gott der Herr baute ein Weib aus der Rippe, die er von dem Menschen nahm, und brachte sie zu ihm. ◆ Da sprach der Mensch: Das ist doch Bein von meinem Bein und Fleisch von meinem Fleisch; man wird sie Männin hei-ßen, darum daß sie vom Manne genommen ist. ◆ Darum wird ein Mann Vater und Mutter verlas-sen und an seinem Weibe hangen, und sie werden sein ein Fleisch. ◆ Und sie waren beide nackt, der Mensch und sein Weib, und schämten sich nicht.

Und sie nahm von der verbotenen Frucht, aß und gab auch ihrem Mann davon

nd die Schlange war listiger denn alle Tiere auf dem Felde, die Gott der Herr gemacht hatte, und sprach zu dem Weibe: Ja, sollte Gott gesagt haben: Ihr sollt nicht essen von allerlei Bäumen im Garten? ◆ Da sprach das Weib zu der Schlange: Wir essen von den Früchten der Bäume im Garten; ◆ aber von den Früchten des Baumes mitten im Garten hat Gott gesagt: Esset nicht davon, rühret's auch nicht an, daß ihr nicht sterbet. ◆ Da sprach die Schlange zum Weibe; Ihr werdet mitnichten des Todes sterben; ◆ sondern Gott weiß, daß welches Tages ihr davon esset, so werden eure Augen aufgetan, und werdet sein wie Gott und wissen, was gut und böse ist. ◆ Und das Weib schaute an, daß von dem Baum gut zu essen wäre und daß er lieblich anzusehen und ein lustiger Baum wäre, weil er klug machte; und sie nahm von der Frucht und aß und gab ihrem Mann auch davon, und er aß. ◆ Da wurden ihrer beider Augen aufgetan, und sie wurden gewahr, daß sie nackt waren, und flochten Feigenblätter zusammen und machten sich Schürze. ◆ Und sie hörten die Stimme Gottes des Herrn, der im Garten ging, da der Tag kühl geworden war. Und Adam versteckte sich mit seinem Weibe vor dem Angesicht Gottes des Herrn unter die Bäume im Garten. ◆ Und Gott der Herr rief Adam und sprach zu ihm: Wo bist du? ◆ Und er sprach: Ich hörte deine Stimme im Garten und fürchtete mich; denn ich bin nackt, darum versteckte ich mich. ◆ Und er sprach: Wer hat dir's gesagt, daß du nackt bist? Hast du nicht gegessen von dem Baum, davon ich dir gebot, du solltest nicht davon essen? ◆ Da sprach Adam: Das Weib, das du mir zugesellt hast, gab mir von dem Baum, und ich aß. ◆ Da sprach Gott der Herr zum Weibe: Warum hast du das getan? Das Weib sprach: Die Schlange betrog mich also, daß ich aß.

Lucas Cranach der Ältere (1472–1553) »Adam und Eva« (London, Courtauld Institute Galleries)

Weniger von der Frucht als von Eva selbst geht die Kraft der Verführung aus. In ihrer erotischen Ausstrahlung unterscheidet sie sich nicht von einer Venus, wie sie Cranach mit gleicher Vorliebe gestaltet. Das eucharistische Symbol des Weinstocks deutet auf die Entsühnung des Sündenfalls durch Christus voraus.

Lucas Cranach der Ältere (1472–1553) »Eva« (Antwerpen, Koninklijk Museum voor Schone Kunsten)

Das Gemälde in Antwerpen ist eine von zahlreichen Varianten, in denen Cranach das Thema des Sündenfalls zum Vorwand nimmt, sich der Schönlinigkeit des weiblichen Akts zu widmen. Wortgetreu gibt Cranach die Schlange mit zum Sprechen geöffnetem Maul.

**Jacopo Bassano
(1517/18–1592)
»Das irdische Paradies«
(Rom, Galleria Doria)**

Der Ausblick in eine buko-
lische Landschaft, gerahmt
von zwei Aktfiguren und
einigen Tieren, bedarf keiner
theologischen Auslegung.
Bassanos Paradies ist kein
Phantasiegebilde. Mit der
Beschränkung auf die Wirklichkeit erhebt Bassano seine
oberitalienische Heimat in
den Rang eines Garten Eden.

Da wies Gott Adam und Eva
aus dem Garten Eden

nd Adam hieß sein Weib Eva, darum daß sie eine Mutter ist aller Lebendigen. ◆ Und Gott der Herr machte Adam und seinem Weibe Röcke von Fellen und kleidete sie. ◆ Und Gott der Herr sprach: Siehe, Adam ist geworden wie unsereiner und weiß, was gut und böse ist. Nun aber, daß er nicht ausstrecke seine Hand und breche auch von dem Baum des Lebens und esse und lebe ewiglich! ◆ Da wies ihn Gott der Herr aus dem Garten Eden, daß er das Feld baute, davon er genommen ist, ◆ und trieb Adam aus und lagerte vor den Garten Eden die Cherubim mit dem bloßen, hauenden Schwert, zu bewahren den Weg zu dem Baum des Lebens.

**Thomas Cole
(1801–1848)
»Die Vertreibung aus dem Paradies«
(Boston, Museum of Fine Arts)**

Cole verlagert das Geschehen in die Landschaft. Gebirge und sanfte Flußaue, nordische und südliche Vegetation, selbst Wetter und Tierwelt begleiten den Schritt des ersten Menschenpaares vom Paradies hinaus in die Wildnis.

**Meister Bertram von Minden
(um 1340–1414/15)
»Adam und Eva bei der Arbeit«
(Hamburg, Kunsthalle)**

Der Arbeitsalltag, als Adam grub und Eva spann, ist von derselben Härte wie noch für das Landvolk zur Zeit Meister Bertrams. Einzig der Goldgrund deutet auf den religiösen Gehalt der Szene.

Als sie auf dem Feld waren, erschlug Kain seinen Bruder Abel

nd Adam erkannte sein Weib Eva, und sie ward schwanger und gebar den Kain und sprach: Ich habe einen Mann gewonnen mit dem Herrn. ◆ Und sie fuhr fort und gebar Abel, seinen Bruder. Und Abel ward ein Schäfer; Kain aber ward ein Ackermann. ◆ Es begab sich aber nach etlicher Zeit, daß Kain dem Herrn Opfer brachte von den Früchten des Feldes; ◆ und Abel brachte auch von den Erstlingen seiner Herde und von ihrem Fett. Und der Herr sah gnädig an Abel und sein Opfer; ◆ aber Kain und sein Opfer sah er nicht gnädig an. Da ergrimmte Kain sehr, und seine Gebärde verstellte sich. ◆ Da

sprach der Herr zu Kain: Warum ergrimmst du? und warum verstellt sich deine Gebärde? ◆ Ist's nicht also? wenn du fromm bist, so bist du angenehm; bist du aber nicht fromm, so ruhet die Sünde vor der Tür, und nach dir hat sie Verlangen; du aber herrsche über sie. ◆ Da redete Kain mit seinem Bruder Abel. Und es begab sich, da sie auf dem Felde waren, erhob sich Kain wider seinen Bruder Abel und schlug ihn tot.

**Peter Paul Rubens
(1577–1640)
»Kain erschlägt Abel«
(London, Courtauld
Institute Galleries)**

Eine Anatomie- und Ausdrucksstudie, die das Studium antiker Skulpturen, etwa des Laokoon und des Torsos vom Belvedere, verrät.

**Jacopo Tintoretto
(1518–1594)
»Kain erschlägt Abel«
(Venedig, Galleria
dell'Accademia)**

Überzeugender als Rubens versteht es Tintoretto, die Brutalität des Brudermords in wirbelnder Bewegung zum Ausdruck zu bringen.

Und Gott verfluchte
Kain und sein Geschlecht

Da sprach der Herr zu Kain: Wo ist dein Bruder Abel? Er sprach: Ich weiß nicht; soll ich meines Bruders Hüter sein? ◆ Er aber sprach: Was hast du getan? Die Stimme des Blutes deines Bruders schreit zu mir von der Erde. ◆ Und nun verflucht seist du auf der Erde, die ihr Maul hat aufgetan und deines Bruders Blut von deinen Händen empfangen. ◆ Wenn du den Acker bauen wirst, soll er dir hinfort sein Vermögen nicht geben. Unstet und flüchtig sollst du sein auf Erden. ◆ Kain aber sprach zu dem Herrn: Meine Sünde ist größer, denn daß sie mir vergeben werden möge. ◆ Siehe, du treibst mich heute aus dem Lande, und ich muß mich vor deinem Angesicht verbergen und muß unstet und flüchtig sein auf Erden. So wird mir's gehen, daß mich totschlage, wer mich findet. ◆ Aber der Herr sprach zu ihm: Nein; sondern wer Kain totschlägt, das soll siebenfältig gerächt werden. Und der Herr machte ein Zeichen an Kain, daß ihn niemand erschlüge, wer ihn fände. ◆ Also ging Kain von dem Angesicht des Herrn und wohnte im Lande Nod, jenseits Eden, gegen Morgen. ◆ Und Kain erkannte sein Weib; die ward schwanger und gebar den Henoch. Und er baute eine Stadt, die nannte er nach seines Sohnes Namen Henoch. ◆ Henoch aber zeugte Irad, Irad zeugte Mahujael, Mahujael zeugte Methusael, Methusael zeugte Lamech. ◆ Lamech aber nahm zwei Weiber; eine hieß Ada, die andere Zilla. Und Ada gebar Jabal; von dem sind hergekommen, die in Hütten wohnten und Vieh zogen. ◆ Und sein Bruder hieß Jubal; von dem sind hergekommen die Geiger und Pfeifer. ◆ Die Zilla aber gebar auch, nämlich den Thubalkain, den Meister in allerlei Erz- und Eisenwerk. Und die Schwester des Thubalkain war Naema. ◆ Und Lamech sprach zu seinen Weibern Ada und Zilla: Ihr Weiber Lamechs, höret meine Rede und merket, was ich sage: Ich habe einen Mann erschlagen für meine Wunde und einen Jüngling für meine Beule; ◆ Kain soll siebenmal gerächt werden, aber Lamech siebenundsiebzigmal. ◆ Adam erkannte abermals sein Weib, und sie gebar einen Sohn, den hieß sie Seth; denn Gott hat mir, sprach sie, einen anderen Samen gesetzt für Abel, den Kain erwürgt hat. ◆ Und Seth zeugte auch einen Sohn und hieß ihn Enos. Zu der Zeit fing man an, zu predigen von des Herrn Namen.

**William Blake
(1757–1827)
»Adam und Eva entdecken
den Leichnam Abels«
(London, Tate Gallery)**

Mit Kains Brudermord erfüllt sich der Fluch, daß der Mensch wieder zu Erde wird. Deutlich bezieht sich Blake auf seine »Erschaffung Adams« (S. 15). In derselben gestreckten Haltung, in der Adam aus einem Erdhügel geformt wurde, kehrt Abel in den Schoß der Erde zurück. Mit expressiver Liniensprache umschreibt Blake die Gefühle, die den ersten Todesfall begleiten: Trauer, Fassungslosigkeit und zum Wahnsinn gesteigerte Verzweiflung.

**Fernand Cormon
(1845–1924)
»Die Flucht des Kain«
(Paris, Musée d'Orsay)**

Die Darstellung der Kainiten als steinzeitliche Jäger versucht, biblische Über- lieferung und prähistorische Wissenschaft in Einklang zu bringen. Allerdings wird Kain in der Bibel bereits als Ackerbauer und Städte- gründer bezeichnet. Trotz dieser Unstimmigkeit gelingt es Cormon, in der gehetzten Horde zugleich den Fluch sichtbar zu machen, der auf Kain lastet.

Gott bestrafte die Menschen wegen ihrer Sittenverderbnis

Da sich aber die Menschen begannen zu mehren auf Erden und ihnen Töchter geboren wurden, ◆ da sahen die Kinder Gottes nach den Töchtern der Menschen, wie sie schön waren, und nahmen zu Weibern, welche sie wollten. ◆ Da sprach der Herr: Die Menschen wollen sich von meinem Geist nicht mehr strafen lassen; denn sie sind Fleisch. Ich will ihnen noch Frist geben hundertundzwanzig Jahre. ◆ Es waren auch zu den Zeiten Tyrannen auf Erden; denn da die Kinder Gottes zu den Töchtern der Menschen eingingen und sie ihnen Kinder gebaren, wurden daraus Gewaltige in der Welt und berühmte Männer. ◆ Da aber der Herr sah, daß der Menschen Bosheit groß war auf Erden und alles Dichten und Trachten ihres Herzens nur böse war immerdar, ◆ da reute es ihn, daß er die Menschen gemacht hatte auf Erden, und es bekümmerte ihn in seinem Herzen, ◆ und er sprach: Ich will die Menschen, die ich geschaffen habe, vertilgen von der Erde, vom Menschen an bis auf das Vieh und bis auf das Gewürm und bis auf die Vögel unter dem Himmel; denn es reut mich, daß ich sie gemacht habe. ◆ Aber Noah fand Gnade vor dem Herrn. ◆ Dies ist das Geschlecht Noahs. Noah war ein frommer Mann und ohne Tadel und führte ein göttliches Leben zu seinen Zeiten und zeugte drei Söhne: Sem, Ham und Japheth. ◆ Aber die Erde war verderbt vor Gottes Augen und voll Frevels. ◆ Da sah Gott auf die Erde, und siehe, sie war verderbt; denn alles Fleisch hatte seinen Weg verderbt auf Erden.

Hans Baldung (gen. Grien) (1484/85–1545)
»Die Sintflut«
(Bamberg, Neue Residenz)

Astrologische Voraussagen bevorstehender Flutkatastrophen gaben dem Thema um 1500 neue Aktualität. Baldungs Gemälde ist Ausdruck dieser Endzeitstimmung. Während die Welt in Todesangst und Chaos versinkt, schreibt Baldung voller Hoffnung sein eigenes Monogramm auf die möbelartige Arche.

Meister Bertram von Minden (um 1340–1414/15)
»Die Erbauung der Arche«
(Hamburg, Kunsthalle)

Das 16. Jahrhundert empfand die Bildtafeln Meister Bertrams als zu altertümlich. Gilles Congnet übermalte sie im Stil seiner Zeit. Bei der Freilegung blieb im linken unteren Viertel Congnets Übermalung stehen.

Nur Noah fand
Gnade vor den Augen des Herrn

D a sprach Gott zu Noah: Alles Fleisches Ende ist vor mich gekommen; denn die Erde ist voll Frevels von ihnen; und siehe da, ich will sie verderben mit der Erde. Mache dir einen Kasten von Tannenholz und mache Kammern darin und verpiche ihn mit Pech inwendig und auswendig. ◆ Und mache ihn also: Dreihundert Ellen sei die Länge, fünfzig Ellen die Weite und dreißig Ellen die Höhe.

◆ Ein Fenster sollst du daran machen obenan, eine Elle groß. Die Tür sollst du mitten in eine Seite setzen. Und er soll drei Boden haben: einen unten, den andern in der Mitte, den dritten in der Höhe. ◆ Denn siehe, ich will eine Sintflut mit Wasser kommen lassen auf Erden, zu verderben alles Fleisch, darin ein lebendiger Odem ist, unter dem Himmel. Alles, was auf Erden ist, soll untergehen.

Venezianisches Mosaik (13. Jhdt.)
»Geschichte der Arche Noah«
(Venedig, San Marco)

Die im 13. Jahrhundert entstandenen Mosaiken der westlichen Vorhalle von San Marco sind die ersten Zeugnisse einer spezifisch venezianischen Kunst, die sich allmählich von byzantinischen Vorbildern befreit. Neu ist die Beobachtung erzählerischer Einzelheiten.

**Jacopo Bassano
(1517/18–1592)
»Die Erbauung der Arche«
(Marseille,
Musée des Beaux-Arts)**

Wiederum beweist sich
Bassanos Wirklichkeitssinn.
Der Bau der Arche rückt
in den Hintergrund, und
eine Anhäufung von Werk-
zeugen, Hausrat und Haus-
tieren überzieht die Fläche.
Am Schiffsbau beteiligt
sich auch ein Orientale, wie
er in Venedig zum täglichen
Bild gehörte.

**Jacopo Bassano
(1517/18–1592)
»Die Tiere auf dem Weg in
die Arche«
(Englisches Königshaus)**

Das Thema gibt Bassano
Gelegenheit, sein Talent als
Tiermaler auszubreiten. Mit
Sorgfalt widmet er sich jeder
Tierart. Ein einheitlicher
Bewegungsstrom zur Arche
hin wird nicht erkennbar.
Das Auge verweilt wie auf
einer zoologischen Schau-
tafel bei jeder Einzelheit.

Und Noah tat alles, was ihm Gott gebot

ber mit dir will ich einen Bund aufrichten; und du sollst in den Kasten gehen mit deinen Söhnen, mit deinem Weibe und mit deiner Söhne Weibern. ◆ Und du sollst in den Kasten tun allerlei Tiere von allem Fleisch, je ein Paar, Männlein und Weiblein, daß sie lebendig bleiben bei dir. ◆ Von den Vögeln nach ihrer Art, von dem Vieh nach seiner Art und von allerlei Gewürm auf Erden nach seiner Art: von den allen soll je ein Paar zu dir hineingehen, daß sie leben bleiben. ◆ Und du sollst allerlei Speise zu dir nehmen, die man ißt, und sollst sie bei dir sammeln, daß sie dir und ihnen zur Nahrung da sei. ◆ Und Noah tat alles, was ihm Gott gebot.

**Raffael (Raffaello Santi)
(1483–1520)
»Die Erbauung der Arche«
(Rom, Vatikan, Loggien)**

Michelangelo und Raffael
arbeiteten in enger Nachbar-
schaft an der Ausstattung
des Vatikans. Der heroische
Stil der Sixtinischen Decke
blieb nicht ohne Einfluß auf
Raffael. Die patriarchalische
Gestalt des Noah verarbeitet
Michelangelos Gottvater
aus der »Erschaffung Evas«
(S. 16).

Es regnete vierzig Tage und vierzig Nächte

nd da die sieben Tage vergangen waren, kam das Gewässer der Sintflut auf Erden. ◆ In dem sechshundertsten Jahr des Alters Noahs, am siebzehnten Tage des zweiten Monats, das ist der Tag, da aufbrachen alle Brunnen der großen Tiefe, und taten sich auf die Fenster des Himmels, ◆ und kam ein Regen auf Erden vierzig Tage und vierzig Nächte. ◆ Eben am selben Tage ging Noah in den Kasten mit Sem, Ham und Japheth, seinen Söhnen, und mit seinem Weibe und seiner Söhne drei Weibern, ◆ dazu allerlei Getier nach seiner Art,

Anne-Louis Girodet Trioson (1767–1824) »Die Sintflut« (Paris, Louvre)

Aus der Menschheitskatastrophe greift Girodet eine Gruppe heraus. Eine Familie hängt in gegenseitiger Anklammerung und äußerster Anspannung an einem Ast, der unter der Last zu splittern beginnt. Innerhalb der klassizistischen Kunst mußte diese extreme Situation, die auf das Entsetzen des Betrachters spekuliert, als Sensation wirken.

allerlei Vieh nach seiner Art, allerlei Gewürm, das auf Erden kriecht, nach seiner Art und allerlei Vögel nach ihrer Art, alles, was fliegen konnte, alles, was Fittiche hatte; ◆ das ging alles zu Noah in den Kasten paarweise, von allem Fleisch, darin ein lebendiger Geist war. ◆ Und das waren Männlein und Weiblein von allerlei Fleisch, und gingen hinein, wie denn Gott ihm geboten hatte. Und der Herr schloß hinter ihm zu. ◆ Da kam die Sintflut vierzig Tage auf Erden, und die Wasser wuchsen und hoben den Kasten auf und trugen ihn empor über die Erde. ◆ Also nahm das Gewässer überhand und wuchs sehr auf Erden, daß der Kasten auf dem Gewässer fuhr.

**John Martin
(1789–1854)
»Die Sintflut«
(New Haven, Conn., Yale Centre for British Art)**

Die Sintflut wird zur Angstvision einer entfesselten Natur. Gewitter, Flut und Erdbeben brechen gleichzeitig über die Menschen herein. Vor Martin hatte nur Leonardo da Vinci Visionen von ähnlicher Kraft darzustellen gewagt. Möglicherweise wurde Martin durch die in Windsor befindlichen Zeichnungen Leonardos angeregt.

Am siebzehnten Tage des siebenten Monats strandete die Arche auf dem Berge Ararat

Da gedachte Gott an Noah und an alle Tiere und an alles Vieh, das mit ihm in dem Kasten war, und ließ Wind auf Erden kommen, und die Wasser fielen; ◆ und die Brunnen der Tiefe wurden verstopft samt den Fenstern des Himmels, und dem Regen vom Himmel ward gewehrt; ◆ und das Gewässer verlief sich von der Erde immer mehr und nahm ab nach hundertundfünfzig Tagen. ◆ Am siebzehnten Tage des siebenten Monats ließ sich der Kasten nieder auf das Gebirge Ararat. ◆ Es nahm aber das Gewässer immer mehr ab bis auf den zehnten Monat. Am ersten Tage des zehnten Monats sahen der Berge Spitzen hervor. ◆ Nach vierzig Tagen tat Noah das Fenster auf an dem Kasten, das er gemacht hatte, ◆ und ließ einen Raben ausfliegen; der flog immer hin und wieder her,

bis das Gewässer vertrocknete auf Erden. ◆ Darnach ließ er eine Taube von sich ausfliegen, auf daß er erführe, ob das Gewässer gefallen wäre auf Erden.

Venezianisches Mosaik (13. Jhdt.) »Geschichte der Arche Noah« (Venedig, San Marco)

Für Venedig hat die breit ausgeführte Noahgeschichte besondere Bedeutung. Die Seefahrernation mochte dabei an das Schiff als Symbol der Kirche, zugleich auch an Venedig selbst als »schwimmende« Stadt denken.

John Martin (1789–1854) »Die Besänftigung des Wassers« (Edinburgh, The Church of Scotland)

Aus der gestrandeten Arche geht der Blick über die Felsen des Ararat in die aufgehende Sonne. Die Elemente glänzen nach dem Sühnebad in neuer Reinheit wie an einem Schöpfungsmorgen. Die Schlange des Sündenfalls ist ertrunken, und die von Noah ausgesandte Taube pflückt einen Ölzweig.

Noah wurde ein Ackermann und pflanzte Weinberge

oah aber fing an und ward ein Ackermann und pflanzte Weinberge. ◆ Und da er von dem Wein trank, ward er trunken und lag in der Hütte aufgedeckt. ◆ Da nun Ham, Kanaans Vater, sah seines Vaters Blöße, sagte er's seinen beiden Brüdern draußen. ◆ Da nahmen Sem und Japheth ein Kleid und legten es auf ihrer beiden Schultern und gingen rücklings hinzu und deckten ihres Vaters Blöße zu; und ihr Angesicht war abgewandt, daß sie ihres Vaters Blöße nicht sahen. ◆ Als nun Noah erwachte von seinem Wein und erfuhr, was ihm sein jüngster Sohn getan hatte, ◆ sprach er: Verflucht sei Kanaan und sei ein Knecht aller Knechte unter seinen Brüdern! ◆ und sprach weiter: Gelobt sei der Herr, der Gott Sems; und Kanaan sei sein Knecht! ◆ Gott breite Japheth aus und lasse ihn wohnen in den Hütten des Sem; und Kanaan sei sein Knecht! ◆ Noah aber lebte nach der Sintflut 350 Jahre, ◆ daß sein ganzes Alter ward 950 Jahre, und starb.

Giovanni Bellini (um 1430–1516) »Die Trunkenheit Noahs« (Besançon, Musée des Beaux-Arts)

Die alttestamentliche Ablehnung der Nacktheit hat für die Renaissance keine Gültigkeit. Dieselbe Sünde, deren sich der Sohn Noahs schuldig macht, mutet Bellini dem Betrachter zu. Indessen scheint die Belustigung Hams eher den Wirkungen des Weins als der Entblößung zu gelten.

Kommt, laßt uns Ziegel brennen und einen Turm bauen

**Martin van Valckenborch (1535–1612)
»Der Turmbau zu Babel«
(Dresden, Staatliche Kunstsammlung)**

Der Selbstzweck der Architektur, die ohne praktische Funktion nur ihrer Höhe wegen entsteht und dabei alle Proportionen sprengt, ist ein manieristischer Gedanke.

Angeregt von einem Bild Pieter Bruegels entstanden gerade am Ende des 16. Jahrhunderts zahlreiche Gestaltungen des Turmbaus zu Babel. Außer Martin van Valckenborch hat auch sein Bruder Lucas das Thema aufgegriffen. Erst im 20. Jahrhundert hat die Wirklichkeit diese grandiosen Architekturvisionen überboten.

Sie bauten einen Turm, dessen Spitze bis in den Himmel reichte

Es hatte aber alle Welt einerlei Zunge und Sprache. ◆ Da sie nun zogen gen Morgen, fanden sie ein ebenes Land im Lande Sinear, und wohnten daselbst. ◆ Und sie sprachen untereinander: Wohlauf, laßt uns Ziegel streichen und brennen! und nahmen Ziegel zu Stein und Erdharz zu Kalk ◆ und sprachen: Wohlauf, laßt uns eine Stadt und einen Turm bauen, des Spitze bis an den Himmel reiche, daß wir uns einen Namen machen! denn wir werden sonst zerstreut in alle Länder. ◆ Da fuhr der Herr hernieder, daß er sähe die Stadt und den Turm, die die Menschenkinder bauten. ◆ Und der Herr sprach: Siehe, es ist einerlei Volk und einerlei Sprache unter ihnen allen, und haben das angefangen zu tun; sie werden nicht ablassen von allem, was sie sich vorgenommen haben zu tun. ◆ Wohlauf, lasset uns herniederfahren und ihre Sprache daselbst verwirren, daß keiner des anderen Sprache verstehe! ◆ Also zerstreute sie der Herr von dort in alle Länder, daß sie mußten aufhören die Stadt zu bauen. ◆ Daher heißt ihr Name Babel, daß der Herr da selbst verwirrt hatte aller Länder Sprache und sie zerstreut von dort in alle Länder.

Pieter Bruegel der Ältere (um 1525–1569) »Der Turmbau zu Babel« (Wien, Kunsthistorisches Museum)

Mit miniaturhafter Genauigkeit gibt Bruegel den Baubetrieb wieder, wie er ihn aus eigener Beobachtung gekannt hat. Architektonisches Vorbild war das Kolosseum in Rom, das er durch Stufung und Aufstockung einer babylonischen Stufenpyramide annähert. Eine zweite, spätere Version Bruegels zeigt den Bau in einem fortgeschrittenen Stadium und ohne den Bauherrn Nimrod im Vordergrund.

Lots Weib sah hinter sich und erstarrte zur Salzsäule

Da nun die Morgenröte aufging, hießen die Engel den Lot eilen und sprachen: Mache dich auf, nimm dein Weib und deine zwei Töchter, die vorhanden sind, daß du nicht auch umkommst in der Missetat dieser Stadt. ◆ Da er aber verzog, ergriffen die Männer ihn und sein Weib und seine zwei Töchter bei der Hand, darum daß der Herr ihn verschonte, und führten ihn hinaus und ließen ihn draußen vor der Stadt. ◆ Und als sie ihn hatten hinausgebracht, sprach er: Errette deine Seele und sieh nicht hinter dich; auch stehe nicht in dieser ganzen Gegend. Auf den Berg rette dich, daß du nicht umkommst. ◆ Aber Lot sprach zu ihnen: Ach nein, Herr! ◆ Siehe, dieweil dein Knecht Gnade gefunden hat vor deinen Augen, so wollest du deine Barmherzigkeit groß machen, die du an mir getan hast, daß du meine Seele am Leben erhieltest. Ich kann mich nicht auf den Berg retten; es möchte mich ein Unfall ankommen, daß ich stürbe. ◆ Siehe, da ist eine Stadt nahe, darein ich fliehen kann, und ist klein; dahin will ich mich retten (ist sie doch klein), daß meine Seele lebendig bleibe. ◆ Da sprach er zu ihm: Siehe, ich habe auch in diesem Stück dich angesehen, daß ich die Stadt nicht umkehre, von der du geredet hast. ◆ Eile und rette dich dahin; denn ich kann nichts tun, bis daß du hineinkommest. Daher ist diese Stadt genannt Zoar. ◆ Und die Sonne war aufgegangen auf Erden, da Lot nach Zoar kam. ◆

Da ließ der Herr Schwefel und Feuer regnen von dem Herrn vom Himmel herab auf Sodom und Gomorra ◆ und kehrte die Städte um und die ganze Gegend und alle Einwohner der Städte und was auf dem Lande gewachsen war. ◆ Und sein Weib sah hinter sich und ward zur Salzsäule. ◆ Abraham aber machte sich des Morgens früh auf an den Ort, da er gestanden vor dem Herrn, ◆ und wandte sein Angesicht gegen Sodom und Gomorra und alles Land der Gegend und schaute; und siehe, da ging ein Rauch auf vom Lande wie ein Rauch vom Ofen.

Albrecht Dürer (1471–1528)
»Lot und seine Töchter«
(Washington,
National Gallery of Art)

Vor Dürer war das Thema nur in der Buchmalerei dargestellt worden. Für die erste Behandlung als Gemälde wählt Dürer noch eine bescheidene Form, die Rückseite einer Bildtafel, die er mit einem dünnen, mehr graphischen Farbauftrag gestaltet. Auch die Erzählweise wirkt eher märchenhaft als dramatisch.

Jan Bruegel der Ältere (1568–1625)
»Lot und seine Töchter vor dem brennenden Sodom«
(München,
Alte Pinakothek)

Noch während über Sodom das Strafgericht niedergeht, verfällt Lot in neue Sünden. Ohne alttestamentliches Sündenbewußtsein schildert Bruegel die Vielweiberei und Blutschande als erotisches Idyll von heidnischer Diesseitigkeit.

Joseph Mallord William Turner
(1775–1851)
»Die Zerstörung Sodoms«
(London, Tate Gallery)

Turners Auffassung ist von bühnenmäßiger Wirkung. Nicht die Geschichte interessiert ihn, sondern der optische Eindruck eines nächtlichen Großfeuers mit seinem Hitzesog und ausgeglühtem, berstendem Mauerwerk. Das Gemälde blieb als effektvolles Schaustück bis zum Tode Turners in seinem Atelier.

Lot zog aus Zoar
und blieb mit seinen Töchtern
im Gebirge

nd es geschah, da Gott
die Städte in der
Gegend verderbte, ge-
dachte er an Abraham
und geleitete Lot aus
den Städten, die er umkehrte, darin Lot wohnte. ✦ Und Lot zog aus
Zoar und blieb auf dem Berge mit
seinen beiden Töchtern; denn er
fürchtete sich, zu Zoar zu bleiben;
und blieb also in einer Höhle mit
seinen beiden Töchtern.

✦ Da sprach die ältere zu der jüngeren: Unser Vater ist alt, und ist
kein Mann mehr auf Erden, der zu
uns eingehen möge nach aller
Welt Weise; ✦ so komm, laß uns
unserm Vater Wein zu trinken

geben und bei ihm schlafen, daß
wir Samen von unserm Vater
erhalten. ✦ Also gaben sie ihrem
Vater Wein zu trinken in derselben
Nacht. Und die erste ging hinein
und legte sich zu ihrem Vater; und
er ward's nicht gewahr, da sie sich
legte noch da sie aufstand. ✦ Des
Morgens sprach die ältere zu der
jüngeren: Siehe, ich habe gestern
bei meinem Vater gelegen. Laß uns
ihm diese Nacht auch Wein zu
trinken geben, daß du hineinge-
hest und legest dich zu ihm, daß
wir Samen von unserem Vater
erhalten. ✦ Also gaben sie ihrem
Vater die Nacht auch Wein zu trinken. Und die jüngere machte sich

**Otto Dix
(1891–1969)
»Lot und seine Töchter«
(Aachen, Suermondt-
Museum)**

Sowohl in der altmeister-
lichen Maltechnik als auch
in der Wahl des biblischen
Themas greift Dix auf die
Kunst der Dürerzeit zurück.
Sechs Jahre vor ihrer tatsäch-
lichen Zerstörung identifiziert Dix die Stadt Dresden
mit dem brennenden Sodom.

auch auf und legte sich zu ihm;
und er ward's nicht gewahr, da sie
sich legte noch da sie aufstand.
◆ Also wurden die beiden Töchter Lots schwanger von ihrem
Vater. ◆ Und die ältere gebar
einen Sohn, den hieß sie Moab.
Von dem kommen her die Moabiter bis auf den heutigen Tag.
◆ Und die jüngere gebar auch
einen Sohn, den hieß sie das Kind
Ammi. Von dem kommen die Kinder Ammon bis auf den heutigen
Tag.

**Jean-Baptiste-Camille Corot
(1796–1875)
»Hagar und Ismael
in der Wüste«
(New York, Metropolitan
Museum of Art)**

Die Gattung der historischen
Landschaft wurde höher
bewertet als die bloße Naturwiedergabe. Corot selbst
verstand die Naturstudien,
die er 1826 in den Sabiner
Bergen bei Rom anfertigte,
als Vorstufe zu einem an-
spruchsvolleren Werk mit
biblischer Staffage. Die Landschaft wird darin zum Schauplatz eines ergreifenden
Schicksals und einer wun-
derbaren Errettung. Da
Ismael nach islamischer
Tradition als Stammvater der
Araber gilt, verdient der
Moment auch historisches
Interesse.

Hagar irrte mit ihrem Sohn in der Wüste Beer-Seba umher

Und der Herr suchte heim Sara, wie er geredet hatte, und tat mit ihr, wie er geredet hatte. Und Sara ward schwanger und gebar Abraham einen Sohn in seinem Alter um die Zeit, von der ihm Gott geredet hatte. Und Abraham hieß seinen Sohn, der ihm geboren war, Isaak, den ihm Sara gebar, und beschnitt ihn am achten Tage, wie ihm Gott geboten hatte. Hundert Jahre war Abraham alt, da ihm sein Sohn Isaak geboren ward. Und Sara sprach: Gott hat mir ein Lachen zugerichtet; denn wer es hören wird, der wird über mich lachen, und sprach: Wer durfte von Abraham sagen, daß Sara Kinder säuge? Denn ich habe ihm einen Sohn geboren in seinem Alter. Und das Kind wuchs und ward entwöhnt; und Abraham machte ein großes Mahl am Tage, da Isaak entwöhnt ward. Und Sara sah den Sohn Hagars, der Ägyptischen, den sie Abraham geboren hatte, daß er ein Spötter war, und sprach zu Abraham: Treibe diese Magd aus mit ihrem Sohn; denn dieser Magd Sohn soll nicht erben mit meinem Sohn Isaak. Das Wort gefiel Abraham sehr übel um seines Sohnes willen. Aber Gott sprach zu ihm: Laß dir's nicht übel gefallen des Knaben und der Magd halben. Alles, was Sara dir gesagt hat, dem gehorche; denn in Isaak soll dir der Same genannt werden. Auch will ich der Magd Sohn zum Volk machen, darum daß er deines Samens ist. Da stand Abraham des Morgens früh auf und nahm Brot und einen Schlauch mit Wasser und legte es Hagar auf ihre Schulter und den Knaben mit und ließ sie von sich. Da zog sie hin und ging in der Wüste irre bei Beer-Seba. Da nun das Wasser in dem Schlauch aus war, warf sie den Knaben unter einen Strauch und ging hin und setzte sich gegenüber von fern, einen Bogenschuß weit; denn sie sprach: Ich kann nicht ansehen des Knaben Sterben. Und sie setzte sich gegenüber und hob ihre Stimme auf und weinte. Da erhörte Gott die Stimme des Knaben. Und der Engel Gottes rief vom Himmel der Hagar und sprach zu ihr: Was ist dir, Hagar? Fürchte dich nicht;

denn Gott hat erhört die Stimme des Knaben, da er liegt. Steh auf, nimm den Knaben und führe ihn an deiner Hand; denn ich will ihn zum großen Volk machen. Und Gott tat ihr die Augen auf, daß sie einen Wasserbrunnen sah. Da ging sie hin und füllte den Schlauch mit Wasser und tränkte den Knaben.

Claude Lorrain (1600–1682) »Die Verstoßung der Hagar« (München, Alte Pinakothek)

Nach der Geburt Isaaks verstößt Abraham seinen Erstgeborenen, den er mit der Magd Hagar gezeugt hat. Lorrain hält sich an den Wortlaut: Die Szene spielt bei aufgehender Sonne. Abraham überreicht Hagar die Wegzehrung. Von der Terrasse aus schaut Sarah zu.

**Francesco Cozza
(1605–1682)
»Hagar und Ismael
in der Wüste«
(Amsterdam,
Rijksmuseum)**

Der Schutzengel, der einem
Kind in Lebensgefahr zu
Hilfe eilt, ist ein Thema von
besonderer Volkstümlich-
keit. Auch Cozzas Gemälde
gehört in die Reihe der
Schutzengeldarstellungen.
In einer klaren Dreieckskom-
position verdeutlicht er das
Walten des Engels, der mit
seinen Fittichen Mutter und
Kind beschirmt und mit
ausholendem Gestus die
Mutter auf den rettenden
Weg zur Quelle lenkt.

Abraham nahm das Messer, um seinen Sohn zu opfern

Rembrandt Harmensz van Rijn
(1606–1669)
»Die Opferung Isaaks«
(Leningrad, Eremitage)

In der Errettung Isaaks entscheidet sich zugleich das Schicksal des Volkes Israel. Isaak wird Jakob zum Sohn haben, den Vater der zwölf Stämme Israels. Rembrandt spitzt das Geschehen auf jenen blitzartigen Moment zu, in dem die hochgerissene Hand Abrahams das Messer freigibt.

Paolo Veronese
(1528–1588)
»Abraham opfert Isaak«
(Madrid, Prado)

In einer dramatischen Spiralbewegung entwindet der Engel das Messer, mit dem Abraham gegen seinen Sohn ausholt. Mit der Linken weist er auf das Opfertier, das an Isaaks Stelle treten soll.

Da stand Abraham des Morgens früh auf und gürtete seinen Esel und nahm mit sich zwei Knechte und seinen Sohn Isaak und spaltete Holz zum Brandopfer, machte sich auf und ging hin an den Ort, davon ihm Gott gesagt hatte. ◆ Am dritten Tage hob Abraham seine Augen auf und sah die Stätte von ferne ◆ und sprach zu seinen Knechten: Bleibet ihr hier mit dem Esel. Ich und der Knabe wollen dorthin gehen; und wenn wir angebetet haben, wollen wir wieder zu euch kommen. ◆ Und Abraham nahm das Holz zum Brandopfer und legte es auf seinen Sohn Isaak; er aber nahm das Feuer und Messer in seine Hand, und gingen die beiden miteinander. ◆ Da sprach Isaak zu seinem Vater Abraham: Mein Vater! Abraham antwortete: Hier bin ich, mein Sohn. Und er sprach: Siehe, hier ist Feuer und Holz; wo ist aber das Schaf zum Brandopfer? ◆ Abraham antwortete: Mein Sohn, Gott wird sich ersehen ein Schaf zum Brandopfer. Und gingen die beiden miteinander. ◆ Und als sie kamen an die Stätte, die ihm Gott gesagt hatte, baute Abraham daselbst einen Altar und legte das Holz darauf und band seinen Sohn Isaak, legte ihn auf den Altar oben auf das Holz ◆ und reckte seine Hand aus und faßte das Messer, daß er seinen Sohn schlachtete. ◆ Da rief ihm der Engel des Herrn vom Himmel und sprach: Abraham! Abraham! Er antwortete: Hier bin ich. ◆ Er sprach: Lege deine Hand nicht an den Knaben und tu ihm nichts; denn nun weiß ich, daß du Gott fürchtest und hast deines einzi-gen Sohnes nicht verschont um meinetwillen. ◆ Da hob Abraham seine Augen auf und sah einen Widder hinter sich in der Hecke mit seinen Hörnern hangen und ging hin und nahm den Widder und opferte ihn zum Brandopfer an seines Sohnes Statt. ◆ Und Abraham hieß die Stätte: Der Herr siehet. Daher man noch heutigestages sagt: Auf dem Berge, da der Herr siehet. ◆ Und der Engel des Herrn rief Abraham abermals vom Himmel ◆ und sprach: Ich habe bei mir selbst geschworen, spricht der Herr, dieweil du solches getan hast und hast deines einzigen Sohnes nicht verschont, ◆ daß ich deinen Samen segnen und mehren will wie die Sterne am Himmel und wie den Sand am Ufer des Meeres; und dein Same soll besitzen die Tore seiner Feinde; ◆ und durch deinen Samen sollen alle Völker auf Erden gesegnet werden, darum daß du meiner Stimme gehorcht hast. ◆ Also kehrte Abraham wieder zu seinen Knechten; und sie machten sich auf und zogen miteinander gen Beer-Seba; und er wohnte daselbst.

Jakob täuscht
seinen blinden Vater Isaak

nd es begab sich, da Isaak alt war geworden und seine Augen dunkel wurden zu sehen, rief er Esau, seinen älteren Sohn, und sprach zu ihm: Mein Sohn! Er aber antwortete ihm: Hier bin ich. ❧ Und er sprach: Siehe, ich bin alt geworden und weiß nicht, wann ich sterben soll. ❧ So nimm nun deine Geräte, Köcher und Bogen, und geh aufs Feld und fange mir ein Wildbret ❧ und mache mir ein Essen, wie ich's gern habe, und bringe mir's herein, daß ich esse, daß dich meine Seele segne, ehe ich sterbe. ❧ Rebekka aber hörte solche Worte, die Isaak zu seinem Sohn Esau sagte. Und Esau ging hin aufs Feld, daß er ein Wildbret jagte und heimbrächte. ❧ Da sprach Rebekka zu Jakob, ihrem Sohn: Siehe, ich habe gehört deinen Vater reden mit Esau, deinem Bruder, und sagen: ❧ Bringe mir ein Wildbret und mache mir ein Essen, daß ich esse und dich segne vor dem Herrn, ehe ich sterbe. ❧ So höre nun, mein Sohn, meine Stimme, was ich dich heiße. ❧ Gehe hin zu der Herde und hole mir zwei gute Böcklein, daß ich deinem Vater ein Essen davon mache, wie er's gerne hat. ❧ Das sollst du deinem Vater hineintragen, daß er esse, auf daß er dich segne vor seinem Tode. ❧ Jakob aber sprach zu seiner Mutter Rebekka: Siehe, mein Bruder Esau ist rauh, und ich glatt; ❧ so möchte vielleicht mein Vater mich betasten, und ich würde vor ihm geachtet, als ob ich ihn betrügen wollte, und brächte über mich einen Fluch und nicht einen Segen. ❧ Da sprach seine Mutter zu ihm: Der Fluch sei auf mir, mein Sohn; gehorche nur meiner Stimme, gehe und hole mir. ❧ Da ging er hin und holte und brachte es seiner Mutter. Da machte seine Mutter ein Essen, wie es sein Vater gerne hatte, ❧ und nahm Esaus, ihres älteren Sohnes, köstliche Kleider, die sie bei sich im Hause hatte, und zog sie Jakob an, ihrem jüngeren Sohn; ❧ aber die Felle von den Böcklein tat sie ihm um seine Hände und wo er glatt war

Rembrandt Harmensz van Rijn (1606–1669) »Isaak und Rebekka« (Amsterdam, Rijksmuseum)

Thema ist die selten dargestellte Episode, wie Isaak mit Rebekka eheliche Zärtlichkeiten austauscht (1. Mose 26, 8).

**Govaert Flinck
(1615–1660)
»Isaak segnet Jakob«
(Amsterdam,
Rijksmuseum)**

Mit dem Segen Isaaks erschleicht sich Jakob das Erstgeburtsrecht. Flinck verbindet die Prüfung der Haut mit dem Segensgestus. Der Bildaufbau ist abhängig von

Rembrandts Gemälde »Jakob segnet die Söhne Josephs«. Stilistisch greift Flinck zurück auf die barocke Phase der 30er Jahre, mit der Rembrandt seine größten Erfolge hatte.

Joseph Mallord William Turner
(1775–1851)
»Jakobs Traum«
(London, Tate Gallery)

Turner betrachtete sein Gemälde als unvollendet. Gegen die Wand gedreht, diente seine Rückseite für Pinselübungen. Gerade durch seine irritierende Unlesbarkeit wird der »Traum Jakobs« selbst zum schemenhaften Traumbild.

am Halse, ✦ und gab also das Essen mit Brot, wie sie es gemacht hatte, in Jakobs Hand, ihres Sohnes. ✦ Und er ging hinein zu seinem Vater und sprach: Mein Vater! Er antwortete: Hier bin ich. Wer bist du, mein Sohn? ✦ Jakob sprach zu seinem Vater: Ich bin Esau, dein erstgeborener Sohn; ich habe getan, wie du mir gesagt hast. Steh auf, setze dich und iß von meinem Wildbret, auf daß mich deine Seele segne. ✦ Isaak aber sprach zu seinem Sohn: Mein Sohn, wie hast du so bald gefun-

den? Er antwortete: Der Herr, dein Gott, bescherte mir's. ✦ Da sprach Isaak zu Jakob: Tritt herzu, mein Sohn, daß ich dich betaste, ob du mein Sohn Esau seist oder nicht. ✦ Also trat Jakob zu seinem Vater Isaak; und da er ihn betastet hatte, sprach er: Die Stimme ist Jakobs Stimme, aber die Hände sind Esaus Hände. ✦ Und er kannte ihn nicht; denn seine Hände waren rauh wie Esaus, seines Bruders Hände. Und er segnete ihn ✦ und sprach zu ihm: Bist du mein Sohn Esau? Er antwortete: Ja, ich bin's.

Jakobs Traum
von der Himmelsleiter

Aber Jakob zog aus von Beer-Seba und reiste gen Haran ◆ und kam an einen Ort, da blieb er über Nacht; denn die Sonne war untergegangen. Und er nahm einen Stein des Orts und legte ihn zu seinen Häupten und legte sich an dem Ort schlafen. ◆ Und ihm träumte; und siehe, eine Leiter stand auf der Erde, die rührte mit der Spitze an den Himmel, und siehe, die Engel Gottes stiegen daran auf und nie-

Staub auf Erden, und du sollst ausgebreitet werden gegen Abend, Morgen, Mitternacht und Mittag; und durch dich und deinen Samen sollen alle Geschlechter auf Erden gesegnet werden. ◆ Und siehe, ich bin mit dir und will dich behüten, wo du hin ziehst, und will dich wieder herbringen in dies Land. Denn ich will dich nicht lassen, bis daß ich tue alles, was ich dir geredet habe. ◆ Da nun Jakob von seinem Schlaf aufwachte, sprach er: Gewiß ist der Herr an diesem

**Jusepe de Ribera
(1591–1652)
»Jakobs Traum«
(Madrid, Prado)**

Ribera läßt den Betrachter nicht an Jakobs Traumgesichten teilhaben. Ein Lichtstrahl, der auf den Schläfer fällt, macht dennoch sichtbar, daß Jakob im Traum die Einwirkung kosmischer Kräfte erfährt.

der; ◆ und der Herr stand obendarauf und sprach: Ich bin der Herr, Abrahams, deines Vaters, Gott und Isaaks Gott; das Land, darauf du liegst, will ich dir und deinem Samen geben. ◆ Und dein Same soll werden wie der

Ort, und ich wußte es nicht; ◆ und fürchtete sich und sprach: Wie heilig ist diese Stätte! Hier ist nichts anderes denn Gottes Haus, und hier ist die Pforte des Himmels.

Also diente Jakob
um Rahel sieben Jahre,
so lieb hatte er sie

**William Dyce
(1806–1864)
»Jakob und Rahel«
(Leicester, Museum
and Art Gallery)**

Den erlisteten Kuß teilen
Jakob und Rahel mit anderen
klassischen Liebespaaren.
Für Dyce war das Thema
auch von biographischem
Interesse. Er hatte seine
Hochzeit ebensolange wie
Jakob hinausgezögert.

a aber Jakob sah Rahel, die Tochter Labans, des Bruders seiner Mutter, und die Schafe Labans, des Bruders seiner Mutter, trat er hinzu und wälzte den Stein von dem Loch des Brunnens und tränkte die Schafe Labans, des Bruders seiner Mutter. ◆ Und er küßte Rahel und weinte laut ◆ und sagte ihr an, daß er ihres Vaters Bruder wäre und Rebekkas Sohn. Da lief sie und sagte es ihrem Vater an. ◆ Da aber Laban hörte von Jakob, seiner Schwester Sohn, lief er ihm entgegen und herzte und küßte ihn und führte ihn in sein Haus. Da erzählte er dem Laban alle diese Sachen. ◆ Da sprach Laban zu ihm: Wohlan, du bist mein Bein und mein Fleisch. Und da er nun einen Monat lang bei ihm gewesen war, ◆ sprach

Laban zu Jakob: Wiewohl du mein Bruder bist, solltest du mir darum umsonst dienen? Sage an, was soll dein Lohn sein? ❖ Laban aber hatte zwei Töchter; die ältere hieß Lea und die jüngere Rahel. ❖ Aber Lea hatte ein blödes Gesicht, Rahel war hübsch und schön. ❖ Und Jakob gewann die Rahel lieb und sprach: Ich will dir sieben Jahre um Rahel, deine jüngere Tochter, dienen. ❖ Laban antwortete: Es ist besser, ich gebe sie dir als einem anderen; bleibe bei mir. ❖ Also diente Jakob um Rahel sieben Jahre, und sie deuchten ihn, als wären's einzelne Tage, so lieb hatte er sie.

Paul Gauguin (1848–1903) »Jakobs Kampf mit dem Engel« (Edinburgh, National Gallery)

Nur mittelbar bezieht sich Gauguin auf die Bibel. Den Vordergrund nehmen bretonische Bäuerinnen ein, die im Gebet den Kampf Jakobs mit dem Engel als Vision erleben. In der Ringergruppe des Hintergrunds zitiert der Künstler einen Farbholzschnitt des Japaners Hokusai.

Da rang ein Mann mit Jakob, bis die Morgenröte anbrach

lso ging das Geschenk vor ihm her; aber er blieb dieselbe Nacht beim Heer ❖ und stand auf in der Nacht und nahm seine zwei Weiber und die zwei Mägde und seine elf Kinder und zog an die Furt des Jabbok, ❖ nahm sie und führte sie über das Wasser, daß hinüberkam, was er hatte, ❖ und blieb allein. Da rang ein Mann mit ihm, bis die Morgenröte anbrach. ❖ Und er sah, daß er ihn nicht übermochte, rührte er das Gelenk seiner Hüfte an; und das Gelenk der Hüfte Jakobs ward über dem Ringen mit ihm verrenkt. ❖ Und er sprach: Laß mich gehen, denn die Morgenröte bricht an. Aber er antwortete: Ich lasse dich nicht, du segnest mich denn. ❖ Er sprach: Wie heißest du? Er antwortete: Jakob. ❖ Er sprach: Du sollst nicht mehr Jakob heißen, sondern Israel; denn du hast mit Gott und mit Menschen gekämpft und bist obgelegen. ❖ Und Jakob fragte ihn und sprach: Sage doch, wie heißest du? Er aber sprach: Warum fragst du, wie ich heiße? Und er segnete ihn daselbst.

Israel aber hatte Joseph lieber als seine anderen Söhne

Israel aber hatte Joseph lieber als alle seine Kinder, darum daß er ihn im Alter gezeugt hatte; und machte ihm einen bunten Rock. ◆ Da nun seine Brüder sahen, daß ihn ihr Vater lieber hatte als alle seine Brüder, waren sie ihm feind und konnten ihm kein freundlich Wort zusprechen. ◆ Dazu hatte Joseph einmal einen Traum und sagte seinen Brüdern davon; da wurden sie ihm noch feinder. ◆ Denn er sprach zu ihnen: Höret doch, was mir geträumt hat: ◆

Mich deuchte, wir banden Garben auf dem Felde, und meine Garbe richtete sich auf und stand, und eure Garben umher neigten sich vor meiner Garbe. ◆ Da sprachen seine Brüder zu ihm: Solltest du unser König werden und über uns herrschen? und wurden ihm noch feinder um seines Traumes und seiner Rede willen. ◆ Und er hatte noch einen andern Traum, den erzählte er seinen Brüdern und sprach: Siehe, ich habe noch einen Traum gehabt: Mich deuchte, die Sonne und der Mond und elf Sterne neigten sich vor mir. ◆ Und da das seinem Vater und seinen Brüdern gesagt ward, strafte ihn sein Vater und sprach zu ihm: Was ist das für ein Traum, der dir geträumt hat? Soll ich und deine Mutter und deine Brüder kommen und vor dir niederfallen? ◆ Und seine Brüder beneideten ihn. Aber sein Vater behielt diese Worte.

Rembrandt Harmensz van Rijn (1606–1669) »Josephs Traum« (Amsterdam, Rijksmuseum)

Mit Josephs prophetischen Träumen beginnt die Josephsgeschichte, die zu den beliebtesten Themen der bildenden Kunst zählt. Rembrandts Ölskizze auf Papier diente als vorbereitende Studie für eine Radierung.

Da nahmen sie Josephs Rock und schlachteten einen Ziegenbock und tauchten den Rock ins Blut ◆ und schickten den bunten Rock hin und ließen ihn ihrem Vater bringen und sagen: Diesen haben wir gefunden; sieh, ob's deines Sohnes Rock sei oder nicht. ◆ Er erkannte ihn aber und sprach: Es ist meines Sohnes Rock; ein böses Tier hat ihn gefressen, ein reißendes Tier hat Joseph zerrissen. ◆ Und Jakob zerriß seine Kleider und legte einen Sack um seine Lenden und trug Leid um seinen Sohn lange Zeit.

Ford Madox Brown (1821–1893) »Der bunte Mantel« (Liverpool, Walker Art Gallery)

Die Brüder haben Joseph verkauft und täuschen ihren Vater, indem sie Josephs blutbefleckten Rock vorweisen. Die Buntheit und mangelnde Tiefenräumlichkeit erinnern an einen Bildteppich.

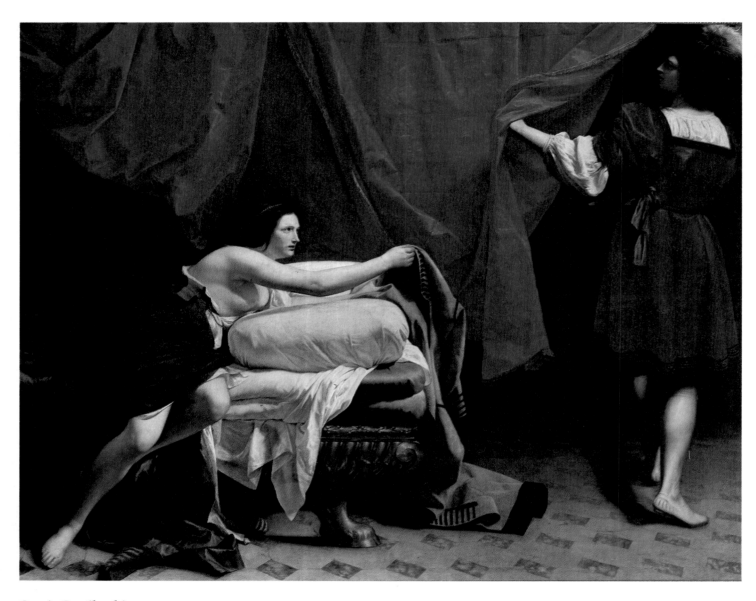

**Orazio Gentileschi
(1563–1639)
»Joseph und Potiphars
Weib«
(Englisches Königshaus)**

Das burleske Thema einer
gescheiterten Verführung ist
zugleich ein moralisieren-
des Tugendbeispiel. Im
Kampf zwischen Tugend und
Laster siegt die Keuschheit.
Mit gleicher malerischer
Delikatesse wie den Halbakt
gestaltet Gentileschi auch
die reichen Draperien. War-
nend versieht er das Prunk-
bett mit einem Bocksfuß.

Es begab sich, daß Potiphars Weib Joseph begehrte

Darum ließ er alles unter Josephs Händen, was er hatte; und er nahm sich keines Dinges an, solange er ihn hatte, nur daß er aß und trank. Und Joseph war schön und hübsch von Angesicht. ◆ Und es begab sich nach dieser Geschichte, daß seines Herrn Weib ihre Augen auf Joseph warf und sprach: Schlafe bei mir! ◆ Er weigerte sich aber und sprach zu ihr: Siehe, mein Herr nimmt sich keines Dinges an vor mir, was im Hause ist, und alles, was er hat, das hat er unter meine Hände getan, ◆ und hat nichts so Großes in dem Hause, das er vor mir verhohlen habe, außer dir, indem du sein Weib bist. Wie sollte ich denn nun ein solch groß Übel tun und wider Gott sündigen? ◆ Und sie trieb solche Worte gegen Joseph täglich. Aber er gehorchte ihr nicht, daß er nahe bei ihr schliefe noch um sie wäre. ◆ Es begab sich eines Tages, daß Joseph in das Haus ging, sein Geschäft zu tun, und war kein Mensch vom Gesinde des Hauses dabei. ◆ Und sie erwischte ihn bei seinem Kleid und sprach: Schlafe bei mir! Aber er ließ das Kleid in ihrer Hand und floh und lief zum Hause hinaus. ◆ Da sie nun sah, daß er sein Kleid in ihrer Hand ließ und hinaus entfloh, ◆ rief sie das Gesinde im Hause und sprach zu ihnen: Sehet, er hat uns den hebräischen Mann hereinge-

bracht, daß er seinen Mutwillen mit uns treibe. Er kam zu mir herein und wollte bei mir schlafen; ich rief aber mit lauter Stimme. ◆ Und da er hörte, daß ich ein Geschrei machte und rief, da ließ er sein Kleid bei mir und floh und lief hinaus. ◆ Und sie legte sein Kleid neben sich, bis sein Herr heimkam, ◆ und sagte zu ihm ebendieselben Worte und sprach: Der hebräische Knecht, den du uns hereingebracht hast, kam zu mir herein und wollte seinen Mut-

willen mit mir treiben. ◆ Da ich aber ein Geschrei machte und rief, da ließ er sein Kleid bei mir und floh hinaus. ◆ Als sein Herr hörte die Rede seines Weibes, die sie ihm sagte und sprach: Also hat mir dein Knecht getan, ward er sehr zornig. ◆ Da nahm ihn sein Herr und legte ihn ins Gefängnis, darin des Königs Gefangene lagen; und er lag allda im Gefängnis.

Meister der Josephslegende (um 1500) »Joseph und Potiphars Weib« (München, Alte Pinakothek)

Der Tondo vereinigt auf engem Raum drei Momente: Verführung, Verleumdung und Gefangensetzung. Um sich verständlich zu machen, überzeichnet der Meister der Josephslegende die Verführung zur Handgreiflichkeit.

Rembrandt Harmensz van Rijn (1606–1669) »Die Verleumdung Josephs« (Washington, National Gallery of Art)

In Rembrandts erster Fassung des Gemäldes trat Potiphars Frau auf den Mantel, und Joseph hob abwehrend die Hände. In der zweiten, vereinfachten Version reden die wenigen Gegenstände, Bett und Mantel, eine um so deutlichere Sprache. Vernehmbar steht der gegen Joseph erhobene Vorwurf im Raum.

Da gab sich Joseph
seinen Brüdern zu erkennen

**François-Pascal Gérard
(1770–1837)
»Joseph und seine Brüder«
(Angers,
Musée des Beaux-Arts)**

Napoleons Ägyptenfeldzug
hatte den Blick auf Ägypten
gelenkt. Der Schauplatz
der Josephsgeschichte gibt
Gérard Gelegenheit, in
Kostüm und Architektur der
neuen ägyptisierenden Mode
zu entsprechen. In der An-
ordnung der Figuren variiert
er ein Programmstück
des Klassizismus, Davids
»Schwur der Horatier«.

a konnte sich Joseph nicht länger enthalten vor allen, die um ihn her standen, und er rief: Laßt jedermann von mir hinausgehen! Und stand kein Mensch bei ihm, da sich Joseph seinen Brüdern zu erkennen gab. ◆ Und er weinte laut, daß es die Ägypter und das Gesinde Pharaos hörten, ◆ und sprach zu seinen Brüdern: Ich bin Joseph. Lebt mein Vater noch? Und seine Brüder konnten ihm nicht antworten, so erschraken sie vor seinem Angesicht. ◆ Er aber sprach zu seinen Brüdern: Tretet doch her zu mir! Und sie traten herzu. Und er sprach: Ich bin Joseph, euer Bruder, den ihr nach Ägypten verkauft habt. ◆ Und nun bekümmert euch nicht und denkt nicht, daß ich darum zürne, daß ihr mich hierher verkauft habt; denn um eures Lebens willen hat mich Gott vor euch her gesandt. ◆ Denn dies sind zwei Jahre, daß es teuer im Lande ist; und sind noch fünf Jahre, daß kein Pflügen noch Ernten sein wird. ◆

Aber Gott hat mich vor euch her gesandt, daß er euch übrig behalte auf Erden und euer Leben errette durch eine große Errettung.   Und nun, ihr habt mich nicht her- gesandt, sondern Gott; der hat mich Pharao zum Vater gesetzt und zum Herrn über all sein Haus und zum Fürsten in ganz Ägypten- land.

Und sie legte das Kind in ein Körbchen

Raffael (Raffaello Santi) (1483–1520) »Die Auffindung des Mosesknaben« (Rom, Vatikan, Loggien)

Das Findelkind im Wasser knüpft an alte Geburtsvor- stellungen an. Einfühlsam charakterisiert Raffael die Mädchengruppe, die von ersten mütterlichen Ge- fühlen überrascht wird.

nd es ging hin ein Mann vom Hause Levi und nahm eine Tochter Levi.   Und das Weib ward schwanger und gebar einen Sohn. Und da sie sah, daß es ein feines Kind war, verbarg sie ihn drei Monate.   Und da sie ihn nicht länger verbergen konnte, machte sie ein Kästlein von Rohr und verklebte es mit Erdharz und Pech und legte das Kind darein und legte ihn in das Schilf am Ufer des Wassers.   Aber seine Schwester stand von ferne, daß sie erfahren wollte, wie es ihm gehen würde.   Und die Tochter Pharaos ging hernieder und wollte baden im Wasser; und ihre Jungfrauen gingen an dem Rande des Wassers. Und da sie das Käst- lein im Schilf sah, sandte sie ihre

Magd hin und ließ es holen. ◆ Und da sie es auftat, sah sie das Kind; und siehe, das Knäblein weinte. Da jammerte es sie, und sprach: Es ist der hebräischen Kindlein eins. ◆ Da sprach seine Schwester zu der Tochter Pharaos: Soll ich hingehen und der hebräischen Weiber eine rufen, die da säugt, daß sie dir das Kindlein säuge? ◆ Die Tochter Pharaos sprach zu ihr: Gehe hin. Die Jungfrau ging hin und rief des Kindes Mutter. ◆ Da sprach Pharaos Tochter zu ihr. Nimm hin das Kindlein und säuge mir's; ich will dir lohnen. Das Weib nahm das Kind und säugte es. ◆ Und da das Kind

groß war, brachte sie es der Tochter Pharaos, und es ward ihr Sohn, und sie hieß ihn Mose; denn sie sprach: Ich habe ihn aus dem Wasser gezogen.

Giovanni Battista Tiepolo (1696–1770) »Die Auffindung des Mosesknaben« (Edinburgh, National Gallery)

Jedes Thema wird bei Tiepolo zum glanzvollen, festlichen Ereignis. Die Prinzessin erscheint mit großem Gefolge, Hofdamen, Hofzwerg und Wachen. Die unvorbereitete Begegnung mit einem schreienden Säugling sprengt die höfische Etikette und gibt menschlicheren Gefühlen Raum.

**Frederick Dillon
(1823–1900)**

**»Die Auffindung des
Mosesknaben«
(Privatsammlung)**

Unter biblischem Vorwand
schildert Dillon seine Reise-
eindrücke: die Pyramiden

von Giseh und die atmo-
sphärischen Erscheinungen
eines Sonnenuntergangs.

Gehe hin und führe mein Volk, die Kinder Israels, aus Ägypten

Mose aber hütete die Schafe Jethros, seines Schwiegervaters, des Priesters in Midian, und trieb die Schafe hinter die Wüste und kam an den Berg Gotts, Horeb. ◆ Und der Engel des Herrn erschien ihm in einer feurigen Flamme aus dem Busch. Und er sah, daß der Busch mit Feuer brannte und ward doch nicht verzehrt; ◆ und sprach: Ich will dahin und beschauen dies große Gesicht, warum der Busch nicht verbrennt. ◆ Da aber der Herr sah, daß er hinging, zu sehen, rief ihm Gott aus dem Busch und sprach: Mose, Mose! Er antwortete: Hier bin ich. ◆ Er sprach: Tritt nicht herzu, zieh deine Schuhe aus von deinen Füßen; denn der Ort, darauf du stehst, ist ein heilig Land! ◆ Und sprach weiter: Ich bin der Gott deines Vaters, der Gott Abrahams, der Gott Isaaks und der Gott Jakobs. Und Mose verhüllte sein Angesicht; denn er fürchtete sich, Gott anzuschauen. ◆ Und der Herr sprach: Ich habe gesehen das Elend meines Volks in Ägypten und habe ihr Geschrei gehört über die, so sie drängen; ich habe ihr Leid erkannt ◆ und bin herniedergefahren, daß ich sie errette von der Ägypter Hand und sie ausführe aus diesem Lande in ein gutes und weites Land, in ein Land, darin Milch und Honig fließt, an den Ort der Kanaaniter, Hethiter, Amoriter, Pheresiter, Heviter und Jebusiter. ◆ Weil denn nun das Geschrei der Kinder Israel vor mich gekommen ist und ich auch dazu ihre Angst gesehen habe, wie die Ägypter sie ängsten, ◆ so gehe nun hin, ich will dich zu Pharao senden, daß du mein Volk, die Kinder Israel, aus Ägypten führest. ◆ Mose sprach zu Gott: Wer bin ich, daß ich zu Pharao gehe und führe die Kinder Israel aus Ägypten? ◆ Er sprach: Ich will mit dir sein. Und das soll dir das Zeichen sein, daß ich dich gesandt habe: Wenn du mein Volk aus Ägypten geführt hast, werdet ihr Gott opfern auf diesem Berge.

Domenico Fetti (1589–1623) »Mose und der brennende Dornbusch« (Wien, Kunsthistorisches Museum)

Trotz seiner barocken Form ist Fetti Realist. Daß es sich um eine Offenbarung Gottes und die Berufung eines Schäfers zum Volksführer handelt, muß der Betrachter dem Bibeltext entnehmen. Der Akzent liegt auf dem Ausziehen der Schuhe, einem noch heute im Orient gebräuchlichen Demutsgestus.

Hans Jordaens der Jüngere (um 1595–1643) »Der Exodus« Ausschnitt, Kopie von J.J. Besserer (Karlsruhe, Staatliche Kunsthalle)

Mit dem Auszug aus Ägypten verlagert sich der Schauplatz in das Heilige Land. Jordaens läßt die Israeliten ihre Vorväter in Särgen mit sich führen.

nd die Ägypter drängten das Volk, daß sie es eilend aus dem Lande trieben; denn sie sprachen: Wir sind alle des Todes. ❖ Und das Volk trug den rohen Teig, ehe denn er versäuert war, zu ihrer Speise, gebunden in ihren Kleidern, auf ihren Achseln. ❖ Und die Kinder Israel hatten getan, wie Mose gesagt hatte, und von den Ägyptern gefordert silberne und goldene Geräte und Kleider. ❖ Dazu hatte der Herr dem Volk Gnade gegeben vor den Ägyptern, daß sie ihnen willfährig waren; und so nahmen sie es von den Ägyptern zur Beute. ❖ Also zogen aus die Kinder Israel von Raemses gen Sukkoth, 600 000 Mann zu Fuß und ohne die Kinder.

David Roberts (1796–1864) »Der Auszug der Kinder Israels« (Birmingham, City Art Gallery)

Gewöhnlich malte Roberts topographisch getreue Stadtansichten. Nur ausnahmsweise versuchte er sich in phantastischer Architekturmalerei. Dazu projiziert er das Bild einer modernen Metropole in das Altertum. Erst 1838/39 bereiste Roberts das wirkliche Ägypten.

Und der Herr zog vor ihnen her

nd der Herr zog vor ihnen her, des Tages in einer Wolkensäule, daß er sie den rechten Weg führte, und des nachts in einer Feuersäule, daß er ihnen leuchtete, zu reisen Tag und Nacht. ◆ Die Wolkensäule wich nimmer von dem Volk des Tages noch die Feuersäule des Nachts.

Jacopo Tintoretto (1518–1594) »Mose mit der Feuersäule« (Venedig, Scuola di San Rocco)

Mit schwungvoller Körperdrehung und kreisenden Armen scheint Mose das Oval des Bildfeldes nachzuzeichnen. Mose ist Mittler zwischen Gott, den nur er sieht, und dem Volk, das auf ihn als Führer blickt.

Da teilte sich das Wasser

 nd die Kinder Israel gingen hinein, mitten ins Meer auf dem Trockenen; und das Wasser war ihnen für Mauern zur Rechten und zur Linken. ❖ Und die Ägypter folgten und gingen hinein ihnen nach, alle Rosse Pharaos und Wagen und Reiter, mitten ins Meer. ❖ Als nun die Morgenwache kam, schaute der Herr auf der Ägypter Heer aus der Feuersäule und Wolke und machte einen Schrecken in ihrem Heer ❖ und stieß die Räder von ihren Wagen, stürzte sie mit Unge-

**Lucas Cranach der Ältere (1472–1553)
»Der Untergang des Pharao«
(München, Alte Pinakothek)**

Cranach leistete auch als Landschaftsmaler Bedeutendes. Bei der Darstellung des ihm unbekannten Meeres versagte seine Kunst. Wie eine Mauer trennt das Meer die beiden Völker.

Samuel Colman
(tätig 1816–1840)
»Der Auszug aus Ägypten«
(Birmingham,
City Art Gallery)

Während Cranach Völker-
schicksale schildert, will Colman Kräfte sichtbar machen.
Als Zentrum zentrifugaler
Kräfte teilt die Feuersäule
die Wassermassen und läßt
sie im Weiterwandern wieder
zusammenstürzen.

stüm. Da sprachen die Ägypter:
Laßt uns fliehen von Israel; der
Herr streitet für sie wider die
Ägypter. ◆ Aber der Herr sprach
zu Mose: Recke deine Hand aus
über das Meer, daß das Wasser wieder herfalle über die Ägypter, über
ihre Wagen und Reiter. ◆ Da
reckte Mose seine Hand aus über
das Meer, und das Meer kam wieder vor morgens in seinen Strom,
und die Ägypter flohen ihm ent-

gegen. Also stürzte sie der Herr
mitten ins Meer, ◆ daß das Wasser wiederkam und bedeckte
Wagen und Reiter und alle Macht
des Pharao, die ihnen nachgefolgt
waren ins Meer, daß nicht einer
aus ihnen übrigblieb.

**Dirk Bouts
(um 1410–1475)
»Das Mannawunder«
(Löwen, St. Peter)**

Es handelt sich um den
Seitenflügel eines Altars, in
dessen Mittelpunkt das
Abendmahl steht. Altes und
Neues Testament sind in
Parallele gesetzt. Der Manna-
regen erscheint als eine
Vorausdeutung, die sich
erst mit dem Abendmahl
erfüllen wird.

Und Gott ließ
Manna vom Himmel regnen

nd als der Tau weg war,
siehe, da lag's in der
Wüste rund und klein
wie der Reif auf dem
Lande. ◆ Und da es die
Kinder Israel sahen, sprachen sie
untereinander: Man hu [d.h. was
ist das?]; denn sie wußten nicht,
was es war. Mose aber sprach zu
ihnen: Es ist das Brot, das euch der
Herr zu essen gegeben hat. ◆ Das
ist's aber, was der Herr geboten
hat: Ein jeglicher sammle, soviel er
für sich essen mag, und nehme ein
Gomer auf ein jeglich Haupt nach
der Zahl der Seelen in seiner Hütte.

Aaron sammelte alles Gold ein und goß daraus ein goldenes Kalb

Da aber das Volk sah, daß Mose verzog, von dem Berge zu kommen, sammelte sich's wider Aaron und sprach zu ihm: Auf, und mache uns Götter, die vor uns her gehen! Denn wir wissen nicht, was diesem Mann Mose widerfahren ist, der uns aus Ägyptenland geführt hat. ◆ Aaron sprach zu ihnen: Reißet ab die goldenen Ohrenringe an den Ohren eurer Weiber, eurer Söhne und eurer Töchter und bringet sie zu mir. ◆ Da riß alles Volk seine goldenen Ohrenringe von ihren Ohren, und brachten sie zu Aaron. ◆ Und er nahm sie von ihren Händen und entwarf's mit einem Griffel und machte ein gegossenes Kalb. Und sie sprachen: Das sind deine Götter, Israel, die dich aus Ägyptenland geführt haben! ◆ Da das Aaron sah, baute er einen Altar vor ihm und ließ ausrufen und sprach: Morgen ist des Herrn Fest. ◆ Und sie standen des Morgens früh auf und opferten Brandopfer und brachten dazu Dankopfer. Darnach setzte sich das Volk, zu essen und zu trinken, und standen auf, zu spielen. ◆ Der Herr sprach aber zu Mose: Gehe, steig hinab; denn dein Volk, das du aus Ägyptenland geführt hast, hat's verderbt. ◆

Sie sind schnell von dem Wege getreten, den ich ihnen geboten habe. Sie haben sich ein gegossenes Kalb gemacht und haben's angebetet und ihm geopfert und gesagt: Das sind deine Götter, Israel, die dich aus Ägyptenland geführt haben. ◆ Und der Herr sprach zu Mose: Ich sehe, daß es ein halsstarriges Volk ist. ◆ Und nun laß mich, daß mein Zorn über sie ergrimme und sie vertilge; so will ich dich zum großen Volk machen.

**Nicolas Poussin
(1594–1665)
»Die Anbetung
des Goldenen Kalbes«
(London,
National Gallery)**

Poussins Bildthemen sind meist der antiken Mythologie und Geschichte entnommen. In antikem Sinn interpretierte er auch die Bibel: Die Anbetung des Kalbes wird zum dionysischen Fruchtbarkeitskult und ekstatischen Tanz. Archäologische Kenntnisse verrät auch das Tieridol. Im Mittelpunkt der antiken Religionen, wie dem Kult des Baal oder des Mithras, stand tatsächlich nicht ein Kalb, sondern ein Stier.

Mose wandte sich und stieg vom Berge und hatte zwei Tafeln des Zeugnisses in seiner Hand, die waren beschrieben auf beiden Seiten. ◆ Und Gott hatte sie selbst gemacht und selber die Schrift eingegraben. ◆ Da nun Josua hörte des Volks Geschrei, daß sie jauchzten, sprach er zu Mose: Es ist ein Geschrei im Lager wie im Streit. ◆ Er antwortete: Es ist nicht ein Geschrei gegeneinander derer, die obliegen und unterliegen, sondern ich höre ein Geschrei eines Singetanzes. ◆ Als er aber nahe zum Lager kam und das Kalb und den Reigen sah, ergrimmte er mit Zorn und warf die Tafeln aus seiner Hand und zerbrach sie unten am Berge.

Mose schlug mit dem Stab gegen den Felsen

nd der Herr redete mit Mose und sprach: ◆ Nimm den Stab und versammle die Gemeinde, du und dein Bruder Aaron, und redet mit dem Fels vor ihren Augen; der wird sein Wasser geben. Also sollst du ihnen Wasser aus dem Fels bringen und die Gemeinde tränken und ihr Vieh. ◆ Da nahm Mose den Stab vor dem Herrn, wie er ihm geboten hatte. ◆ Und Mose und Aaron versammelten die Gemeinde vor den Fels, und er sprach zu ihnen: Höret, ihr Ungehorsamen, werden wir euch auch Wasser bringen aus diesem Fels? ◆ Und Mose hob seine Hand auf und schlug den Fels mit dem Stab zweimal. Da ging viel Wasser heraus, daß die Gemeinde trank und ihr Vieh.

**Rembrandt Harmensz van Rijn (1606–1669)
»Mose zerbricht die Gesetzestafeln«
(Berlin-Dahlem, Gemäldegalerie)**

Mose holt zum Zerschmettern aus. Noch einmal wird das erste Gebot lesbar, das Israel mit seinem Götzendienst übertritt.

**Jacopo Tintoretto (1518–1594)
»Mose schlägt Wasser aus dem Felsen«
(Venedig, Scuola di San Rocco)**

Überzeugend löst Tintoretto das formale Problem, eine Wasserkaskade auf einem Deckengemälde in Untersicht darzustellen. Durch diesen Kunstgriff läßt er den Betrachter, der den Blick zur Decke der Scuola erhebt, gleichsam an dem Wassersegen teilhaben.

Da die Eselin den Engel sah, kauerte sie sich nieder

**Rembrandt Harmensz van Rijn
(1606–1669)
»Bileam und die Eselin«
(Paris, Musée Cognacq-Jay)**

Bileam ist ein heidnischer Magier, den Gott in seinen Dienst nimmt. In den magischen Bereich gehört auch seine Fähigkeit, Tierstimmen zu vernehmen. Daß aber die Eselin den Engel Gottes lange vor Bileam wahrnimmt, beweist seine Beschränktheit als Heide. Rembrandt war der Sohn eines Müllers. Obwohl ihm also der Starrsinn eines Esels vertraut war, kopiert er den Esel nach einem Gemälde seines Lehrers Pieter Lastmann, der dasselbe Thema bearbeitet hatte. Trotz dieser Abhängigkeit zeigt das Werk den Zwanzigjährigen bereits auf der Höhe seines Meisters.

Da stand Bileam des Morgens auf und sattelte seine Eselin und zog mit den Fürsten der Moabiter. Aber der Zorn Gottes ergrimmte, daß er hinzog. Und der Engel des Herrn trat in den Weg, daß er ihm widerstünde. Er aber ritt auf seiner Eselin, und zwei Knechte waren mit ihm. Und die Eselin sah den Engel des Herrn im Wege stehen und ein bloßes Schwert in seiner Hand. Und die Eselin wich aus dem Wege und ging auf dem Felde; Bileam aber schlug sie, daß sie in den Weg sollte gehen. Da trat der Engel des Herrn in den Pfad bei den Weinbergen, da auf beiden Seiten Wände waren. Und da die Eselin den Engel des Herrn sah, drängte sie sich an die Wand und klemmte Bileam den Fuß an der Wand; und er schlug sie noch mehr. Da ging der Engel des Herrn weiter und trat an einen engen Ort, da kein Weg war zu weichen, weder zur Rechten noch zur Linken. Und da die Eselin den Engel des Herrn sah, fiel sie auf ihre Knie unter Bileam. Da ergrimmte der Zorn Bileams, und er schlug die Eselin mit dem Stabe. Da tat der Herr der Eselin den Mund auf, und sie sprach zu Bileam: Was habe ich dir getan, daß du mich geschlagen hast nun dreimal? Bileam sprach zur Eselin: Daß du mich höhnest! ach, daß ich jetzt ein Schwert in der Hand hätte, ich wollte dich erwürgen! Die Eselin sprach zu Bileam: Bin ich nicht deine Eselin, darauf du geritten bist zu deiner Zeit bis auf diesen Tag? Habe ich auch je gepflegt, dir also zu tun? Er sprach: Nein. Da öffnete der Herr dem Bileam die Augen, daß er den Engel des Herrn sah im Wege stehen und ein bloßes Schwert in seiner Hand, und er neigte und bückte sich mit seinem Angesicht. Und der Engel des Herrn sprach zu ihm: Warum hast du deine Eselin geschlagen nun dreimal? Siehe, ich bin ausgegangen, daß ich dir widerstehe; denn dein Weg ist vor mir verkehrt. Und die Eselin hat mich gesehen und ist mir dreimal gewichen; sonst, wo sie nicht vor mir gewichen wäre, so wollte ich dich auch jetzt erwürgt und die Eselin lebendig erhalten haben. Da sprach Bileam zu dem Engel des Herrn: Ich habe gesündigt; denn ich habe es nicht gewußt, daß du mir entgegenstandest im Wege. Und nun, so dir's nicht gefällt, will ich wieder umkehren. Der Engel des Herrn sprach zu ihm: Zieh hin mit den Männern; aber nichts anderes, denn was ich zu dir sagen werde, sollst du reden. Also zog Bileam mit den Fürsten Balaks.

Da stand die Sonne und der Mond still, bis er seine Feinde besiegt hatte

Aber die zu Gibeon sandten zu Josua ins Lager gen Gilgal und ließen ihm sagen: Zieh deine Hand nicht ab von deinen Knechten; komm zu uns herauf eilend, rette uns und hilf uns! denn es haben sich wider uns versammelt alle Könige der Amoriter, die auf dem Gebirge wohnen. ◆ Josua zog hinauf von Gilgal und alles Kriegsvolk mit ihm und alle streitbaren Männer. ◆ Und der Herr sprach zu Josua: Fürchte dich nicht vor ihnen, denn ich habe sie in deine Hände gegeben; niemand unter ihnen wird vor dir stehen können. ◆ Also kam Josua plötzlich über sie; denn die ganze Nacht zog er herauf von Gilgal. ◆ Aber der Herr schreckte sie vor Israel, daß sie eine große Schlacht schlugen zu Gibeon und jagten ihnen nach den Weg hinan zu Beth-Horon und schlugen sie bis gen Aseka und Makkeda. ◆ Und da sie vor Israel flohen den Weg herab zu Beth-Horon, ließ der Herr einen großen Hagel vom Himmel auf sie fallen bis gen Aseka, daß sie starben. Und viel mehr starben ihrer vor dem Hagel, als die Kinder Israel mit dem Schwert erwürgten. ◆ Da redete Josua mit dem Herrn des Tages, da der Herr die Amoriter dahingab vor den Kindern Israel, und sprach vor dem gegenwärtigen Israel: »Sonne, stehe still zu Gibeon, und Mond, im Tal Ajalon!« ◆ Da stand die Sonne und der Mond still, bis daß sich das Volk an seinen Feinden rächte. Ist dies nicht geschrieben im Buch des Frommen? Also stand die Sonne mitten am Himmel und verzog unterzugehen beinahe einen ganzen Tag. ◆ Und war kein Tag diesem gleich, weder zuvor noch darnach, da der Herr der Stimme eines Mannes gehorchte; denn der Herr stritt für Israel.

5. MOSE 34, 4

◆ Und der Herr sprach zu ihm: Dies ist das Land, das ich Abraham, Isaak und Jakob geschworen habe und gesagt: Ich will es deinem Samen geben. Du hast es mit deinen Augen gesehen; aber du sollst nicht hinübergehen.

Gustave Moreau (1826–1898) »Mose löst seine Sandalen im Anblick des Heiligen Landes« (Paris, Musée Moreau)

Mose ist nur der Blick in das verheißene Land vergönnt. Am Ende seines Lebensweges angelangt, legt er die Sandalen ab.

**John Martin
(1789–1854)
»Josua befiehlt der Sonne
stillzustehen«
(London, United Grand
Lodge of England,
Freemason's Hall)**

Der Gott des Alten Testa-
ments ist ein parteiischer
Gott der Schlachten, der
ganze Völker dem Untergang
weiht, um seine Fürsorge
ausschließlich dem aus-
erwählten Volk zuzuwenden.
Wie beim Durchzug durch
das Rote Meer offenbart er
sich als Herr der Elemente,
der Naturgesetze außer Kraft
setzt, um Israel zum Sieg

zu verhelfen. Für Martin ist
deshalb nicht die Erde,
sondern der Himmel der
eigentliche Kriegsschau-
platz. Die Schlacht von
Gibeon wird zum Spiegel
eines kosmischen Kampfes,
der in den unermeßlichen
Dimensionen des Welt-
raumes ausgetragen wird.

Simson erschlug die Philister mit einem Eselskinnbacken

nd da er kam bis gen Lehi, jauchzten die Philister ihm entgegen. Aber der Geist des Herrn geriet über ihn, und die Stricke an seinen Armen wurden wie Fäden, die das Feuer versengt hat, daß die Bande an seinen Händen zerschmolzen.

Und er fand einen frischen Eselskinnbacken; da reckte er seine Hand aus und nahm ihn und schlug damit tausend Mann. Und Simson sprach: Da liegen sie bei Haufen; durch eines Esels Kinnbacken habe ich tausend Mann geschlagen.

Jörg Breu (1475/76–1537) »Die Geschichte des Simson« (Basel, Öffentliche Kunstsammlung)

Noch ganz in der Tradition des mittelalterlichen Simultanbildes schildert Breu mit naiver Erzählfreude die Simsongeschichte: Simsons Kampf mit den Philistern, Simson und Delila, Simson trägt die Stadttore zu Gaza und Simson bricht die Säulen des Dagonhauses.

Léon Bonnat (1833–1922) »Simson tötet den Löwen« (Bayonne, Musée Bonnat)

Äußerlich unterscheidet sich Simson nicht von einem Herkules im Kampf mit dem nemeischen Löwen. Der unbewaffnete Kampf mit einem Tier war ein beliebtes Thema der Bildhauerkunst. Auch Bonnats Gruppe hat die Geschlossenheit einer Skulptur.

Und der Herr gab ihm die Kraft, den Löwen zu besiegen

lso ging Simson hinab mit seinem Vater und seiner Mutter gen Thimnath. Und als sie kamen an die Weinberge zu Thimnath, siehe, da kam ein junger Löwe brüllend ihm entgegen. Und der Geist des Herrn geriet über ihn, und er zerriß ihn, wie man ein Böcklein zerreißt, und hatte doch gar nichts in seiner Hand. Und sagte es nicht an seinem Vater noch seiner Mutter, was er getan hatte.

RICHTER 14, 5–6

Da ließ Delila
Simson das Haupthaar abscheren

Da sprach sie zu ihm: Wie kannst du sagen, du habest mich lieb, so dein Herz doch nicht mit mir ist? Dreimal hast du mich getäuscht und mir nicht gesagt, worin deine große Kraft sei. ◆ Da sie ihn aber drängte mit ihren Worten alle Tage und ihn zerplagte, ward seine Seele matt bis an den Tod, ◆ und er sagte ihr sein ganzes Herz und sprach zu ihr: Es ist nie ein Schermesser auf mein Haupt gekommen; denn ich bin ein Geweihter Gottes von Mutterleibe an. Wenn man mich schöre, so wiche meine Kraft von mir, daß ich schwach würde und wie alle anderen Menschen. ◆ Da nun Delila sah, daß er ihr all sein Herz offenbart hatte, sandte sie hin und ließ der Philister Fürsten rufen und sagen: Kommt noch einmal herauf; denn er hat mir all sein Herz offenbart. Da kamen der Philister Fürsten zu ihr herauf und brachten das Geld mit sich in ihrer Hand. ◆ Und sie ließ ihn entschlafen auf ihrem Schoß und rief einem, der ihm die sieben Locken seines Hauptes abschöre. Und sie fing an, ihn zu

zwingen; da war seine Kraft von ihm gewichen. ◆ Und sie sprach zu ihm: Philister über dir, Simson! Da er nun von seinem Schlaf erwachte, gedachte er: Ich will ausgehen, wie ich mehrmals getan habe, ich will mich losreißen; und wußte nicht, daß der Herr von ihm gewichen war. ◆ Aber die Philister griffen ihn und stachen ihm die Augen aus und führten ihn hinab gen Gaza und banden ihn mit zwei ehernen Ketten, und er mußte mahlen im Gefängnis.

**Peter Paul Rubens
(1577–1640)
»Simson und Delila«
(London, National Gallery)**

Die Schwächung eines herkulischen Körpers durch eine vollblütige Frau ist schon als Thema von barocker Lebensfülle. Nicht ohne Grund stellte der Auftraggeber Nicolaes Rockox Rubens gerade dieses Thema. In Rubens schwellend bewegter Formensprache und lebhafter Farbigkeit findet das Lebensgefühl des Barock seinen Ausdruck. Das Bild entstand als Frucht des Italienaufenthalts unmittelbar nach der Rückkehr des Künstlers nach Antwerpen.

**Solomon J. Solomon
(1860–1927)
»Simson und Delila«
(Liverpool,
Walker Art Gallery)**

Das ausgehende 19. Jahrhundert erkannte in Delila den modischen Typ der Femme fatale, deren Schönheit ihren Verehrern zum Verhängnis wird. In der glänzenden Beherrschung der malerischen Mittel, in der Rasanz der Komposition, aber auch in der Erzählweise sucht Solomon nur den Effekt. Delilas Kammer wird zur Arena, die Gefangennahme zur Menschenjagd. Das kultivierte Ausstellungspublikum genoß darin die Schaustellung entfesselter Gefühle, die es selbst nicht mehr auszuleben wagte.

Also nahm Boas
Ruth, und sie ward sein Weib

**Aert de Gelder
(1645–1727)
»Ruth und Boas«
(Budapest,
Nationalmuseum)**

Der innere Abstand, der
Rembrandt von seinen
Nachahmern trennt, offen-
bart sich im Vergleich:
Rembrandts »Isaak und
Rebekka« (S. 56) sind von
tiefer Menschlichkeit.
Gelders Ehepaar ist allzu-
menschlich. Es gerät in die
Nähe der »ungleichen Paare«
von lüsternem Alten und
berechnender junger Frau.

nd Boas sprach zu den
Ältesten und zu allem
Volk: Ihr seid heute
Zeugen, daß ich alles
gekauft habe, was dem
Elimelech, und alles, was Chiljon
und Mahlon gehört hat, von der
Hand Naemis; ◆ dazu auch
Ruth, die Moabitin, Mahlons Weib,
habe ich mir erworben zum
Weibe, daß ich dem Verstorbenen
einen Namen erwecke auf sein
Erbteil und sein Namen nicht ausgerottet werde unter seinen Brü-
dern und aus dem Tor seines Orts;
Zeugen seid ihr des heute. ◆ Und
alles Volk, das im Tor war, samt den
Ältesten sprachen: Wir sind Zeugen. Der Herr mache das Weib, das
in dein Haus kommt, wie Rahel
und Lea, die beide das Haus Israels
gebaut haben; und wachse sehr in
Ephratha und werde gepriesen zu
Bethlehem. ◆ Und dein Haus
werde wie das Haus des Perez, den
Thamar dem Juda gebar, von dem
Samen, den dir der Herr geben
wird von dieser Dirne. ◆ Also
nahm Boas die Ruth, daß sie sein
Weib ward. Und da er zu ihr ein-
ging, gab ihr der Herr, daß sie
schwanger ward und gebar einen
Sohn.

Samuel diente dem Herrn unter der Aufsicht des Priesters Eli

Und sie sprach: Ach, mein Herr, so wahr deine Seele lebt, mein Herr, ich bin das Weib, das hier bei dir stand, zu dem Herrn zu beten. ◆ Um diesen Knaben bat ich. Nun hat der Herr meine Bitte gegeben, die ich von ihm bat. ◆ Darum gebe ich ihn dem Herrn wieder sein Leben lang, weil er vom Herrn erbeten ist. Und sie beteten daselbst den Herrn an. ◆ Elkana aber ging hin gen Rama in sein Haus; und der Knabe war des Herrn Diener vor dem Priester Eli.

Gerrit Dou (1613–1675) »Eli unterrichtet Samuel« (Amsterdam, Rijksmuseum)

Eli unterrichtet Samuel im Rahmen einer Thoraschule, wie es sie auch im Holland des 17. Jahrhunderts gab.

Sooft nun der Geist Gottes über Saul kam, spielte David auf der Harfe

er Geist aber des Herrn wich von Saul, und ein böser Geist vom Herrn machte ihn sehr unruhig. ◆ Da sprachen die Knechte Sauls zu ihm: Siehe, ein böser Geist von Gott macht dich sehr unruhig; ◆ unser Herr sage seinen Knechten, die vor ihm stehen, daß sie einen Mann suchen, der auf der Harfe wohl spielen könne, auf daß, wenn der böse Geist Gottes über dich kommt, er mit seiner Hand spiele, daß es besser mit dir werde. ◆ Da sprach Saul zu seinen Knechten: sehet nach einem Mann, der des Saitenspiels kundig ist, und bringet ihn zu mir. ◆ Da antwortete der Jünglinge einer und sprach: Siehe, ich habe gesehen einen Sohn Isais, des Bethlehemiten, der ist des Saitenspiels kundig; ein rüstiger Mann und streitbar und verständig in seinen Reden und schön, und der Herr ist mit ihm. ◆ Da sandte Saul Boten zu Isai und ließ ihm sagen: Sende deinen Sohn David zu mir, der bei den Schafen ist. ◆ Da nahm Isai einen Esel mit Brot und einen Schlauch Wein und ein Ziegenböcklein und sandte es Saul durch seinen Sohn David. ◆ Also kam David zu Saul und diente vor ihm, und er gewann ihn sehr lieb, und er ward sein Waffenträger. ◆ Und Saul sandte zu Isai und ließ ihm sagen: Laß David vor mir bleiben; denn er hat Gnade gefunden vor meinen Augen. ◆ Wenn nun der Geist Gottes über Saul kam, so nahm David die Harfe und spielte mit seiner Hand; so erquickte sich Saul, und es ward besser mit ihm, und der böse Geist wich von ihm.

Rembrandt Harmensz van Rijn (1606–1669) »Saul und David« (Den Haag, Mauritshuis)

Speer und Harfe, Königtum und Künstlertum – diesen Gegensatz versöhnt Rembrandt. Davids Harfenspiel gewinnt Macht über die Schwermut des Königs. Der Betrachter, ergriffen von Rembrandts tiefer Beseelung des Vorgangs, erkennt sich wieder in Saul. Die Wirkung von Davids Harfe ist zugleich die Wirkung von Rembrandts Kunst.

Also überwand David den Philister

nd David gürtete sein Schwert über seine Kleider und fing an zu gehen; denn er hatte es nie versucht. Da sprach David zu Saul: Ich kann nicht also gehen, denn ich bin's nicht gewohnt, und legte es von sich und nahm seinen Stab in seine Hand und erwählte fünf glatte Steine aus dem Bach und tat sie in die Hirtentasche, die er hatte, und in den Sack und nahm die Schleuder in seine Hand und machte sich zu dem Philister. Und der Philister ging auch einher und machte sich zu David und sein Schildträger vor ihm her. Da nun der Philister sah und schaute David an, verachtete er ihn; denn er war ein Knabe, bräunlich und schön. Und der Philister sprach zu David: Bin ich denn ein Hund, daß du mit Stecken zu mir kommst? und fluchte dem David bei seinem Gott und sprach zu David: Komm her zu mir, ich will dein Fleisch geben den Vögeln unter dem Himmel und den Tieren auf dem Felde! David aber sprach zu dem Philister: Du kommst zu mir mit Schwert, Spieß und Schild; ich aber komme zu dir im Namen des Herrn Zebaoth, des Gottes des Heeres Israel, das du gehöhnt hast. Heutigestages wird dich der Herr in meine Hand überantworten, daß ich dich schlage und nehme dein Haupt von dir und gebe die Leichname des Heeres der Philister heute den Vögeln unter dem Himmel und dem Wild auf Erden, daß alles Land innewerde, daß Israel einen Gott hat, und daß alle diese Gemeinde innewerde, daß der Herr nicht durch Schwert noch Spieß hilft; denn der Streit ist des Herrn, und er wird euch geben in unsre Hände. Da sich nun der Philister aufmachte und daherging und nahte sich gegen David, eilte David und lief auf das Heer zu, dem Philister entgegen. Und David tat seine Hand in die Tasche und nahm einen Stein daraus und schleuderte und traf den Philister an seine Stirn, daß der Stein in seine Stirn fuhr und er zur Erde fiel auf sein Angesicht. Also überwand David den Philister mit der Schleuder und mit dem Stein und schlug ihn und tötete ihn. Und da David kein Schwert in seiner Hand hatte, lief er und trat zu dem Philister und nahm sein Schwert und zog's aus der Scheide und tötete ihn und hieb ihm den Kopf damit ab. Da aber die Philister sahen, daß ihr Stärkster tot war, flohen sie.

Orazio Gentileschi (1563–1639) »David und Goliath« (Rom, Galleria Spada)

David, »bräunlich und schön«, ist der Idealtypus des jugendlichen Helden. Sein Sieg über den Philister Goliath macht ihn zum Nationalheros. Caravaggio hatte dem Thema eine Wendung ins Persönliche gegeben, indem er sich im Haupt des Goliath selbst porträtierte. Gentileschi problematisiert die Beziehung zwischen Sieger und Unterlegenem in anderer Weise. In tiefer Nachdenklichkeit scheint David den Toten über die Notwendigkeit seines Opfers zu befragen.

Raffael (Raffaello Santi) (1483–1520) »David und Goliath« (Rom, Vatikan, Loggien)

Raffael, bekannt als der Maler sanfter Madonnen, beherrscht auch das Metier des Schlachtenmalers. Mitten im Schlachtgetümmel wird Davids Sieg über Goliath zum kriegsentscheidenden Moment. Entsetzt ergreifen die Philister die Flucht.

Da erkannte Saul, daß es Samuel war, und er warf sich auf die Erde

**Benjamin West
(1738–1820)
»Saul bei der Hexe
von Endor«
(Hartford, Conn.,
Wadsworth Atheneum)**

Zwar hatte die Aufklärung
den Aberglauben bekämpft,
Grauenerregendes gefiel
aber nach wie vor. Sauls
Totenbeschwörung ist eines
der wenigen biblischen
Themen, das dieser Neigung
entsprach.

D a sprach Saul zu sei-
nen Knechten: Sucht
mir ein Weib, die
einen Wahrsager-
geist hat, daß ich zu
ihr gehe und sie frage. Seine
Knechte sprachen zu ihm: Siehe,
zu Endor ist ein Weib, die hat einen
Wahrsagergeist. ◆ Und Saul
wechselte seine Kleider und zog
andere an und ging hin und zwei
Männer mit ihm, und sie kamen

bei der Nacht zu dem Weibe, und
er sprach: Weissage mir doch
durch den Wahrsagergeist und
bringe mir herauf, den ich dir sage.
◆ Das Weib sprach zu ihm: Siehe,
du weißt wohl, was Saul getan hat,
wie er die Wahrsager und Zeichen-
deuter ausgerottet hat vom Lande;
warum willst du denn meine Seele
in das Netz führen, daß ich getötet
werde? ◆ Saul aber schwur ihr
bei dem Herrn und sprach: So

wahr der Herr lebt, es soll dir dies nicht zur Missetat geraten. ◆ Da sprach das Weib: Wen soll ich dir denn heraufbringen? Er sprach: Bringe mir Samuel herauf. ◆ Da nun das Weib Samuel sah, schrie sie laut und sprach zu Saul: Warum hast du mich betrogen? Du bist Saul. ◆ Und der König sprach zu ihr: Fürchte dich nicht! Was siehst du? Das Weib sprach zu Saul: Ich sehe Götter heraufsteigen aus der Erde. ◆ Er sprach: Wie ist er gestaltet? Sie sprach: Es kommt ein alter Mann herauf und ist bekleidet mit einem Priesterrock. Da erkannte Saul, daß es Samuel war, und neiget sich mit seinem Antlitz zur Erde und fiel nieder.

**Hans Memling
(1430/40–1494)
»David und Bathseba«
(Stuttgart, Staatsgalerie)**

Vermutlich handelt es sich um ein Gerechtigkeitsbild für einen Gerichtssaal. David ist das warnende Exempel eines ungerechten Königs, der einen Untertan in den Tod schickt, um sich seiner Frau zu bemächtigen.

David sah eine schöne Frau

nd da das Jahr um kam, zur Zeit, wann die Könige pflegen auszuziehen, sandte David Joab und seine Knechte mit ihm und das ganze Israel, daß sie die Kinder Ammon verderbten und Rabba belagerten. David aber blieb zu Jerusalem. ◆ Und es begab sich, daß David um den Abend aufstand von seinem Lager und ging auf dem Dach des

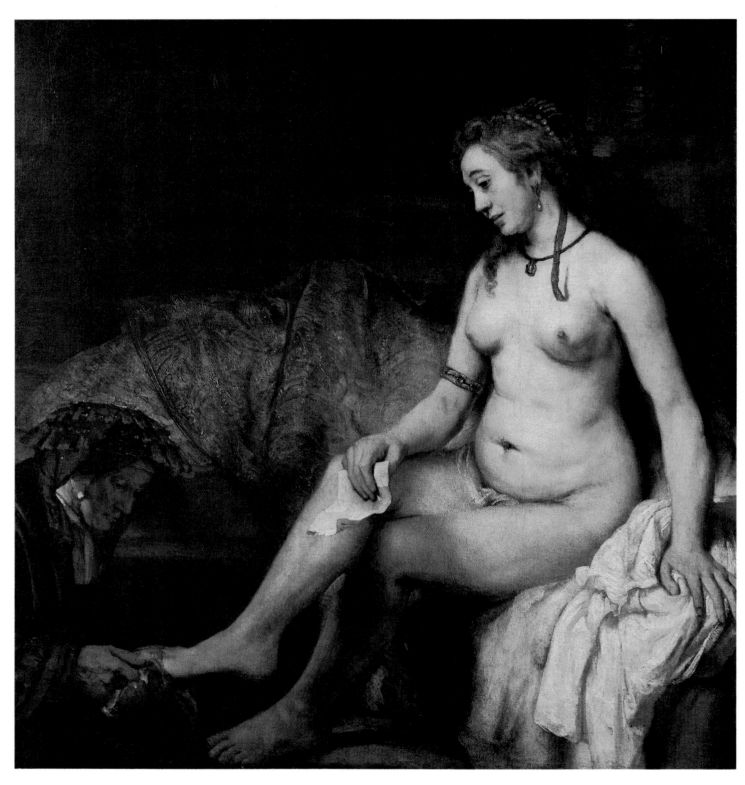

Königshauses und sah vom Dach ein Weib sich waschen; und das Weib war sehr schöner Gestalt. ◆ Und David sandte hin und ließ nach dem Weibe fragen, und man sagte: Ist das nicht Bath-Seba, die Tochter Eliams, das Weib Urias, des Hethiters? ◆ Und David sandte Boten hin und ließ sie holen. Und

da sie zu ihm hineinkam, schlief er bei ihr. Sie aber reinigte sich von ihrer Unreinigkeit und kehrte wieder zu ihrem Hause.

Rembrandt Harmensz van Rijn (1606–1669) »Bathseba« (Paris, Louvre)

Bathseba ist mit dem teilnehmenden Blick der Liebe gesehen. Als Modell diente Rembrandt seine Lebensgefährtin Hendrickje Stoffels.

Teilt das Kind in zwei Stücke und gebt jeder eine Hälfte

Zu der Zeit kamen zwei Huren zum König und traten vor ihn. ◆ Und das eine Weib sprach: Ach, mein Herr, ich und dies Weib wohnten in einem Hause, und ich gebar bei ihr im Hause. ◆ Und über drei Tage, da ich geboren hatte, gebar sie auch. Und wir waren beieinander, daß kein Fremder mit uns war im Hause, nur wir beide. ◆ Und dieses Weibes Sohn starb in der Nacht; denn sie hatte ihn im Schlaf erdrückt. ◆ Und sie stand in der Nacht auf und nahm meinen Sohn von meiner Seite, da mein Sohn lebt. Und redeten also vor dem König. ◆ Und der König sprach: Diese spricht: Mein Sohn lebt, und dein Sohn ist tot; jene spricht: Nicht also; dein Sohn ist tot, und mein Sohn lebt. ◆ Und der König sprach: Holet mir ein Schwert her! Und da das Schwert vor den König gebracht ward, ◆ sprach der König: Teilet das lebendige Kind in zwei Teile und gebt dieser die Hälfte und jener die Hälfte. ◆ Da sprach das Weib, des Sohn lebte, zum König (denn ihr mütterliches Herz entbrannte über ihren Sohn): Ach, mein Herr, gebt ihr das Kind lebendig und

William Dyce
(1806–1864)
»Das Urteil Salomons«
(Edinburgh, National Gallery)

In der friesartigen Komposition, dem niedrigen Horizont und der kühlen Farbgebung orientiert sich Dyce an italienischen Fresken des 16. Jahrhunderts. Den Henker zitiert er aus einer Gestaltung desselben Themas von Raffael.

deine Magd schlief, und legte ihn an ihren Arm, und ihren toten Sohn legte sie an meinen Arm. ◆ Und da ich des Morgens aufstand, meinen Sohn zu säugen, siehe, da war er tot. Aber am Morgen sah ich ihn genau an, und siehe, es war nicht mein Sohn, den ich geboren hatte. ◆ Das andere Weib sprach: Nicht also; mein Sohn lebt, und dein Sohn ist tot. Jene aber sprach: Nicht also; dein Sohn ist tot, und tötet es nicht! Jene aber sprach: Es sei weder mein noch dein; laßt es teilen! ◆ Da antwortete der König und sprach: Gebet dieser das Kind lebendig und tötet's nicht; die ist seine Mutter. ◆ Und das Urteil, das der König gefällt hatte, erscholl vor dem ganzen Israel, und sie fürchteten sich vor dem König; denn sie sahen, daß die Weisheit Gottes in ihm war, Gericht zu halten.

Die Königin von Saba
stellte Salomon auf die Probe

 nd da das Gerücht von Salomo und von dem Namen des Herrn kam vor die Königin von Reicharabien, kam sie, Salomo zu versuchen mit Rätseln. ◆ Und sie kam gen Jerusalem mit sehr vielem Volk, mit Kamelen, die Spezerei trugen und viel Gold und Edelsteine. Und da sie zum König Salomo hineinkam, redete sie mit ihm alles, was sie sich vorgenommen hatte. ◆ Und Salomo sagte es ihr alles, und war dem König nichts verborgen, das er ihr nicht sagte. ◆ Da aber die Königin von Reicharabien sah alle Weisheit Salomos und das Haus, das er gebaut hatte, ◆ und die Speise für seinen Tisch und seiner Knechte Wohnung und seiner Diener Amt und ihre Kleider und seine Schenken und seine Brandopfer, die er in dem Haus des Herrn opferte, konnte sie sich nicht mehr enthalten ◆ und sprach zum König: Es ist wahr, was ich in meinem Land gehört habe von deinem Wesen und von deiner Weisheit. ◆ Und ich habe es nicht wollen glauben, bis ich gekommen bin und habe es mit meinen Augen gesehen. Und siehe, es ist mir nicht die Hälfte gesagt. Du hast mehr Weisheit und Gut, denn das Gerücht ist, das ich gehört habe. ◆ Selig sind deine Leute und deine Knechte, die allezeit vor dir stehen und deine Weisheit hören. ◆ Gelobt sei der Herr, dein Gott, der zu dir Lust hat, daß er dich auf den Stuhl Israels gesetzt hat; darum daß der Herr Israel liebhat ewiglich, hat er dich zum König gesetzt, daß du Gericht und Recht haltest. ◆ Und sie gab dem König hundertundzwanzig Zentner Gold und sehr viel Spezerei und Edelgestein. Es kam nicht mehr so viel Spezerei, als die Königin von Reicharabien dem König Salomo gab. ◆ Dazu die Schiffe Hirams, die Gold aus Ophir führten, brachten sehr viel Sandelholz und Edelgestein. ◆ Und der König ließ machen von Sandelholz, Pfeiler im Hause des Herrn und im Hause des Königs und Harfen und Psalter für die Sänger. Es kam nicht mehr solch Sandelholz, ward auch nicht gesehen bis auf diesen Tag. ◆ Und der König Salomo gab der Königin von Reicharabien alles, was sie begehrte und bat, außer was er ihr von selbst gab. Und sie wandte sich und zog in ihr Land samt ihren Knechten.

**Edward Poynter
(1839–1919)
»Salomon empfängt die Königin von Saba«
(London, National Gallery)**

Der pompöse Staatsakt hat Folgen. Das Fürstenpaar zeugt den Stammvater des äthiopischen Kaiserhauses. Da sich von der Kunstblüte unter Salomon nichts erhalten hat, greift Poynter zu Anleihen bei persischer Architektur.

Jerobeam machte den Kindern Israels ein Fest und opferte auf dem Altar

Jean-Honoré Fragonard (1732–1806)
»Jerobeam betet zu seinem Heiligtum«
(Paris, Ecole des Beaux-Arts)

Jerobeams Hand, die er gegen einen Mann Gottes erhebt, verdorrt. Mit der meisterhaften Inszenierung dieses Augenblicks errang der Akademieschüler Fragonard 1752 den begehrten Rompreis.

Jerobeam aber baute Sichem auf dem Gebirge Ephraim und wohnte darin, und zog von da heraus und baute Pnuel. ❧ Jerobeam aber gedachte in seinem Herzen: Das Königreich wird nun wieder zum Hause David fallen. ❧ Wenn dies Volk soll hinaufgehen, Opfer zu tun in des Herrn Hause zu Jerusalem, so wird sich das Herz dieses Volks wenden zu ihrem Herrn Rehabeam, dem König Juda's, und sie werden mich erwürgen und wieder zu Rehabeam, dem König Juda's, fallen. ❧ Und der König hielt einen Rat und machte zwei goldene Kälber und sprach zu ihnen: Es ist euch zuviel, hinauf gen Jerusalem zu gehen; siehe, da sind deine Götter, Israel, die dich aus Ägyptenland geführt haben. ❧ Und er setzte eins zu Beth-El, und das andere tat er gen Dan. ❧ Und das geriet zur Sünde; denn das Volk ging hin vor das eine bis gen Dan. ◆ Er machte auch ein Haus der Höhen und machte Priester aus allem Volk, die nicht von den Kindern Levi waren. ◆ Und er machte ein Fest am fünfzehnten Tage des achten Monats wie das Fest in Juda und opferte auf dem Altar. So tat er zu Beth-El, daß man den Kälbern opferte, die er gemacht hatte, und stiftete zu Beth-El die Priester der Höhen, die er gemacht hatte, ◆ und opferte auf dem Altar, den er gemacht hatte zu Beth-El, am fünfzehnten Tage des achten Monats, welchen er aus seinem Herzen erdacht hatte, und machte den Kindern Israel ein Fest und opferte auf dem Altar und räucherte.

Elias fuhr in einem feurigen Wagen gen Himmel

nd da sie miteinander gingen und redeten, siehe, da kam ein feuriger Wagen mit feurigen Rossen, die schieden die beiden voneinander; und Elia fuhr also im Wetter gen Himmel.

◆ Elisa aber sah es und schrie: Mein Vater, mein Vater, Wagen Israels und seine Reiter! und sah ihn nicht mehr. Und er faßte seine Kleider und zerriß sie in zwei Stücke.

Giovanni Battista Piazzetta (1682–1754) »Die Himmelfahrt des Elias« (Washington, National Gallery of Art)

Ohne zu sterben wird Elias unmittelbar in den Himmel versetzt. Himmelfahrt und Apotheose sind bevorzugte Themen der barocken Deckenmalerei. Sie erlauben die Illusion eines geöffneten, mit schwebenden Figuren bevölkerten Himmels.

Sie machte sich auf den Weg zu Elisäus, dem Gottesmann

Rembrandt Harmensz van Rijn (1606–1669) „Elisäus und die Sunamiterin" (London, Victoria and Albert Museum)

Elisäus ist der Nachfolger des Elias. Er vollbringt eine Reihe von Wundern, insbesondere an der Sunamiterin. Als eine Teuerung bevorsteht, gibt er ihr den Hinweis, außer Landes zu gehen. Rembrandts Darstellung des Abschieds galt früher als Verstoßung der Hager.

Und die Frau ward schwanger und gebar einen Sohn um dieselbe Zeit über ein Jahr, wie ihr Elisa geredet hatte. ◆ Da aber das Kind groß ward, begab sich's, daß es hinaus zu seinem Vater zu den Schnittern ging ◆ und sprach zu seinem Vater: O mein Haupt, mein Haupt! Er sprach zu seinem Knecht: Bringe ihn zu seiner Mutter! ◆ Und er nahm ihn und brachte ihn hinein zu seiner Mutter, und sie setzte ihn auf ihren Schoß bis an den Mittag; da starb er. ◆ Und sie ging hinauf und legte ihn aufs Bett des Mannes Gottes, schloß zu und ging hinaus ◆ und rief ihren Mann und sprach: Sende mir der Knechte einen und eine Eselin; ich will zu dem Mann Gottes, und wiederkommen. ◆ Er sprach: Warum willst du zu ihm? Ist doch heute nicht Neumond noch Sabbat. Sie sprach: Es ist gut. ◆ Und sie sattelte die Eselin und sprach zum Knecht: Treibe fort und säume mich nicht mit dem Reiten, wie ich dir sage! ◆ Also zog sie hin und kam zu dem Mann Gottes auf den Berg Karmel. Als aber der Mann Gottes sie kommen sah, sprach er zu seinem Diener Gehasi: Siehe, die Sunamitin ist da!

Elisäus legte seinen Mund auf des Knaben Mund

Die Mutter aber des Knaben sprach: So wahr der Herr lebt und deine Seele, ich lasse nicht von dir! Da machte er sich auf und ging ihr nach. ◆ Gehasi aber ging vor ihnen hin und legte den Stab dem Knaben aufs Antlitz; da war aber keine Stimme noch Fühlen. Und er ging wiederum ihm entgegen und zeigte ihm an und sprach: Der Knabe ist nicht aufgewacht. ◆ Und da Elisa ins Haus kam, siehe, da lag der Knabe tot auf seinem Bett. ◆ Und er ging hinein und schloß die Tür zu für sie beide und betete zu dem Herrn ◆ und stieg hinauf und legte sich auf das Kind und legte seinen Mund auf des Kindes Mund und seine Augen auf seine Augen und seine Hände auf seine Hände und breitete sich also über ihn, daß des Kindes Leib warm ward. ◆ Er aber stand wieder auf und ging im Haus einmal hieher und daher und stieg hinauf und breitete sich über ihn. Da schnaubte der Knabe siebenmal; darnach tat der Knabe seine Augen auf. ◆ Und er rief Gehasi und sprach: Rufe die Sunamitin! Und da er sie rief, kam sie hinein zu ihm. Er sprach: Da nimm hin deinen Sohn! ◆ Da kam sie und fiel zu seinen Füßen und beugte sich nieder zur Erde und nahm ihren Sohn und ging hinaus.

Frederick Lord Leighton (1830–1896) „Elisäus erweckt den Sohn der sunamitischen Witwe" (London, Leighton House)

Die Totenerweckungen des Neuen Testaments durch Christus oder die Apostel geschehen kraft des Wortes. Eine primitivere Form ist die Übertragung der Lebenskraft durch direkten Körperkontakt.

Und sie stürzten Isebel aus dem Fenster herab

Und da Jehu gen Jesreel kam und Isebel das erfuhr, schminkte sie ihr Angesicht und schmückte ihr Haupt und guckte zum Fenster hinaus. Und da Jehu unter das Tor kam, sprach sie: Ist's Simri wohl gegangen, der seinen Herrn erwürgte? Und er hob sein Angesicht auf zum Fenster und sprach: Wer hält's hier mit mir? Da sahen zwei oder drei Kämmerer zu ihm heraus. Er sprach: Stürzet sie herab! Und sie stürzten sie herab, daß die Wand und die Rosse mit ihrem Blut besprengt wurden; und sie ward zertreten. Und da er hineinkam und gegessen und getrunken hatte, sprach er: Sehet doch nach der Verfluchten und begrabet sie; denn sie ist eines Königs Tochter! Da sie aber hingingen, sie zu begraben, fanden sie nichts von ihr denn den Schädel und die Füße und ihre flachen Hände; und sie kamen wieder und sagten's ihm an. Er aber sprach: Es ist, was der Herr geredet hat durch seinen Knecht Elia, den Thisbiter, und gesagt: Auf dem Acker Jesreels sollen die Hunde der Isebel Fleisch fressen; und das Aas Isebels soll wie Kot auf dem Felde sein im Acker Jesreels, daß man nicht sagen könne: Das ist Isebel.

Luca Giordano (1634–1705) „Isebels Tod" (Privatsammlung)

Giordanos Bild vereinigt alle Merkmale des neapolitanischen Barock: düsteres Licht, flackernde Formen und eine Vorliebe für Greuelszenen. Unbarmherzig erfüllt sich die Prophezeiung, daß Isebel wegen ihrer Hurerei unbestattet bleiben soll. Giordano verlängert ihre Qual, indem Isebel den Sturz überlebt und erst von den Hunden zerfleischt wird.

Die Königin Vasthi aber
weigerte sich, auf Befehl des Königs
zu erscheinen

u den Zeiten des Ahasveros (der da König war von Indien bis an Mohrenland über hundertundsiebenundzwanzig Länder) ⬥ und da er auf seinem königlichen Stuhl saß zu Schloß Susan, ⬥ im dritten Jahr seines Königreichs, machte er bei sich ein Mahl allen seinen Fürsten und Knechten, den Gewaltigen in Persien und Medien, den Landpflegern und Obersten in seinen Ländern, ⬥ daß er sehen ließe den herrlichen Reichtum seines Königreichs und die köstliche Pracht seiner Majestät viele Tage lang, hundertundachtzig Tage. ⬥ Und da die Tage aus waren, machte der König ein Mahl allem Volk, das zu Schloß Susan war, Großen und Kleinen, sieben Tage lang im Hofe des Gartens am Hause des Königs. ⬥ Da hingen weiße, rote und blaue Tücher, mit leinenen und scharlachnen Seilen gefaßt, in silbernen Ringen auf Marmorsäulen. Die Bänke waren golden und silbern auf Pflaster von grünem, weißem, gelbem und schwarzem Marmor. ⬥ Und das Getränk trug man in goldenen Gefäßen und immer andern und andern Gefäßen, und königlichen Wein die Menge, wie denn der König vermochte. ⬥ Und man setzte niemand, was er trinken sollte; denn der König hatte allen Vorstehern in seinem Hause befohlen, daß ein jeglicher sollte tun, wie es ihm wohl gefiele. ⬥ Und die Königin Vasthi machte auch ein Mahl für die Weiber im königlichen Hause des Königs Ahasveros. ⬥ Und am siebenten Tage, da der König

guten Muts war vom Wein, hieß er Mehuman, Bistha, Harbona, Bigtha, Abagtha, Sethar und Charkas, die sieben Kämmerer, die vor dem König Ahasveros dienten, ⬥ daß sie die Königin Vasthi holten vor den König mit der königlichen Krone, daß er den Völkern und Fürsten zeigte ihre Schöne; denn sie war schön. ⬥ Aber die Königin Vasthi wollte nicht kommen nach dem Wort des Königs durch seine Kämmerer. Da ward der König sehr zornig, und sein Grimm entbrannte in ihm. Und der König sprach zu den Weisen, die sich auf die Zeiten verstanden (denn des Königs Sachen mußten geschehen vor allen, die sich auf Recht und Händel verstanden; ⬥ die nächsten aber bei ihm waren Charsena, Sethar, Admatha, Tharsis, Meres, Marsena und Memuchan, die sieben Fürsten der Perser und Meder, die das Angesicht des Königs sahen und saßen obenan im Königreich), ⬥ was für ein Recht man an der Königin Vasthi tun sollte, darum daß sie nicht getan hatte nach dem Wort des Königs durch seine Kämmerer. ⬥ Da sprach Memuchan vor dem König und den Fürsten: Die Königin Vasthi hat nicht allein an dem König übel getan, sondern auch an allen Fürsten und an allen Völkern in allen Landen des Königs Ahasveros. ⬥ Denn es wird solche Tat der Königin auskommen zu allen Weibern, daß sie ihre Männer verachten vor ihren Augen und werden sagen: Der König Ahasveros hieß die Königin Vasthi vor sich kommen; aber sie wollte nicht. ⬥ So werden nun die Fürstinnen in Persien und

Filippino Lippi
(um 1457–1504)
»Die Verstoßung der Vasthi«
(Florenz, Museo Horne)

Nach der Verstoßung seiner Gemahlin Vasthi heiratet der Perserkönig Ahasveros (Xerxes) die Jüdin Esther. Filippino Lippi hat die Geschichte der Esther in einer Bildfolge bearbeitet und dabei auch die Vasthi-Episode einbezogen. Eine Stadtmauer bezeichnet die Grenze zwischen Stadt und Land, die Vasthi unsicher tastend überschreitet. Ihr Ausdruck ist von zarter Melancholie.

113

Medien auch so sagen zu allen Fürsten des Königs, wenn sie solche Tat der Königin hören; so wird sich Verachtens und Zorns genug erheben. ✦ Gefällt es dem König, so lasse man ein königlich Gebot von ihm ausgehen und schreiben nach der Perser und Meder Gesetz, welches man nicht darf übertreten: daß Vasthi nicht mehr vor den König Ahasveros komme, und der König gebe ihre königliche Würde einer andern, die besser ist denn sie. ✦ Und es erschalle dieser Befehl des Königs, den er geben wird, in sein ganzes Reich, welches groß ist, daß alle Weiber ihre Männer in Ehren halten, unter Großen und Kleinen.

Esther sprach:
Der Feind und Widersacher ist dieser böse Haman

Und da der König mit Haman kam zum Mahl, das die Königin Esther zugerichtet hatte, ✦ sprach der König zu Esther auch des andern Tages, da er Wein getrunken hatte: Was bittest du, Königin Esther, daß man dir's gebe? Und was forderst du? Auch das halbe Königreich, es soll geschehen. ✦ Esther, die Königin, antwortete und sprach: Habe ich Gnade vor dir gefunden, o König, und gefällt es dem König, so gib mir mein Leben um meiner Bitte willen und mein Volk um meines Begehrens willen. ✦ Denn wir sind verkauft, ich und mein Volk, daß wir vertilgt, erwürgt und umgebracht werden. Und wären wir doch nur zu Knechten und Mägden verkauft, so wollte ich schweigen; so würde der Feind doch dem König nicht schaden. ✦ Der König Ahasveros redete und sprach zu der Königin Esther: Wer ist der, oder wo ist der, der solches in seinen Sinn nehmen dürfe, also zu tun? ✦ Esther sprach: Der Feind und Widersacher ist dieser böse Haman. Haman entsetzte sich vor dem König und der Königin. ✦ Und der König stand auf vom Mahl und vom Wein in seinem Grimm und ging in den Garten am Hause. Und Haman stand auf und bat die Königin Esther um sein Leben; denn er sah, daß ihm ein Unglück vom König schon bereitet war. ✦ Und da der König wieder aus dem Garten am Hause in den Saal, da man gegessen hatte, kam, lag Haman an der Bank, darauf Esther saß. Da sprach der König: Will er auch der Königin Gewalt tun bei mir im Hause? Da das Wort aus des Königs Munde ging, verhüllten sie Haman das Antlitz. ✦ Und Harbona, der Kämmerer einer vor dem König, sprach: Siehe, es steht ein Baum im Hause Hamans, fünfzig Ellen hoch, den er Mardochai gemacht hatte, der Gutes für den König geredet hat. Der König sprach: Laßt ihn dran hängen! ✦ Also hängte man Haman an den Baum, den er Mardochai gemacht hatte. Da legte sich des Königs Zorn.

**Ernest Normand
(1857–1923)
»Esther entlarvt Haman«
(Sunderland,
Museum and Art Gallery)**

Schon im babylonischen
Exil droht Israel der Völkermord. In Esther tritt eine
Retterin auf, die das Unglück
noch einmal abwendet.
Nach den Erfahrungen der

jüngsten Geschichte
erscheint uns Normands
Gemälde dem Gegenstand
nicht mehr angemessen.
Die überdeutliche Gestensprache erinnert an
gestellte, lebende Bilder,
wie sie im 19. Jahrhundert
als Gesellschaftsspiel beliebt waren.

Bei all diesem hat Hiob
mit seinen Lippen nicht gesündigt

s begab sich aber des Tages, da die Kinder Gottes kamen und traten vor den Herrn, daß der Satan auch unter ihnen kam und vor den Herrn trat. ◆ Da sprach der Herr zu dem Satan: Wo kommst du her? Der Satan antwortete dem Herrn und sprach: Ich habe das Land umher durchzogen. ◆ Der Herr sprach zu dem Satan: Hast du nicht acht auf meinen Knecht Hiob gehabt? Denn es ist seinesgleichen im Lande nicht, schlecht und recht, gottesfürchtig und meidet das Böse und hält noch fest an seiner Frömmigkeit; du aber hast mich bewogen, daß ich ihn ohne Ursache verderbt habe. ◆ Der Satan antwortete dem Herrn und sprach: Haut für Haut; und alles, was ein Mann hat, läßt er für sein Leben. ◆ Aber recke deine Hand aus und taste sein Gebein und Fleisch an: was gilt's, er wird dir ins Angesicht absagen? ◆ Der Herr sprach zu dem Satan: Siehe da, er sei in deiner Hand; doch schone seines Lebens! ◆ Da fuhr der Satan aus vom Angesicht des Herrn und schlug Hiob mit bösen Schwären von der Fußsohle an bis auf seinen Scheitel. ◆ Und er nahm eine Scherbe und schabte sich und saß in der Asche. ◆ Und sein Weib sprach zu ihm: Hältst du noch fest an deiner Frömmigkeit? Ja, sage Gott ab und stirb! ◆ Er aber sprach zu ihr: Du redest, wie die närrischen Weiber reden. Haben wir Gutes empfangen von Gott und sollten das Böse nicht auch annehmen? In diesem allem versündigte sich Hiob nicht mit seinen Lippen.

**Albrecht Dürer
(1471–1528)
»Hiob wird von seinem
Weib verspottet«
(Frankfurt, Städelsches
Kunstinstitut)**

Die Tafel ist ein Fragment des sogenannten Jabach-Altars, der in geschlossenem Zustand Hiob mit seiner Frau und zwei Musikanten zeigte. Das Gegenstück befindet sich in Köln.

**Léon Bonnat
(1833–1922)
»Hiob«
(Paris, Louvre)**

Hiob ist das Beispiel unbeirrbaren Glaubens. Schicksalsschläge und Krankheit haben ihren Sinn als Glaubensprüfungen. Bonnats realistisches Bild erschöpft sich nicht in der Schilderung von Elend und körperlichem Verfall. Der Blick in die Lichtquelle und die schicksalsergeben gebreiteten Arme verleihen Hiob christusähnliche Züge.

Und plötzlich sah der König
die schreibende Hand an der Wand

König Belsazer machte ein herrliches Mahl seinen tausend Gewaltigen und soff sich voll mit ihnen. Und da er trunken war, hieß er die goldenen und silbernen Gefäße herbringen, die sein Vater Nebukadnezar aus dem Tempel zu Jerusalem weggenommen hatte, daß der König mit seinen Gewaltigen, mit seinen Weibern und mit seinen Kebsweibern daraus tränken. Also wurden hergebracht die goldenen Gefäße, die aus dem Tempel, aus dem Haus Gottes zu Jerusalem, genommen waren; und der König, seine Gewaltigen, seine Weiber und Kebsweiber tranken daraus. Und da sie so soffen, lobten sie die goldenen, silbernen, ehernen, eisernen, hölzernen und steinernen Götter. Eben zur selben Stunde gingen hervor Finger wie einer Menschenhand, die schrieben gegenüber dem Leuchter, auf die getünchte Wand in dem königlichen Saal; und der König ward gewahr der Hand, die da schrieb. Da entfärbte sich der König, und seine Gedanken erschreckten ihn, daß ihm die Lenden schütterten und die Beine zitterten. Und der König rief überlaut, daß man die Weisen, Chaldäer und Wahrsager hereinbringen sollte. Und er ließ den Weisen zu Babel sagen: Welcher Mensch diese Schrift liest und sagen kann, was sie bedeute, der soll mit Purpur gekleidet werden und eine goldene Kette am Halse tragen und der dritte Herr sein in meinem Königreiche.

**John Martin
(1789–1854)
„Das Gastmahl des
Belsazar"
(Toronto, Collection Joseph
Tanenbaum)**

In den Worten „mene mene
tekel upharsin" – gezählt,
gewogen und geteilt – kündigt sich der Untergang
des babylonischen Reiches
an. Sie sind als „Menetekel"
sprichwörtlich geworden.
Martins Architektur mischt
indische, ägyptische und
babylonische Elemente. Die
Worte erscheinen als helle
Flammenschrift.

Mein Gott sandte seinen Engel, der den Löwen den Rachen verschloß

Da kamen diese Männer zuhauf und fanden Daniel beten und flehen vor seinem Gott. ◆ Und traten hinzu und redeten mit dem König von dem königlichen Gebot: Herr König, hast du nicht ein Gebot unterschrieben, daß, wer in dreißig Tagen etwas bitten würde von irgend einem Gott oder Menschen außer von dir, König, allein, solle zu den Löwen in den Graben geworfen werden? Der König antwortete und sprach: Es ist wahr, und das Recht der Meder und Perser soll niemand aufheben. ◆ Sie antworteten und sprachen vor dem König: Daniel, der Gefangenen aus Juda einer, der achtet weder dich noch dein Gebot, das du verzeichnet hast; denn er betet des Tages dreimal. ◆ Da der König solches hörte, ward er sehr betrübt und tat großen Fleiß, daß er Daniel erlöste, und mühte sich, bis die Sonne unterging, daß er ihn errettete. ◆ Aber die Männer kamen zuhauf zu dem König und sprachen zu ihm: Du weißt, Herr König, daß der Meder und Perser Recht ist, daß alle Gebote und Befehle, so der König beschlossen hat, sollen unverändert bleiben. ◆ Da befahl der König, daß man Daniel herbrächte; und sie warfen ihn zu den Löwen in den Graben. Der König aber sprach zu Daniel: Dein Gott, dem du ohne Unterlaß dienst, der helfe dir! ◆ Und sie brachten einen Stein, den legten sie vor die Tür am Graben; den versiegelte der König mit seinem eigenen Ring und mit dem Ring seiner Gewaltigen, auf daß nichts anderes mit Daniel geschähe. ◆

Und der König ging weg in seine Burg und blieb ungegessen und ließ kein Essen vor sich bringen, konnte auch nicht schlafen. ◆ Des Morgens früh, da der Tag anbrach, stand der König auf und ging eilend zum Graben, da die Löwen waren. ◆ Und als er zum Graben kam, rief er Daniel mit kläglicher Stimme. Und der König sprach zu Daniel: Daniel, du Knecht des lebendigen Gottes, hat dich auch dein Gott, dem du ohne Unterlaß dienest, können von den Löwen erlösen? ◆ Daniel aber redete mit dem König: Der König lebe ewiglich! ◆ Mein Gott hat seinen Engel gesandt, der den Löwen den Rachen zugehalten hat, daß sie mir kein Leid getan haben; denn vor ihm bin ich unschuldig erfunden; so habe ich auch wider dich, Herr König, nichts getan. ◆ Da ward der König sehr froh und hieß Daniel aus dem Graben ziehen. Und sie zogen Daniel aus dem Graben, und man spürte keinen Schaden an ihm; denn er hatte seinem Gott vertraut.

Briton Riviere (1840–1920) »Daniel in der Löwengrube« (London, Walker Art Gallery)

Riviere war in erster Linie Tiermaler. Seine Aufmerksamkeit gehört nicht Daniel, sondern den Löwen. Gut beobachtet im Verhalten der Tiere ist der Widerstreit zwischen Aggression und Einschüchterung. Die spannungsgeladene Situation wird in der Schwebe gehalten allein durch die Suggestionskraft Daniels.

Sie nahmen Jona
und warfen ihn ins Meer

ber Jona machte sich auf und floh vor dem Herrn und wollte gen Tharsis und kam hinab gen Japho. Und da er ein Schiff fand, das gen Tharsis wollte fahren, gab er Fährgeld und trat hinein, daß er mit ihnen gen Tharsis führe vor dem Herrn. ❖ Da ließ der Herr einen großen Wind aufs Meer kommen, und es erhob sich ein großes Ungewitter auf dem Meer, daß man meinte, das Schiff würde zerbrechen. ❖ Und die Schiffsleute fürchteten sich und schrieen, ein jeglicher zu seinem Gott, und warfen das Gerät, das im Schiff war, ins Meer, daß es leichter würde. Aber Jona war hinunter in das Schiff gestiegen, lag und schlief. ❖ Da trat zu ihm der Schiffsherr und sprach zu ihm: Was schläfst du? Stehe auf, rufe deinen Gott an! ob vielleicht Gott an uns gedenken wollte, daß wir nicht verdürben. ❖ Und einer sprach zum andern: Kommt, wir wollen losen, daß wir erfahren, um welches willen es uns so übel gehe. Und da sie losten, traf's Jona. ❖ Da sprachen sie zu ihm: Sage uns, warum geht es uns so übel? Was ist dein Gewerbe, und wo kommst du her? Aus welchem Lande bist du, und von welchem Volk bist du? ❖ Er sprach zu ihnen: Ich bin ein Hebräer und fürchte den Herrn, den Gott des Himmels, welcher gemacht hat das Meer und das Trockene. ❖ Da fürchteten sich die Leute sehr und sprachen zu ihm: Warum hast du denn solches getan? Denn sie wußten, daß er vor dem Herrn floh; denn er hatte es ihnen gesagt. ❖ Da sprachen sie zu ihm: Was sollen wir denn mit dir tun, daß uns das Meer still werde? Denn das Meer fuhr ungestüm. ❖ Er sprach zu ihnen: Nehmt mich und werft mich ins Meer so wird euch das Meer still werden. Denn ich weiß, daß solch groß Ungewitter über euch kommt um meinetwillen. ❖ Und die Leute trieben, daß sie wieder zu Lande kämen; aber sie konnten nicht, denn das Meer fuhr ungestüm wider sie. ❖ Da riefen sie zu dem Herrn und sprachen: Ach Herr, laß uns nicht verderben um dieses Mannes Seele willen und rechne uns nicht zu unschuldig Blut! denn du, Herr, tust, wie dir's gefällt. ❖ Und sie nahmen Jona und warfen ihn ins Meer; da stand das Meer still von seinem Wüten. ❖ Und die Leute fürchteten den Herrn sehr und taten dem Herrn Opfer und Gelübde.

**Gaspard Dughet
(1615–1675)
»Jona wird über Bord
geschleudert«
(Englisches Königshaus)**

Gegenüber den heroischen Landschaften Poussins und Lorrains vertritt Dughet den Typus der Abenteuer- oder Ereignislandschaft. Schroffes Gebirge, aufgewühltes Meer, ein Schiff in Seenot und ein Walfisch, der einen Menschen verschlingt, erregen die Sensationslust des Betrachters.

Da gebot der Herr dem Fisch, und der spie Jona ans Land

Jan Bruegel der Ältere (1568–1625)
»Jona wird vom Wal an Land gebracht«
(München, Alte Pinakothek)

Jesus selbst deutet die Geschichte des Jona als Gleichnis für Tod und Auferstehung (Matthäus 12, 39). Fische, die Menschen ausspeien, sind auch ein Motiv in der Auferstehung der Toten.

 ber der Herr verschaffte einen großen Fisch, Jona zu verschlingen. Und Jona war im Leibe des Fisches drei Tage und drei Nächte. ◆ Und Jona betete zu dem Herrn, seinem Gott, im Leibe des Fisches. ◆ Und sprach: Ich rief zu dem Herrn in meiner Angst, und er antwortete mir; ich schrie aus dem Bauche der Hölle, und du hörtest meine Stimme. ◆ Du warfest mich in die Tiefe mitten im Meer, daß die Fluten mich umgaben; alle deine Wogen und Wellen gingen über mich, ◆ daß ich gedachte, ich wäre von deinen Augen verstoßen, ich würde deinen heiligen Tempel nicht mehr sehen. ◆ Wasser umgaben mich bis an mein Leben, die Tiefe umringte mich; Schilf bedeckte mein Haupt. ◆ Ich sank hinunter zu der Berge Gründen, die Erde hatte mich verriegelt ewiglich; aber du hast mein Leben aus dem Verderben geführt, Herr, mein Gott. ◆ Da meine Seele bei mir verzagte, gedachte ich an den Herrn; und mein Gebet kam zu dir in deinen heiligen Tempel. ◆ Die da halten an dem Nichtigen, verlassen ihre Gnade. ◆ Ich aber will mit Dank dir opfern, meine Gelübde will ich bezahlen; denn die Hilfe ist des Herrn. Und der Herr sprach zum Fische, und der spie Jona aus ans Land.

Auf Geheiß des Engels zog Tobias den Fisch aufs Land

 nd Tobias zog hin, und sein Hündlein lief mit ihm. Und die erste Tagesreise blieb er bei dem Wasser Tigris. ❖ Und er ging hin, daß er seine Füße wüsche; und siehe, ein großer Fisch fuhr heraus, ihn zu verschlingen. ❖ Vor dem erschrak Tobias und schrie mit lauter Stimme und sprach: O Herr, er will mich fressen! ❖ Und der Engel sprach zu ihm: Ergreife ihn bei den Floßfedern und ziehe ihn heraus! ❖ Und er zog ihn aufs Land; da zappelte er vor seinen Füßen. ❖

Da sprach der Engel: Haue den Fisch voneinander; das Herz, die Galle und die Leber behalte dir, denn sie sind sehr gut zur Arznei. ❖ Und Tobias tat, wie ihm der Engel gesagt hatte; den Fisch aber brieten und aßen sie. Und sie reisten weiter miteinander, bis sie kamen nahe zu Ekbatana. ❖ Da fragte Tobias den Engel und sprach zu ihm: Ich bitte dich, Asarja, mein Bruder, du wollest mir sagen, was man für Arznei machen kann von den Stücken, die du hast heißen behalten.

Adam Elsheimer (1578–1610) »Tobias und der Engel« (London, National Gallery)

Darstellungen des Tobias auf der Wanderschaft waren beliebt als Votivgaben besorgter Eltern, die als Kaufleute ihre Söhne auf Reisen schickten. Von den zwei Varianten Elsheimers wird die vorliegende als der »Große Tobias« bezeichnet.

Ich bin Raphael, einer von den sieben Engeln des Herrn

So will ich nun die Wahrheit offenbaren und den heimlichen Befehl euch nicht verbergen. ✦ Da du so heiß weintest und betetest, standest von der Mahlzeit auf und begrubst die Toten, hieltest die Leichen heimlich in einem Hause und begrubst sie bei der Nacht, da brachte ich dein Gebet vor den Herrn. ✦ Und weil du Gott lieb warst, so mußte es so sein: ohne Anfechtung solltest du nicht bleiben, auf daß du bewährt würdest. ✦ Und nun hat mich Gott geschickt, daß ich dich solle heilen und den bösen Geist vertreiben, der um Sara, deines Sohnes Weib, war. ✦ Und ich bin Raphael, einer von den sieben Engeln, die wir vor dem Herrn stehen. ✦ Als sie das hörten, erschraken sie, zitterten und fielen auf ihr Angesicht zur Erde. ✦ Und der Engel sprach zu ihnen: Seid getrost und fürchtet euch nicht! ✦ Denn Gott hat's so haben wollen, daß ich bei euch gewesen bin; den lobet und dem danket! ✦ Es schien wohl, als äße und tränke ich mit euch; aber ich brauche unsichtbarer Speise und eines Trankes, den kein Mensch sehen kann. ✦ Und nun ist's Zeit, daß ich zu dem wieder hingehe, der mich gesandt hat. Danket ihr Gott und verkündigt seine Wunder! ✦ Und als er das gesagt hatte, verschwand er vor ihren Augen, und sie sahen ihn nimmer. ✦ Und sie fielen nieder drei Stunden lang und dankten Gott; und darnach standen sie auf und sagten solches weiter und verkündigten seine großen Wunder.

Rembrandt Harmensz van Rijn (1606–1669) »Raphael verläßt die Familie des Tobias« (Paris, Louvre)

Nachdem er den alten Tobias von seiner Blindheit geheilt hat, gibt sich Raphael als Engel zu erkennen. Die ungewöhnliche Darstellung als Rückenfigur läßt den Betrachter wie die Familie hinter dem Entschwindenden herblicken. Rembrandt schätzte das Buch Tobias besonders und hat mehrere Episoden daraus bearbeitet.

Paul Troger (1698–1762) »Tobias und Hanna« (Wien, Österreichische Barockgalerie)

Wie Hiob wird Tobias durch eine Krankheit auf die Probe gestellt; er erblindet. In Trogers Bild überwiegt die Zuversicht. Tobias stehen seine Frau und ein Engel zur Seite.

Danach ging sie hinaus und gab das Haupt des Holofernes ihrer Magd

**Artemisia Gentileschi
(1593–1632/33)
»Judith und Holofernes«
(Neapel, Capodimonte)**

Nicht allein die offene Schlacht entscheidet über das Kriegsglück der Israeliten. Auch heroische Frauen haben daran Anteil. Ihre Waffen sind Verführung und List. Artemisia Gentileschi wagt es, sich dem Vergleich mit Caravaggio zu stellen, der das Thema vor ihr bearbeitet hatte. Die Kaltblütigkeit, mit der sie das Blutbad schildert, steht Caravaggios Realismus in nichts nach.

**Sandro Botticelli
(1445–1510)
»Judiths Rückkehr aus dem Lager«
(Florenz, Uffizien)**

Mit beflügeltem Schritt kehrt Judith zurück. Sie erscheint ihrem Volk als triumphierende Siegesgöttin mit dem Schwert und dem Kopf des Gegners als Trophäen und einem Ölzweig als Zeichen des Friedens.

m vierten Tage machte Holofernes ein Abendmahl seinen nächsten Dienern allein und sprach zu Bagoas, seinem Kämmerer: Gehe hin und berede das hebräische Weib, daß sie sich nicht weigere, zu mir zu kommen; ✦ denn es ist eine Schande bei den Assyrern, daß ein solch Weib sollte unberührt von uns kommen und einen Mann genarrt haben. ✦ Da kam Bagoas zu Judith: Schöne Frau, ihr wollet euch nicht weigern, zu meinem Herrn zu kommen, daß er euch

ehre und ihr mit ihm esset und trinket und fröhlich seid. ✦ Da sprach Judith: Wie darf ich's meinem Herrn versagen? ✦ Alles, was ihm lieb ist, das will ich von Herzen gerne tun all mein Leben lang. ✦ Und sie stand auf und schmückte sich und ging hinein vor ihn und stand vor ihm. ✦ Da wallte dem Holofernes sein Herz; denn er war entzündet mit

Begierde nach ihr. ✦ Und er sprach zu ihr: Sitz nieder, trink und sei fröhlich; denn du hast Gnade gefunden bei mir. ✦ Und Judith antwortete: Ja, Herr, ich will fröhlich sein; denn ich bin mein Leben lang so hoch nicht geehrt worden. ✦ Und sie aß und trank vor ihm, was ihr ihre Magd bereitet hatte. ✦ Und Holofernes war fröhlich mit ihr und trank so viel, wie er nie getrunken hatte sein Leben lang. ✦ Da es nun sehr spät ward, gingen seine Diener hinweg in ihre Gezelte; und sie waren allesamt trunken. ✦ Und Bagoas machte des Holofernes Kammer zu und ging davon. Und Judith war allein bei ihm in der Kammer. ✦ Holofernes aber war auf sein Bett hingefallen und schlief; denn er war ganz trunken. ✦ Da sprach Judith zu ihrer Magd, sie sollte draußen warten vor der Kammer. ✦ Und Judith trat vor das Bett und betete heimlich mit Tränen ✦ und sprach: Herr, Gott Israels, stärke mich und hilf mir gnädig das Werk vollbringen, das ich mit ganzem Vertrauen auf dich mir habe vorgenommen, daß du deine Stadt Jerusalem erhöhest, wie du zugesagt hast. ✦ Nach solchem Gebet trat sie zu der Säule oben am Bett und langte das Schwert, das daran hing, ✦ und zog es aus und ergriff ihn beim Schopf und sprach abermals: ✦ Herr Gott, stärke mich in dieser Stunde! Und sie hieb zweimal in den Hals mit aller Macht und schnitt ihm den Kopf ab; darnach wälzte sie den Leib aus dem Bette und nahm den Vorhang von den Säulen weg mit sich. ✦ Darnach ging sie heraus und gab das Haupt des Holofernes ihrer Magd und hieß sie es in ihren

**Peter Paul Rubens
(1577–1640)
»Judith mit dem Haupt
des Holofernes«
(Braunschweig, Herzog
Anton Ulrich-Museum)**

Judith reicht ihrer Magd
das abgeschlagene Haupt,
um es in einem Sack zu
verstauen. Das Licht der tief
gehaltenen Kerze gibt ihr
die dämonischen Züge einer
männermordenden Sphinx,
die ihren bedrohlichen
Blick unmittelbar auf den
Betrachter richtet.

Sack stoßen. ◆ Und sie gingen miteinander hinaus nach ihrer Gewohnheit, als wollten sie beten gehen, durch das Lager und gingen umher durch das Tal, bis sie heimlich ans Tor der Stadt kamen. ◆ Und Judith rief den Wächtern auf der Mauer von ferne zu: Tut die Tore auf; denn Gott ist mit uns, der hat Israel Sieg gegeben! ◆ Da nun die Wächter ihre Stimme hörten, forderten sie alsbald die Ältesten der Stadt. ◆ Da kam alles herzu, klein und groß; denn sie hatten schon gefürchtet, daß sie nicht würde wiederkommen. ◆ Und sie zündeten Fackeln an und umringten sie. ◆ Sie aber trat auf einen höhern Ort und hieß sie still sein und zuhören und sprach also: ◆ Danket dem Herrn, unserm Gott, der nicht verläßt diejenigen, so auf ihn trauen, und hat uns Barmherzigkeit erzeigt durch mich, seine Magd, wie er dem Hause Israel verheißen hat, und hat diese Nacht den Feind seines Volks durch meine Hand umgebracht. ◆ Und sie zog das Haupt des Holofernes heraus und zeigte es ihnen und sprach: ◆ Sehet, dies ist das Haupt des Holofernes, des Feldhauptmanns der Assyrer; und sehet, das ist der Vorhang, darunter er lag, da er trunken war. Da hat ihn der Herr, unser Gott, durch Weibeshand umgebracht.

**Lucas Cranach der Ältere
(1472–1553)
»Judith mit dem Haupt
des Holofernes«
(Wien, Kunsthistorisches
Museum)**

Cranach wählt die statische
Form eines Porträts.
Geschmückt und herausgeputzt posiert Judith wie zu
einer Porträtsitzung, ohne
daß die vorausgegangene
Bluttat Spuren hinterlassen
hätte. Schwert und Kopf
des Holofernes haben den
Charakter von Requisiten.

Susanna aber bemerkte die beiden Männer nicht

s war ein Mann zu Babylon, mit Namen Jojakim; ❖ der hatte ein Weib, die hieß Susanna, eine Tochter Hilkias, die war sehr schön und dazu gottesfürchtig. ❖ Denn sie hatte fromme Eltern, die sie unterwiesen hatten nach dem Gesetz Mose's. ❖ Und ihr Mann Jojakim war sehr reich und hatte einen schönen Garten an seinem Hause. Und die Juden kamen stets bei ihm zusammen, weil er der vornehmste Mann war unter ihnen allen. ❖ Es wurden aber im selben Jahr zwei Älteste aus dem Volk zu Richtern gesetzt, das waren solche Leute, von welchen der Herr gesagt hatte: Ihre Richter üben alle Bosheit zu Babylon. ❖ Dieselben kamen täglich zu Jojakim; und wer eine Sache hatte, mußte daselbst vor sie kommen. ❖ Und wenn das Volk hinweg war um den Mittag, pflegte die Susanna in ihres Mannes Garten zu gehen. ❖ Und da sie die Ältesten sahen täglich darin umhergehen, wurden sie gegen sie entzündet mit böser Lust ❖ und wurden darüber zu Narren und warfen die Augen so ganz auf sie, daß sie nicht konnten gen Himmel sehen und gedachten weder an Gottes Wort noch Strafe. ❖ Sie waren aber beide zugleich gegen sie entbrannt; ❖ und schämte sich einer dem andern es zu offenbaren; und jeglicher hätte gern mit ihr gebuhlt. ❖ Und warteten täglich mit Fleiß auf sie, daß sie sie nur sehen möchten. Es sprach aber einer zum andern: ❖ Ei, laß uns heimgehen! denn es ist nun Essenszeit. ❖ Und wenn sie voneinander gegangen waren, kehrte darnach jeglicher wieder um, und sie kamen zugleich wieder zusammen. Da nun einer den andern fragte, bekannten sie beide ihre böse Lust. Darnach wurden sie miteinander eins, darauf zu warten, wann sie das Weib möchten allein finden. ❖ Und da sie einen bequemen Tag bestimmt hatten, auf sie zu lauern, kam die Susanna nur mit zwei Mägden, wie ihre Gewohnheit war, in den Garten, sich zu baden; denn es war sehr heiß. ❖ Und es war kein Mensch im Garten außer diesen zwei Ältesten, die sich heimlich versteckt hatten und auf sie lauerten. ❖ Und sie sprach zu ihren Mägden: Holet mir Balsam und Seife und schließet den Garten zu, daß ich mich bade! ❖ Und die Mägde taten, wie sie befohlen hatte, und schlossen den Garten zu und gingen hinaus zur Hintertür, daß sie ihr brächten, was sie haben wollte, und wurden der Männer nicht gewahr, denn sie hatten sich versteckt.

**Jacopo Tintoretto
(1518–1594)
»Susanna und die
beiden Alten«
(Wien,
Kunsthistorisches Museum)**

Die Frau bei der Toilette ist
ein erotisches Sujet. Ob
Susanna, Bathseba, Venus
oder Vanitas, immer wird ein
weiblicher Akt in intimem

Rahmen beobachtet. In
Tintorettos Gemälde ist der
Blick, der Gesichtssinn, der
eigentliche Handlungsträger.
Nicht nur sind die Augen
der beiden Alten auf
Susanna gerichtet; auch sie
selbst ist in ihren eigenen
Anblick versunken.

Als man sie zur Hinrichtung führte, erweckte Gott den Geist des jungen Daniel

nd das Volk glaubte den zweien als Richtern und Obersten im Volk, und man verurteilte die Susanna zum Tode. ◆ Sie aber schrie mit lauter Stimme und sprach: Herr, ewiger Gott, der du kennst alle Heimlichkeiten und weißt alle Dinge zuvor, ehe sie geschehen, ◆ du weißt, daß diese falsch Zeugnis wider mich gegeben haben. Und nun siehe, ich muß sterben, so ich doch dessen unschuldig bin, was sie böse über mich gelogen haben. ◆ Und Gott erhörte ihr Rufen. ◆ Und da man sie hin zum Tode führte, erweckte Gott den Geist eines jungen Mannes, der hieß Daniel; der fing an, laut zu rufen: ◆ Ich will unschuldig sein an diesem Blut! ◆ Und alles Volk wandte sich um zu ihm und fragte ihn, was er mit solchen Worten meinte. ◆ Er aber trat unter sie und sprach: Seid ihr von Israel solche Narren, daß ihr eine Tochter Israels verdammt, ehe ihr die Sache erforscht und gewiß werdet? ◆ Kehret wieder um vors Gericht, denn diese haben falsch Zeugnis wider sie geredet! ◆ Und alles Volk kehrte eilend wieder um. Und die Ältesten sprachen zu Daniel: Setze dich her zu uns und berichte uns, weil dich Gott zu solchem Richteramt fordert. ◆ Und Daniel sprach zu ihnen: Tut sie voneinander, so will ich jeglichen sonderlich verhören! ◆ Und da sie voneinander getan waren, forderte er den einen und sprach zu ihm: Du böser, alter Schalk, jetzt treffen dich deine Sünden, die du vordem getrieben hast, ◆ da du unrecht Urteil sprachst und die Unschuldigen verdammtest, aber die Schuldigen lossprachst; so doch der Herr geboten hat: Du sollst die Frommen und Unschuldigen nicht töten. ◆ Hast du nun diese gesehen, so sage an: Unter welchem Baum hast du sie beieinander gefunden? Er aber antwortete: Unter einer Linden. ◆ Da sprach Daniel: O recht! der Engel des Herrn wird dich finden und zerscheitern; denn mit deiner Lüge bringst du dich selbst um dein Leben. ◆ Und da dieser hinweg war, hieß er den andern auch vor sich kommen und sprach zu ihm: Du Kanaans Art und nicht Juda's, die Schöne hat dich betört, und die böse Lust hat dein Herz verkehrt. ◆ Also habt ihr mit den Töchtern Israels verfahren, und sie haben aus Furcht müssen euren Willen tun. Aber diese Tochter Juda's hat nicht in eure Bosheit gewilligt. ◆ Nun sage an: Unter welchem Baum hast du sie beieinander ergriffen? Er aber antwortete: Unter einer Eichen. ◆ Da sprach Daniel: O recht! der Engel des Herrn wird dich zeichnen und wird dich zerhauen; denn mit deiner Lüge bringst du dich selbst um dein Leben.

**Giorgione
(um 1477/78–1510)
»Susanna und der junge
Daniel«
(Glasgow, City Art Gallery)**

Die letzte Restaurierung
machte über der Richter-
figur einen Kreuznimbus
sichtbar; er deutet eher auf
eine Darstellung der Ehe-
brecherin vor Christus.

**Artemisia Gentileschi
(1593–1632/33)
»Susanna und die Alten«
(Schloß Pommersfelden)**

Auf der Steinbank lesen wir
Artemisias Signatur und die
Jahreszahl 1610. Demnach
wäre das Gemälde das früh-
reife Werk einer Siebzehn-
jährigen. Die männliche Zu-
dringlichkeit und weibliche

Abwehr wirken dennoch
überzeugend. Tatsächlich
spiegeln sie eigenes Erleben.
Artemisia selbst war von
einem Mann überwältigt
und in einen Prozeß hinein-
gezogen worden. (Siehe
Abbildung auf der nächsten
Seite.)

Das Neue Testament

Siehe, du wirst empfangen und einen Sohn gebären und sein Name soll Jesus sein

nd im sechsten Monat ward der Engel Gabriel gesandt von Gott in eine Stadt in Galiläa, die heißt Nazareth, ◆ zu einer Jungfrau, die vertraut war einem Manne mit Namen Joseph, vom Hause David; und die Jungfrau hieß Maria. ◆ Und der Engel kam zu ihr hinein und sprach: Gegrüßet seist du, Holdselige! Der Herr ist mit dir, du Gebenedeite unter den Weibern! ◆ Da sie aber ihn sah, erschrak sie über seine Rede und gedachte: Welch ein Gruß ist das? ◆ Und der Engel sprach zu ihr: Fürchte dich nicht, Maria! du hast Gnade bei Gott gefunden. ◆ Siehe, du wirst schwanger werden und einen Sohn gebären, des Namen sollst du Jesus heißen. ◆ Der wird groß sein und ein Sohn des Höchsten genannt werden; und Gott der Herr wird ihm den Stuhl seines Vaters David geben; ◆ Und er wird ein König sein über das Haus Jakob ewiglich, und seines Königreichs wird kein Ende sein. ◆ Da sprach Maria zu dem Engel: Wie soll das zugehen, sintemal ich von keinem Manne weiß? ◆ Der Engel antwortete und sprach zu ihr: Der heilige Geist wird über dich kommen, und die Kraft des Höchsten wird dich überschatten; darum wird auch das Heilige, das von dir geboren wird, Gottes Sohn genannt werden. ◆ Und siehe, Elisabeth, deine Gefreunde, ist auch schwanger mit einem Sohn in ihrem Alter und geht jetzt im sechsten Monat, von der man sagt, daß sie unfruchtbar sei. ◆ Denn bei Gott ist kein Ding unmöglich. ◆ Maria aber sprach: Siehe, ich bin des Herrn Magd; mir geschehe, wie du gesagt hast. Und der Engel schied von ihr.

Fra Angelico
(um 1400–1455)
»Die Verkündigung«
(Cortona,
Museo Diocesano)

Die Verkündigung ist der Beginn der Heilsgeschichte. Indem Maria die Worte des Engels in sich aufnimmt, vollzieht sich die Menschwerdung Gottes. Fra Angelico hält sich eng an das Vorbild eines Verkündigungsfreskos in der Kirche Ss. Annunziata in Florenz. Es galt als wundertätig und war weit über Italien hinaus berühmt.

Hubert van Eyck (zugeschrieben) (um 1370–1426) »Die Verkündigung« (New York, Metropolitan Museum)

Maria ist zugleich Symbol der Ecclesia, der christlichen Kirche. Die Gebrüder van Eyck haben wiederholt Maria in Kircheninnenräumen dargestellt, so auch die Madonna der Verkündigung. Das vorliegende Beispiel wird auch für den niederländischen Maler Petrus Christus in Anspruch genommen.

Carlo Crivelli (um 1430/35–1500) »Die Verkündigung« (London, National Gallery)

Gabriel wird von Emygdius, dem Heiligen der Stadt Ascoli Piceno, begleitet. Das Gemälde entstand 1482 für die dortige Annunziata-Kirche. Die Inschrift »Libertas ecclesiastica« bezieht sich auf das Selbstverwaltungsrecht, das Ascoli Piceno am Tag der Verkündigung Mariä verliehen wurde.

Pieter Bruegel der Ältere (um 1525–1569) »Die Volkszählung in Bethlehem« (Brüssel, Musées Royaux des Beaux-Arts)

In seinen Winterlandschaften arbeitet Bruegel mit silhouettenhaften Kontra-sten. Er erzielt, wie in der roten Wintersonne im Geäst, überraschende Wirkungen, für die sich Vergleichbares nur in der modernen naiven Malerei finden läßt. Wie in einem Suchbild verschwinden Maria und Joseph in der Menge.

Und Maria gebar ihren Sohn, wickelte ihn in Windeln und legte ihn in eine Krippe

Es begab sich aber zu der Zeit, daß ein Gebot von dem Kaiser Augustus ausging, daß alle Welt geschätzt würde. Und die Schätzung war die allererste und geschah zu der Zeit, da Cyrenius Landpfleger in Syrien war. Und jedermann ging, daß er sich schätzen ließe, ein jeglicher in seine Stadt. Da machte sich auf auch Joseph aus Galiläa, aus der Stadt Nazareth, in das jüdische Land zur Stadt Davids, die da heißt Bethlehem, darum daß er von dem Hause und Geschlechte Davids war, auf daß er sich schätzen ließe mit Maria, seinem vertrauten Weibe, die war schwanger. Und als sie daselbst waren, kam die Zeit, daß sie gebären sollte. Und sie gebar ihren ersten Sohn und wickelte ihn in Windeln und legte ihn in eine Krippe; denn sie hatten sonst keinen Raum in der Herberge. Und es waren Hirten in derselben Gegend auf dem Felde bei den Hürden, die hüteten des Nachts ihre Herde. Und siehe, des Herrn Engel trat zu ihnen, und die Klarheit des Herrn leuchtete um sie; und sie fürchteten sich sehr. Und der Engel sprach zu ihnen: Fürchtet euch nicht! siehe, ich verkündige euch große Freude, die allem Volk widerfahren wird; denn euch ist heute der Heiland geboren, welcher ist Christus, der Herr, in der Stadt Davids. Und das habt zum Zeichen: ihr werdet finden das Kind in Windeln gewickelt und in einer Krippe liegen. Und alsbald war da bei dem Engel die Menge der himmlischen Heerscharen, die lobten Gott und sprachen: Ehre sei Gott in der Höhe und Friede auf Erden und den Menschen ein Wohlgefallen! Und da die Engel von ihnen gen Himmel fuhren, sprachen die Hirten untereinander: Laßt uns nun gehen gen Bethlehem und die Geschichte sehen, die da geschehen ist, die uns der Herr kundgetan hat. Und sie kamen eilend

**Hans Rottenhammer
(1564–1625)
»Die Geburt Christi«
(München,
Alte Pinakothek)**

Weihnachten ist neben Ostern das wichtigste Fest der Christenheit. Seine Volkstümlichkeit kommt auch in der Volkskunst, in Krippen, zum Ausdruck. Rottenhammers Bild erinnert gleichfalls in der Stimmung an eine Weihnachtskrippe.

**Govaert Flinck
(1615–1660)
»Die Verkündigung an
die Hirten«
(Paris, Louvre)**

Flincks Bild vereinigt
stilistische Gegensätze.
Die Engelsglorie mit
ihren Putten wirkt wie ein
Einbruch des römischen
Barock in ein nieder-
ländisches Genrebild.

und fanden beide, Maria und
Joseph, dazu das Kind in der
Krippe liegen. ◆ Da sie es aber
gesehen hatten, breiteten sie das
Wort aus, welches zu ihnen von
diesem Kinde gesagt war. ◆ Und
alle, vor die es kam, wunderten
sich der Rede, die ihnen die Hirten
gesagt hatten. ◆ Maria aber
behielt all diese Worte und
bewegte sie in ihrem Herzen. ◆
Und die Hirten kehrten wieder
um, priesen und lobten Gott um
alles, was sie gehört und gesehen
hatten, wie denn zu ihnen gesagt
war.

**Jacopo Tintoretto
(1518–1594)
»Die Geburt Christi«
(Venedig,
Scuola di San Rocco)**

Tintoretto unterscheidet drei
Ebenen, eine menschliche,
eine göttliche und eine mittlere, auf der sich Menschliches und Göttliches mischt.
Der Betrachter steht auf
gleicher Höhe mit den
Hirten, die mit ihren Gaben
herbeiströmen, und blickt
mit ihnen hinauf zu dem
menschgewordenen Sohn
Gottes.

Sie fanden das Kind mit Maria, seiner Mutter, fielen nieder und beteten es an

Da Jesus geboren war zu Bethlehem im jüdischen Lande, zur Zeit des Königs Herodes, siehe, da kamen die Weisen vom Morgenland gen Jerusalem und sprachen: ◆ Wo ist der neugeborene König der Juden? Wir haben seinen Stern gesehen im Morgenland und sind gekommen, ihn anzubeten. ◆ Da das der König Herodes hörte, erschrak er und mit ihm das ganze Jerusalem. ◆ Und ließ versammeln alle Hohenpriester und Schriftgelehrten unter dem Volk und erforschte von ihnen, wo Christus sollte geboren werden. ◆ Und sie sagten ihm: Zu Bethlehem im jüdischen Lande; denn also steht geschrieben durch den Propheten: ◆ »Und du Bethlehem im jüdischen Lande bist mit nichten die kleinste unter den Fürsten Juda's; denn aus dir soll mir kommen der Herzog, der über mein Volk Israel ein Herr sei.« ◆ Da berief Herodes die Weisen heimlich und erlernte mit Fleiß von ihnen, wann der Stern erschienen wäre, ◆ und wies sie gen Bethlehem und sprach: Ziehet hin und forschet fleißig nach dem Kindlein; und wenn ihr's findet, so sagt mir's wieder, daß ich auch komme und es anbete. ◆ Als sie nun den König gehört hatten, zogen sie hin. Und siehe, der Stern, den sie im Morgenland gesehen hatten, ging vor ihnen hin, bis daß er kam und stand oben über, da das Kindlein war. ◆ Da sie den Stern sahen, wurden sie hoch erfreut ◆ und gingen in das Haus und fanden das Kindlein mit Maria, seiner Mutter, und fielen nieder und beteten es an und taten ihre Schätze auf und schenkten ihm Gold, Weihrauch und Myrrhe.

Pieter Bruegel der Ältere (um 1525–1569) »Die Anbetung der Könige« (London, National Gallery)

Die Heiligen Drei Könige erscheinen bei Bruegel an der Spitze eines Heeres. Vor einem Kind kapituliert die weltliche Macht. Jesus erfüllt seine Rolle als Friedensfürst.

Januarius Zick (1730–1797) »Die Anbetung der Könige« (Bonn, Rheinisches Landesmuseum)

Gegenüber Bruegels Monumentalität wirkt Zicks Gemälde miniaturhaft. Wie Krippenfiguren arrangiert Zick die auch zahlenmäßig verringerten Gestalten zu einer intimen Gruppe.

Er stand auf,
nahm das Kind und seine Mutter und
zog fort nach Ägypten

nd Gott befahl ihnen im Traum, daß sie sich nicht sollten wieder zu Herodes lenken; und sie zogen durch einen andern Weg wieder in ihr Land. ◆ Da sie aber hinweggezogen waren, siehe, da erschien der Engel des Herrn dem Joseph im Traum und sprach: Stehe auf und nimm das Kindlein und seine Mutter zu dir und flieh nach Ägyptenland und bleib allda, bis ich dir sage; denn es ist vorhanden, daß Herodes das Kindlein suche, dasselbe umzubringen. ◆ Und er stand auf und nahm das Kindlein und seine Mutter zu sich bei der Nacht und entwich nach Ägyptenland. ◆ Und blieb allda bis nach dem Tod des Herodes, auf daß erfüllet würde, was der Herr durch den Propheten gesagt hat, der da spricht: »Aus Ägypten habe ich meinen Sohn gerufen.« ◆ Da Herodes nun sah, daß er von den Weisen betrogen war, ward er sehr zornig und schickte aus und ließ alle Kinder zu Bethlehem töten und an seinen ganzen Grenzen,

Peter Paul Rubens (1577–1640) »Die Anbetung der Könige« (Brüssel, Musées Royaux des Beaux-Arts)

Die kolossale Säule ist ein Relikt des Davidspalastes.

Adam Elsheimer (1578–1610) »Die Flucht nach Ägypten« (München, Alte Pinakothek)

Elsheimer, ein Zeitgenosse Galileis, beobachtete aufmerksam den Himmel. Wir erkennen die Milchstraße und den Großen Bären.

die da zweijährig und darunter waren, nach der Zeit, die er mit Fleiß von den Weisen erlernt hatte. ◆ Da ist erfüllt, was gesagt ist von dem Propheten Jeremia, der da spricht: ◆ »Auf dem Gebirge hat man ein Geschrei gehört, viel Klagens, Weinens und Heulens; Rahel beweinte ihre Kinder und wollte sich nicht trösten lassen, denn es war aus mit ihnen.« ◆ Da aber Herodes gestorben war, siehe, da erschien der Engel des Herrn dem Joseph im Traum in Ägyptenland ◆ und sprach: Stehe auf und nimm das Kindlein und seine Mutter zu dir und zieh hin in das Land Israel; sie sind gestorben, die dem Kinde nach dem Leben standen. ◆ Und er stand auf und nahm das Kindlein und seine Mutter zu sich und kam in das Land Israel. ◆ Da er aber hörte, daß Archelaus im jüdischen Lande König war anstatt seines Vaters Herodes, fürchtete er sich, dahin zu kommen. Und im Traum empfing er Befehl von Gott und zog in die Örter des galiläischen Landes ◆ und kam und wohnte in der Stadt, die da heißt Nazareth; auf daß erfüllet würde, was da gesagt ist durch die Propheten: Er soll Nazarenus heißen.

Orazio Gentileschi (1563–1639) »Die Ruhe auf der Flucht« (Birmingham, City Museum und Art Gallery)

Im Schutz einer Mauer hat sich die Heilige Familie niedergelassen. Gentileschi verzichtet auf alle Attribute der Heiligkeit und beschränkt sich auf die Wiedergabe seiner Modelle. In der Gestalt des Joseph stellt er sich das perspektivische Problem eines »Scorcio«, einer stark verkürzten Figur.

**Gerard David
(um 1460–1523)
»Die Flucht nach Ägypten«
(Washington,
National Gallery)**

Gerard David deutet das
Thema der Ruhe auf der
Flucht als Andachtsbild. Den
Vordergrund beherrscht
Maria mit dem Kind vom
Typus der Madonna auf der
Rasenbank. Die Landschaft,
der Esel und Joseph, der

Nüsse von einem Baum
schlägt, sind erzählerische
Zutaten, die in keinem
Zusammenhang stehen mit
der eigentlichen symboli-
schen Handlung. Das Kind
greift nach der dargebotenen
Weintraube; Jesus nimmt
damit seinen künftigen Lei-
densweg auf sich.

Da befahl Herodes,
in Bethlehem alle Knaben unter
zwei Jahren zu töten

**Meister von Schloß
Lichtenstein
(tätig um 1525–1530)
»Der Bethlehemitische
Kindermord«
(München,
Alte Pinakothek)**

Mit dem Bethlehemitischen
Kindermord erfüllt sich die
Weissagung des Propheten
»Man höret eine klägliche
Stimme und bitteres Weinen
auf Höhe; Rahel weint über
ihre Kinder, und will sich
nicht trösten lassen über
ihre Kinder, denn es ist aus
mit ihnen.« (Jeremia 31,15).
Die Kirche erblickte in den
Opfern des Kindermords die
ersten Märtyrer, die um
Christi willen starben, und
widmete ihnen den Kult der
»Unschuldigen Kindlein«.
Der Meister von Schloß
Lichtenstein versieht die
Henkersknechte mit Juden-
hüten. Von der Mauer sei-
nes Schlosses aus verfolgt
Herodes die Vollstreckung
seines Befehls.

153

Giovanni Bellini
(Werkstatt)
(um 1430–1516)
»Die Beschneidung«
(London, National Gallery)

Als Zeichen des Bundes Gottes mit Abraham ist der Beschneidungsritus ein strenges Gebot der jüdischen Religion. Im Christentum tritt die Taufe an seine Stelle. Die Blicke der fünf Erwachsenen und ihre andächtige Ruhe geben dem Vorgang eine ungewohnte Feierlichkeit, die vergessen läßt, daß es sich um einen schmerzhaften Eingriff handelt.

Als acht Tage vorüber waren, da wurde ihm der Name Jesus gegeben

Und da acht Tage um waren, daß das Kind beschnitten würde, da ward sein Name genannt Jesus, welcher genannt war von dem Engel, ehe denn er im Mutterleibe empfangen ward.

IOANNES
BELLINVS

**Andrea Mantegna
(1430/31–1506)
»Die Darstellung im
Tempel«
(Berlin-Dahlem,
Gemäldegalerie)**

Von den Brüdern Bellini, mit
denen er auch verwandt-
schaftlich verbunden war,
übernimmt Mantegna die
Form des Halbfigurenbildes
(vgl. S. 154/155). In der Behandlung der Einzelformen
jedoch bewahrt er seinen
Monumentalstil von bild-
hauerischer Prägnanz. Die
beiden seitlichen Figuren
sind Porträts des Künstlers
und seiner Frau Nicolosia,
einer Schwester der Bellini.

Siehe, dieser ist bestimmt zum Fall und zum Auferstehen vieler in Israel

nd da die Tage ihrer Reinigung nach dem Gesetz Mose's kamen, brachten sie ihn gen Jerusalem, auf daß sie ihn darstellten dem Herrn ◆ (wie denn geschrieben steht in dem Gesetz des Herrn: »Allerlei Männliches, das zum ersten die Mutter bricht, soll dem Herrn geheiligt heißen«) ◆ und daß sie gäben das Opfer, wie es gesagt ist im Gesetz des Herrn: »ein Paar Turteltauben oder zwei junge Tauben.« ◆ Und siehe, ein Mensch war zu Jerusalem, mit Namen Simeon; und derselbe Mensch war fromm und gottesfürchtig und wartete auf den Trost Israels, und der heilige Geist war in ihm. ◆ Und ihm war eine Antwort geworden von dem heiligen Geist, er sollte den Tod nicht sehen, er hätte denn zuvor den Christus des Herrn gesehen. ◆ Und er kam aus Anregen des Geistes in den Tempel. Und da die Eltern das Kind Jesus in den Tempel brachten, daß sie für ihn täten, wie man pflegt nach dem Gesetz, ◆ da nahm er ihn auf seine Arme und lobte Gott und sprach: ◆ Herr, nun lässest du deinen Diener in Frieden fahren, wie du gesagt hast; ◆ denn meine Augen haben deinen Heiland gesehen, ◆ welchen du bereitet hast vor allen Völkern, ◆ ein Licht, zu erleuchten die Heiden, und zum Preis deines Volkes Israel.

Sie fanden ihn im Tempel sitzen mitten unter den Lehrern

Aber das Kind wuchs und ward stark im Geist, voller Weisheit, und Gottes Gnade war bei ihm. ❖ Und seine Eltern gingen alle Jahre gen Jerusalem auf das Osterfest. ❖ Und da er zwölf Jahre alt war, gingen sie hinauf gen Jerusalem nach Gewohnheit des Festes. ❖ Und da die Tage vollendet waren und sie wieder nach Hause gingen, blieb das Kind Jesus zu Jerusalem, und seine Eltern wußten's nicht. ❖ Sie meinten aber, er wäre unter den Gefährten, und kamen eine Tagereise weit und suchten ihn unter den Gefreunden und Bekannten. ❖ Und da sie ihn nicht fanden, gingen sie wiederum gen Jerusalem und suchten ihn. ❖ Und es begab sich, nach drei Tagen fanden sie ihn im Tempel sitzen mitten unter den Lehrern, wie er ihnen zuhörte und sie fragte. ❖ Und alle, die ihm zuhörten, verwunderten sich seines Verstandes und seiner Antworten. ❖ Und da sie ihn sahen, entsetzten sie sich. Und seine Mutter sprach zu ihm: Mein Sohn, warum hast du uns das getan? Siehe, dein Vater und ich haben dich mit Schmerzen gesucht. ❖ Und er

**Albrecht Dürer
(1471–1528)
»Der zwölfjährige Jesus«
(Lugano, Sammlung
Thyssen-Bornemisza)**

Jugend und Alter, Schönheit und Häßlichkeit stehen stellvertretend für die Überlegenheit der neuen über die alte Lehre.

**William Holman Hunt
(1827–1910)
»Die Auffindung Jesu im
Tempel«
(Birmingham,
City Museum and
Art Gallery)**

Das Wiederfinden ihres
Sohnes gehört zu den
sieben Freuden Mariens.
Hunt macht deutlich, daß
die Freude einseitig ist. Mit
versonnenem Blick gehört
Jesus bereits einer anderen
Sphäre als der Familie
an. Durch Studien im Heiligen Lande selbst glaubte
Hunt eine höhere Glaub-
würdigkeit zu erzielen.

sprach zu ihnen: Was ist's, daß ihr
mich gesucht habt? Wisset ihr
nicht, daß ich sein muß in dem,
das meines Vaters ist? ◆ Und sie
verstanden das Wort nicht, das er
mit ihnen redete. ◆ Und er ging
mit ihnen hinab und kam gen
Nazareth und war ihnen untertan.

Und seine Mutter behielt alle
diese Worte in ihrem Herzen. ◆
Und Jesus nahm zu an Weisheit,
Alter und Gnade bei Gott und den
Menschen.

»Du bist mein lieber Sohn, an dem ich Wohlgefallen habe.«

Joachim Patinier (um 1480–1524) »Die Taufe Christi« (Wien, Kunsthistorisches Museum)

Christi Taufe ist zugleich die Einsetzung des kirchlichen Taufsakraments.

Piero della Francesca (um 1416–1492) »Die Taufe Christi« (London, National Gallery)

Nur an dieser Stelle erwähnt die Bibel die Taube als Symbol des Heiligen Geistes. Einer Wolke gleich schwebt sie auf Pieros Bild im Blau.

Johannes, der war in der Wüste, taufte und predigte von der Taufe der Buße zur Vergebung der Sünden. ◆ Und es ging zu ihm hinaus das ganze jüdische Land und die von Jerusalem und ließen sich alle von ihm taufen im Jordan und bekannten ihre Sünden. ◆ Johannes aber war bekleidet mit Kamelhaaren und mit einem ledernen Gürtel um seine Lenden, und aß Heuschrecken und wilden Honig; ◆ und predigte und sprach: Es kommt einer nach mir, der ist stärker denn ich, dem ich nicht genugsam bin, daß ich mich vor ihm bücke und die Riemen seiner Schuhe auflöse. ◆ Ich taufe euch mit Wasser; aber er wird euch mit dem heiligen Geist taufen. ◆ Und es begab sich zu der Zeit, daß Jesus aus Galiläa von Nazareth kam und ließ sich taufen von Johannes im Jordan. ◆ Und alsbald stieg er aus dem Wasser und sah, daß sich der Himmel auftat, und den Geist gleich wie eine Taube herabkommen auf ihn. ◆ Und da geschah eine Stimme vom Himmel: Du bist mein lieber Sohn, an dem ich Wohlgefallen habe.

160

Und Jesus sprach:
»Hebe dich weg von mir, Satan!«

Da ward Jesus vom Geist in die Wüste geführt, auf daß er von dem Teufel versucht würde. ❖ Und da er vierzig Tage und vierzig Nächte gefastet hatte, hungerte ihn. ❖ Und der Versucher trat zu ihm und sprach: Bist du Gottes Sohn, so sprich, daß diese Steine Brot werden. ❖ Und er antwortete und sprach: Es steht geschrieben: »Der Mensch lebt nicht vom Brot allein, sondern von einem jeglichen Wort, das durch den Mund Gottes geht.« ❖ Da führte ihn der Teufel mit sich in die heilige Stadt und stellte ihn auf die Zinne des Tempels ❖ und sprach zu ihm: Bist du Gottes Sohn, so laß dich hinab; denn es steht geschrieben: »Er wird seinen Engeln über dir Befehl tun, und sie werden dich auf den Händen tragen, auf daß du deinen Fuß nicht an einen Stein stoßest.« ❖ Da sprach Jesus zu ihm: Wiederum steht auch geschrieben: »Du sollst Gott, deinen Herrn, nicht versuchen.« ❖ Wiederum führte ihn der Teufel mit sich auf einen sehr hohen Berg und zeigte ihm alle Reiche der Welt und ihre Herrlichkeit ❖ und sprach zu ihm: Das alles will ich dir geben, so du niederfällst und mich anbetest. ❖ Da sprach Jesus zu ihm: Hebe dich weg von mir, Satan! denn es steht geschrieben: »Du sollst anbeten Gott, deinen Herrn, und ihm allein dienen.« ❖ Da verließ ihn der Teufel; und siehe, da traten die Engel zu ihm und dienten ihm.

Duccio di Buoninsegna (um 1255–1319) »Die Versuchung Christi« (New York, Frick Collection)

Die Predellentafel ist Teil von Duccios Hauptwerk, der Sieneser »Maestà«. Wie in der byzantinischen Malerei ist der Teufel noch als schwarzer Engel von äthiopischem Typus mit Fledermausflügeln gesehen.

**Jacob Cornelisz
van Oostsanen
(um 1470–1533)
»Die drei Versuchungen
Christi«
(Aachen,
Suermondt-Museum)**

Die drei Versuchungen, ver-
teilt über den Landschafts-
hintergrund, liegen nicht
nur räumlich, sondern auch
zeitlich zurück. Im Vordergrund gibt Christus das Beispiel, wie der Gläubige durch
das Anhalten im Gebet aus
dem Kampf mit dem Teufel
als Sieger hervorgeht.

Sie fingen eine so große Menge Fische, daß ihre Netze fast zerrissen

s begab sich aber, da sich das Volk zu ihm drängte, zu hören das Wort Gottes, daß er stand am See Genezareth ◆ und sah zwei Schiffe am See stehen; die Fischer aber waren ausgetreten und wuschen ihre Netze. ◆ Da trat er in der Schiffe eines, welches Simons war, und bat ihn, daß er's ein wenig vom Lande führte. Und er setzte sich und lehrte das Volk aus dem Schiff. ◆ Und als er hatte aufgehört zu reden, sprach er zu Simon: Fahre auf die Höhe und werfet eure Netze aus, daß ihr einen Zug tut! ◆ Und Simon antwortete und sprach zu ihm: Meister, wir haben die ganze Nacht gearbeitet und nichts gefangen; aber auf dein Wort will ich das Netz auswerfen. ◆ Und da sie das taten, beschlossen sie eine große Menge Fische, und ihr Netz zerriß. ◆ Und sie winkten ihren Gesellen, die im andern Schiff waren, daß sie kämen und hülfen ihnen ziehen. Und sie kamen und füllten beide Schiffe voll, also daß sie sanken. ◆ Da das Simon Petrus sah, fiel er Jesu zu den Knieen und sprach: Herr, gehe von mir hinaus!

ich bin ein sündiger Mensch. ◆ Denn es war ihn ein Schrecken angekommen, ihn und alle, die mit ihm waren, über diesen Fischzug, den sie miteinander getan hatten; ◆ desgleichen auch Jakobus und Johannes, die Söhne des Zebedäus, Simons Gesellen. Und Jesus sprach zu Simon: Fürchte dich nicht! denn von nun an wirst du Menschen fangen. ◆ Und sie führten die Schiffe zu Lande und verließen alles und folgten ihm nach.

Raffael (Raffaello Santi) (1483–1520) »Der reiche Fischzug« (London, Victoria and Albert Museum)

In Leimfarben auf Papier entwarf Raffael eine Folge von zehn Szenen aus dem Leben der Apostelfürsten Petrus und Paulus. Die Kartons gingen an eine Teppichmanufaktur in Brüssel, die nach dieser Vorlage Teppiche für die Sixtinische Kapelle wob. Das Programm ist auf die Funktion des Raumes als Ort des Konklaves abgestimmt. Mit jeder Wahl eines Nachfolgers auf den Stuhl Petri wiederholt sich die Berufung des Petrus zum Menschenfischer.

Er stieg auf einen Berg und lehrte sie

Da er aber das Volk sah, ging er auf den Berg und setzte sich dort nieder; und seine Jünger traten zu ihm. ◆ Und er tat seinen Mund auf, lehrte sie und sprach: ◆ Selig sind, die da geistlich arm sind, denn das Himmelreich ist ihr. ◆ Selig sind, die da Leid tragen; denn sie sollen getröstet werden. ◆ Selig sind die Sanftmütigen; denn sie werden das Erdreich besitzen. ◆ Selig sind, die da hungert und dürstet nach Gerechtigkeit; denn sie sollen satt werden. ◆ Selig sind die Barmherzigen; denn sie werden Barmherzigkeit erlangen. ◆ Selig sind, die reines Herzens sind; denn sie werden Gott schauen.

Claude Lorrain
(1600–1682)
»Die Bergpredigt«
(New York, Frick Collection)

Erst auf den zweiten Blick wird erkennbar, daß Lorrain nicht Apollo mit den Musen oder Apollo unter den Hirten darstellt. Seine heroische Landschaft verklärt das Leben Jesu zu einem fernen Goldenen Zeitalter, in dem nach antiker Auffassung die Götter noch unter den Menschen wandelten. Als Vorlage benutzte Lorrain eine Karte von Palästina.

»Fahre aus von dem Menschen, du unsauberer Geist!«

Und sie kamen jenseits des Meeres in die Gegend der Gadarener. Und als er aus dem Schiff trat, lief ihm alsbald entgegen aus den Gräbern ein besessener Mensch mit einem unsaubern Geist, der seine Wohnung in den Gräbern hatte; und niemand konnte ihn binden, auch nicht mit Ketten. Denn er war oft mit Fesseln und Ketten gebunden gewesen, und hatte die Ketten abgerissen und die Fesseln zerrieben; und niemand konnte ihn zähmen. Und er war allezeit, Tag und Nacht, auf den Bergen und in den Gräbern, schrie und schlug sich mit Steinen. Da er aber Jesum sah von ferne, lief er zu und fiel vor ihm nieder, schrie laut und sprach: Was habe ich mit dir zu tun, o Jesu, du Sohn Gottes, des Allerhöchsten? Ich beschwöre dich bei Gott, daß du mich nicht quälest! Denn er sprach zu ihm: Fahre aus, du unsauberer Geist, von dem Menschen! Und er fragte ihn: Wie heißest du? Und er antwortete und sprach: Legion heiße ich; denn wir sind unser viele. Und er bat ihn sehr, daß er sie nicht aus der Gegend triebe. Und es war daselbst an den Bergen eine große Herde Säue auf der Weide. Und die Teufel baten ihn alle und sprachen: Laßt uns in die Säue fahren! Und alsbald erlaubte es ihnen Jesus. Da fuhren die unsauberen Geister aus und fuhren in die Säue; und die Herde stürzte sich von dem Abhang ins Meer (ihrer waren aber bei zweitausend) und ersoffen im Meer. Und die Sauhirten flohen und verkündigten das in der Stadt und auf dem Lande. Und sie gingen hinaus, zu sehen, was da geschehen war, und kamen zu Jesu und sahen den, der von den Teufeln besessen war, daß er saß und war bekleidet und vernünftig, und fürchteten sich. Und die es gesehen hatten, sagten ihnen, was dem Besessenen widerfahren war, und von den Säuen. Und sie fingen an und baten ihn, daß er aus ihrer Gegend zöge. Und da er in das Schiff trat, bat ihn der Besessene, daß er möchte bei ihm sein. Aber Jesus ließ es nicht zu, sondern sprach zu ihm: Gehe hin in dein Haus und zu den Deinen und verkündige ihnen, wie große Wohltat dir der Herr getan und sich deiner erbarmt hat.

Briton Riviere (1840–1920) »Die Besessenen von Gerasa« (London, Tate Gallery)

Riviere beschränkt sich auf den Anteil der Tiere am Geschehen. In selbstzerstörerischer Panik stürzt sich eine unübersehbare Schweineherde in den Abgrund. Die dämonische Besessenheit, die sie antreibt, ist durch eine dunkle Wolke sichtbar gemacht.

Und Matthäus stand auf
und folgte ihm

nd da Jesus von dannen ging, sah er einen Menschen am Zoll sitzen, der hieß Matthäus; und sprach zu ihm: Folge mir! Und er stand auf und folgte ihm. ◆ Und es begab sich, da er zu Tische saß im Hause, siehe, da kamen viele Zöllner und Sünder und saßen zu Tische mit Jesu und seinen Jüngern. ◆ Da das die Pharisäer sahen, sprachen sie zu seinen Jüngern: Warum isset euer Meister mit den Zöllnern und Sündern? ◆ Da das Jesus hörte, sprach er zu ihnen: Die Starken bedürfen des Arztes nicht, sondern die Kranken. ◆ Gehet aber hin und lernet, was das sei: »Ich habe Wohlgefallen an Barmherzigkeit und nicht am Opfer.« Ich bin gekommen, die Sünder zur Buße zu rufen, und nicht die Gerechten.

Rembrandt Harmensz van Rijn (1606–1669) »Matthäus und der Engel« (Paris, Louvre)

Die Berufung des Matthäus zum Jünger findet ihren Abschluß darin, daß er zum Chronisten des Lebens Jesu wird. Die Niederschrift versteht Rembrandt als göttliche Inspiration. Matthäus scheint dabei mehr auf seine innere Stimme als auf die Einflüsterung des Engels zu lauschen.

Michelangelo Merisi da Caravaggio (1573–1610) »Die Berufung des Matthäus« (Rom, S. Luigi dei Francesi)

Für die Cappella Contarelli schuf Caravaggio drei Ge- mälde. Das mittlere, eigent- liche Altarbild wurde vom Auftraggeber zurückgewie- sen und mußte durch eine gemäßigtere Fassung ersetzt werden. In den seitlichen Historienbildern wurde Caravaggios revolutionärer Stil geduldet.

Und er sprach:
Jüngling, ich sage dir, stehe auf!

nd es begab sich darnach, daß er in eine Stadt mit Namen Nain ging; und seiner Jünger gingen viele mit ihm und viel Volks. ◆ Als er aber nahe an das Stadttor kam, siehe, da trug man einen Toten heraus, der ein einziger Sohn war seiner Mutter, und sie war eine Witwe; und viel Volks aus der Stadt ging mit ihr. ◆ Und da sie der Herr sah, jammerte ihn derselben, und er sprach zu ihr: Weine nicht! ◆ Und trat hinzu und rührte den Sarg an; und die Träger standen. Und er sprach: Jüngling, ich sage dir, stehe auf! ◆ Und der Tote richtete sich auf und fing an zu reden; und er gab ihn seiner Mutter. ◆ Und es kam sie alle eine Furcht an, und sie priesen Gott und sprachen: Es ist ein großer Prophet unter uns aufgestanden, und Gott hat sein Volk heimgesucht. ◆ Und diese Rede von ihm erscholl in das ganze jüdische Land und in alle umliegenden Länder.

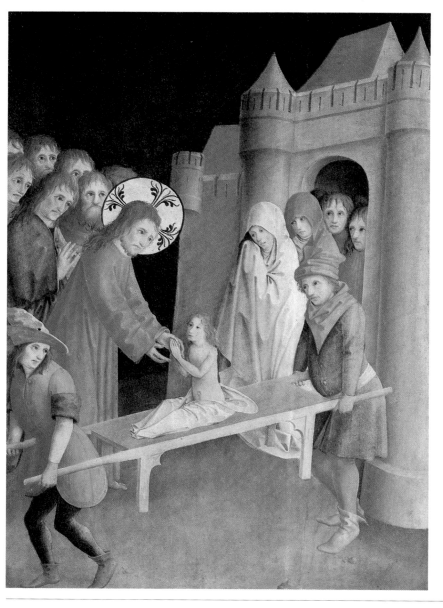

Meister der Darmstädter Passion
(tätig um 1440)
»Die Erweckung des Jünglings von Nain«
(München,
Alte Pinakothek)

Nicht in Wundern besteht die Botschaft des Neuen Testaments. Trotzdem erfüllen sie das Bedürfnis des Volkes nach sichtbaren Zeichen. Die Gesichter des spätmittelalterlichen Meisters tragen die Spuren ihrer Zeit, als der Tod zur täglichen Erfahrung gehörte. In ihrer Hilflosigkeit bleibt ihnen nur die Hoffnung auf Wunder.

Als er das Wasser kostete, war es zu Wein geworden

nd am dritten Tage ward eine Hochzeit zu Kana in Galiläa; und die Mutter Jesu war da. Jesus aber und seine Jünger wurden auch auf die Hochzeit geladen. Und da es an Wein gebrach, spricht die Mutter Jesu zu ihm: Sie haben nicht Wein. Jesus spricht zu ihr: Weib, was habe ich mit dir zu schaffen? Meine Stunde ist noch nicht gekommen. Seine Mutter spricht zu den Dienern: Was er euch sagt, das tut. Es waren aber allda sechs steinerne Wasserkrüge gesetzt nach der Weise der jüdischen Reinigung, und ging in je einen zwei oder drei Maß. Jesus spricht zu ihnen: Füllet die Wasserkrüge mit Wasser! Und sie füllten sie bis obenan. Und er spricht zu ihnen: Schöpfet nun und bringet's dem Speisemeister! Und sie brachten's. Als aber der Speisemeister kostete den Wein, der Wasser gewesen war, und wußte nicht, woher er kam (die Diener aber wußten's, die das Wasser geschöpft hatten), ruft der Speisemeister den Bräutigam und spricht zu ihm: Jedermann gibt zum ersten guten Wein, und wenn sie trunken worden sind, alsdann den geringern; du hast den guten Wein bisher behalten.

Bartolomé Esteban Murillo (1618–1682)
»Die Hochzeit zu Kana«
(Birmingham, Barber Institute of Fine Arts)

Häufig wurde die Hochzeit zu Kana als glanzvolles Bankett gestaltet. Murillo verlagert den Akzent von dem reich gedeckten Tisch auf die anspruchslosen Tonkrüge, in denen sich unsichtbar das Wunder vollzieht.

Da kam ein Weib
aus Samaria, um Wasser zu schöpfen,
und Jesus sprach zu ihr

Da kam er in eine Stadt Samarias, die heißt Sichar, nahe bei dem Feld, das Jakob seinem Sohn Joseph gab. ✦ Es war aber daselbst Jakobs Brunnen. Da nun Jesus müde war von der Reise, setzte er sich also auf den Brunnen; und es war um die sechste Stunde. ✦ Da kommt ein Weib aus Samaria, Wasser zu schöpfen. Jesus spricht zu ihr: Gib mir zu trinken! ✦ (Denn seine Jünger waren in die Stadt gegangen, daß sie Speise kauften.) ✦ Spricht nun das samaritische Weib zu ihm: Wie bittest du von mir zu trinken, so du ein Jude bist, und ich samaritisch Weib? (Denn die Juden haben keine Gemeinschaft mit den Samaritern.) ✦ Jesus antwortete und sprach zu ihr: Wenn du erkenntest die Gabe Gottes und wer der ist, der zu dir sagt: »Gib mir zu trinken!«, du bätest ihn, und er gäbe dir lebendiges Wasser. ✦ Spricht zu ihm das Weib: Herr, hast du doch nichts, womit du schöpfest, und der Brunnen ist tief; woher hast du denn lebendiges Wasser? ✦ Bist du mehr denn unser Vater Jakob, der uns diesen Brunnen gegeben hat? Und er hat daraus getrunken und seine Kinder und sein Vieh. ✦ Jesus antwortete und sprach zu ihr: Wer von diesem Wasser trinkt, den wird wieder dürsten; ✦ wer aber von dem Wasser trinken wird, das ich ihm gebe, den wird ewiglich nicht dürsten; sondern das Wasser, das ich ihm geben werde, das wird in ihm ein Brunnen des Wassers werden, das in das ewige Leben quillt. ✦ Spricht das Weib zu ihm: Herr, gib mir dieses Was-

ser, auf daß mich nicht dürste und ich nicht herkommen müsse zu schöpfen. ✦ Jesus spricht zu ihr: Gehe hin, rufe deinen Mann und komm her! ✦ Das Weib antwortete und sprach zu ihm: Ich habe keinen Mann. Jesus spricht zu ihr: Du hast recht gesagt: Ich habe keinen Mann. ✦ Fünf Männer hast du gehabt, und den du nun hast, der ist nicht dein Mann; da hast du recht gesagt. ✦ Das Weib spricht zu ihm: Herr, ich sehe, daß du ein Prophet bist. ✦ Unsere Väter haben auf diesem Berge angebetet, und ihr sagt, zu Jerusalem sei die Stätte, da man anbeten solle. ✦ Jesus spricht zu ihr: Weib, glaube mir, es kommt die Zeit, daß ihr weder auf diesem Berge noch zu Jerusalem werdet den Vater anbeten. ✦ Ihr wisset nicht, was ihr anbetet; wir wissen aber, was wir anbeten, denn das Heil kommt von den Juden. ✦ Aber es kommt die Zeit und ist schon jetzt, daß die wahrhaftigen Anbeter werden den Vater anbeten im Geist und in der Wahrheit; denn der Vater will haben, die ihn also anbeten. ✦ Gott ist Geist, und die ihn anbeten, die müssen ihn im Geist und in der Wahrheit anbeten. ✦ Spricht das Weib zu ihm: Ich weiß, daß der Messias kommt, der da Christus heißt. Wenn derselbe kommen wird, so wird er's uns alles verkündigen. ✦ Jesus spricht zu ihr: Ich bin's, der mit dir redet. ✦ Und über dem kamen seine Jünger, und es nahm sie wunder, daß er mit dem Weibe redete. Doch sprach niemand: Was fragst du? oder: Was redest du mit ihr? ✦ Da ließ das Weib ihren Krug stehen und ging hin in die Stadt und spricht zu den

**Jan Joest van Kalkar
(um 1455/60–1519)
»Christus und die
Samariterin«
(Kalkar, St. Nikolaus)**

Den Juden galt das Misch-
volk des Landes Samaria als
unrein. Vor Christus sind alle
Völker gleich. Joest van
Kalkar macht den brüchigen
Tonkrug zum Sinnbild des
alten Glaubens. Indem die
Samariterin den Worten Jesu
lauscht, wird sie selbst zum
neuen Gefäß des lebendigen
Wassers.

Leuten: ◆ Kommt, sehet einen
Menschen, der mir gesagt hat
alles, was ich getan habe, ob er
nicht Christus sei! ◆ Da gingen
sie aus der Stadt und kamen zu
ihm.

**Paolo Veronese
(1528–1588)
»Christus und die
Samariterin«
(Wien, Kunsthistorisches
Museum)**

Der Brunnen vor der Stadt ist
ein Ort der Rast, zugleich

eine Stätte zufälliger Begeg-
nungen und Gespräche. Mit
der Bitte um Wasser eröffnet
Christus den Dialog. Durch
den tiefen Horizont und die
symmetrische Gegenüber-
stellung gibt Veronese dem
Vorgang eine Bedeutung, die
dem theologischen Charak-

ter des Gesprächs, der Lehre
von lebendigen Wassern,
angemessen ist.

Salome aber sprach:
»Gib mir auf einer Schüssel das Haupt Johannes des Täufers!«

u der Zeit kam das Gerücht von Jesu vor den Vierfürsten Herodes. ◆ Und er sprach zu seinen Knechten: Dieser ist Johannes der Täufer; er ist von den Toten auferstanden, darum tut er solche Taten. ◆ Denn Herodes hatte Johannes gegriffen, gebunden und in das Gefängnis gelegt

wegen der Herodias, seines Bruders Philippus Weib. ◆ Denn Johannes hatte zu ihm gesagt: Es ist nicht recht, daß du sie habest. ◆ Und er hätte ihn gern getötet, fürchtete sich aber vor dem Volk; denn sie hielten ihn für einen Propheten. ◆ Da aber Herodes seinen Jahrestag beging, da tanzte die Tochter der Herodias vor ihnen. Das gefiel Herodes wohl. ◆ Darum verhieß er ihr mit einem Eide, er wollte ihr geben, was sie fordern würde. ◆ Und wie sie zuvor von ihrer Mutter angestiftet war, sprach sie: Gib mir her auf einer Schüssel das Haupt Johannes des Täufers! ◆ Und der König ward traurig; doch um des Eides willen und derer, die mit ihm zu Tisch saßen, befahl er's ihr zu geben. ◆ Und schickte ihn und enthauptete Johannes im Gefängnis. ◆ Und sein Haupt ward hergetragen in einer Schüssel und dem Mägdlein gegeben; und sie brachte es ihrer Mutter. ◆ Da kamen seine Jünger und nahmen seinen Leib und begruben ihn; und kamen und verkündigten das Jesu.

Niederländischer Meister (um 1500) »Johannes der Täufer« (Brüssel, Musées Royaux des Beaux-Arts)

Die gemalte Schüssel als Bildträger läßt das Haupt des Täufers wie ein Trompe-l'œil wirken. »Johannesschüsseln« von ähnlich täuschender Wirkung gab es auch in plastischer Ausführung.

**Michelangelo Merisi
da Caravaggio
(1573–1610)
»Salome«
(London, National Gallery)**

Caravaggio zeigt die Johan-
nesschüssel im szenischen
Zusammenhang. Salome
empfängt in ihr das Haupt
aus der Hand des Henkers.

Eine parallele Kopfhaltung
deutet an, daß Salome zwar
nicht die Häßlichkeit des
Henkers, aber seine mitleid-
lose Rohheit teilt. Das Modell
des Henkers hatte Cara-
vaggio bereits für eine
Geißelung Christi benutzt.
Es ist einer der Volkstypen,
die Caravaggio den aka-
demischen Modellen vorzog.

179

Und Jesus ging auf dem Meer

nd alsbald trieb Jesus seine Jünger, daß sie in das Schiff traten und vor ihm herüberfuhren, bis er das Volk von sich ließe. ❖ Und da er das Volk von sich gelassen hatte, stieg er auf einen Berg allein, daß er betete. Und am Abend war er allein daselbst. ❖ Und das Schiff war schon mitten auf dem Meer und litt Not von den Wellen; denn der Wind war ihnen zuwider. ❖ Aber in der vierten Nachtwache kam Jesus zu ihnen und ging auf dem Meer. ❖ Und da ihn die Jünger sahen auf dem Meer gehen, erschraken sie und sprachen: Es ist ein Gespenst! und schrieen vor Furcht. ❖ Aber alsbald redete Jesus mit ihnen und sprach: Seid getrost, ich bin's; fürchtet euch nicht! ❖ Petrus aber antwortete ihm und sprach: Herr, bist du es, so heiß mich zu dir kommen auf dem Wasser. ❖ Und er sprach: Komm her! Und Petrus trat aus dem Schiff und ging auf dem Wasser, daß er zu Jesus käme. ❖ Er sah aber einen starken Wind; da erschrak er und hob an zu sinken, schrie und sprach: Herr, hilf mir! ❖ Jesus aber reckte alsbald die Hand aus und ergriff ihn und sprach zu ihm: O du Kleingläubiger, warum zweifeltest du?

Alessandro Magnasco (1667–1749) »Christus wandelt auf dem Meer« (Washington, National Gallery of Art)

Magnascos nervöser Duktus bringt eher die Ängstlichkeit des Petrus als die von Christus ausgehende Kraft zum Ausdruck.

Und das Angesicht Jesus leuchtete wie die Sonne

nd nach sechs Tagen nahm Jesus zu sich Petrus und Jakobus und Johannes, seinen Bruder, und führte sie beiseits auf einen hohen Berg. ◆ Und er ward verklärt vor ihnen, und sein Angesicht leuchtete wie die Sonne, und seine Kleider wurden weiß als ein Licht. ◆ Und siehe, da erschienen ihnen Mose und Elia; die redeten mit ihm. ◆ Petrus aber antwortete und sprach zu Jesu: Herr, hier ist gut sein. Willst du, so wollen wir hier drei Hütten machen: dir eine, Mose eine und Elia eine. ◆ Da er noch also redete, siehe, da überschattete sie eine lichte Wolke. Und siehe, eine Stimme aus der Wolke sprach: Dies ist mein lieber Sohn, an welchem ich Wohlgefallen habe; den sollt ihr hören! ◆ Da das die Jünger hörten, fielen sie auf ihr Angesicht und erschraken sehr. ◆ Jesus aber trat zu ihnen, rührte sie an und sprach: Stehet auf und fürchtet euch nicht! ◆ Da sie aber ihre Augen aufhoben, sahen sie niemand denn Jesum allein. ◆ Und da sie vom Berge hinabgingen, gebot ihnen Jesus und sprach: Ihr sollt dies Gesicht niemand sagen, bis des Menschen Sohn von den Toten auferstanden ist.

Als sie nach Kapernaum kamen, verlangte man den Zinsgroschen von ihnen

 a sie nun gen Kapernaum kamen, gingen zu Petrus, die den Zinsgroschen einnahmen, und sprachen: Pflegt euer Meister nicht den Zinsgroschen zu geben? ◆ Er sprach: Ja. Und als er heimkam, kam ihm Jesus zuvor und sprach: Was dünkt dich, Simon? Von wem nehmen die Könige auf Erden den Zoll oder Zins? Von ihren Kindern oder von den Fremden? ◆ Da sprach zu ihm Petrus: Von den Fremden. Jesus sprach zu ihm: So sind die Kinder frei. ◆ Auf daß

**Masaccio
(1401–1428)
»Der Zinsgroschen«
(Florenz, S. Maria del
Carmine, Cappella
Brancacci)**

Masaccio gliedert die Ge-
schichte in drei Abschnitte.
In der Mittelgruppe erhält
Petrus die Weisung, wo er
den Zinsgroschen finden
wird. Links zieht er ihn aus
dem Maul des Fisches; rechts
bezahlt er den geforderten
Zoll. In der Gestalt des
jungen Zöllners hat sich
Masaccio selbst porträtiert.

aber wir sie nicht ärgern, so gehe
hin an das Meer und wirf die
Angel, und den ersten Fisch, der
herauffährt, den nimm; und wenn
du seinen Mund auftust, wirst du
einen Stater finden; den nimm
und gib ihnen für mich und dich.

185

Der Samariter verband dem Überfallenen die Wunden und führte ihn in eine Herberge

nd siehe, da stand ein Schriftgelehrter auf, versuchte ihn und sprach: Meister, was muß ich tun, daß ich das ewige Leben ererbe? ◆ Er aber sprach zu ihm: Wie steht im Gesetz geschrieben. Wie liesest du? ◆ Er antwortete und sprach: »Du sollst Gott, deinen Herrn, lieben von ganzem Herzen, von ganzer Seele, von allen Kräften und von ganzem Gemüte, und deinen Nächsten wie dich selbst.« ◆ Er aber sprach zu ihm: Du hast recht geantwortet; tue das, so wirst du leben. ◆ Er aber wollte sich selbst rechtfertigen und sprach zu Jesu: Wer ist denn mein Nächster?

◆ Da antwortete Jesus und sprach: Es war ein Mensch, der ging von Jerusalem hinab gen Jericho und fiel unter die Mörder; die zogen ihn aus und schlugen ihn und gingen davon und ließen ihn halbtot liegen. ◆ Es begab sich aber ungefähr, daß ein Priester dieselbe Straße hinabzog; und da er ihn sah, ging er vorüber. ◆ Desgleichen auch ein Levit; da er kam zu der Stätte und sah ihn, ging er vorüber. ◆ Ein Samariter aber reiste und kam dahin; und da er ihn sah, jammerte ihn sein, ◆ ging zu ihm, verband ihm seine Wunden und goß darein Öl und Wein und hob ihn auf sein Tier und führte ihn in die Herberge und pflegte sein. ◆ Des andern Tages reiste er und zog heraus zwei Groschen und gab sie dem Wirte und sprach zu ihm: Pflege sein; und so du was mehr wirst dartun, will ich dir's bezahlen, wenn ich wiederkomme. ◆ Welcher dünkt dich, der unter diesen dreien der Nächste sei gewesen dem, der unter die Mörder gefallen war? ◆ Er sprach: Der die Barmherzigkeit an ihm tat. Da sprach Jesus zu ihm: So gehe hin und tue desgleichen!

**Luca Giordano
(1634–1705)
»Der barmherzige Samariter«
(Rouen, Musée des Beaux-Arts)**

Das Gleichnis verkörpert anschaulich den Geist des Christentums als einer Religion des Mitleids und des Erbarmens. Giordanos Samariter widmet sich der Wundpflege, zugleich aber auch den Reaktionen des Verwundeten. Der nackte Körper ist von morbider Verletzlichkeit.

**Jacopo Bassano
(1517/18–1592)
»Der barmherzige Samariter«
(London, National Gallery)**

Mit Mühe hebt der Samariter den Verletzten auf seinen Esel. Im Mittelgrund entfernen sich Priester und Levit.

Die beiden Frauen
setzten sich zu Jesus und lauschten
seinem Wort

**Diego Velasquez
(1599–1660)
»Christus bei Maria und
Martha«
(London, National Gallery)**

Das Frühwerk gehört in die
Reihe der Wirtshausbilder
des Künstlers. Die Haupt-
szene erscheint als isoliertes
Bild wie in einem Spiegel.

s begab sich aber, da
sie wandelten, ging er
in einen Markt. Da war
ein Weib mit Namen
Martha, die nahm ihn
auf in ihr Haus. ◆ Und sie hatte
eine Schwester, die hieß Maria; die
setzte sich zu Jesu Füßen und
hörte seiner Rede zu. ◆ Martha
aber machte sich viel zu schaffen,
ihm zu dienen. Und sie trat hinzu
und sprach: Herr, fragst du nicht
darnach, daß mich meine Schwester läßt alleine dienen? Sage ihr
doch, daß sie es auch angreife! ◆
Jesus aber antwortete und sprach
zu ihr: Martha, Martha, du hast
viel Sorge und Mühe; ◆ eins aber
ist not. Maria hat das gute Teil
erwählt; das soll nicht von ihr
genommen werden.

**Jan Vermeer
(1632–1675)
»Christus bei Maria
und Martha«
(Edinburgh,
National Gallery)**

Maria und Martha vertreten
unterschiedliche Lebens-
formen, beschauliches und
tätiges Leben. Christus
erhebt Maria zum Vorbild.
Auch Vermeers Sympathie
ist auf seiten Marias. Seine
Kunst hat denselben
ruhigen, kontemplativen
Charakter, wie ihn Maria
zum Ausdruck bringt.

189

Da ging er hin
und verdingte sich bei einem Bürger
als Schweinehirt

nd er sprach: Ein Mensch hatte zwei Söhne. ◆ Und der jüngste unter ihnen sprach zu dem Vater: Gib mir, Vater, das Teil der Güter, das mir gehört. Und er teilte ihnen das Gut. ◆ Und nicht lange darnach sammelte der jüngste Sohn alles zusammen und zog ferne über Land; und daselbst brachte er sein Gut um mit Prassen. ◆ Da er nun all das Seine verzehrt hatte, ward eine große Teuerung durch dasselbe ganze Land, und er fing an zu darben. ◆ Und ging hin und hängte sich an einen Bürger des Landes; der schickte ihn auf seinen Acker, die Säue zu hüten. ◆ Und er begehrte seinen Bauch zu füllen mit Trebern, die die Säue aßen; und niemand gab sie ihm. ◆ Da schlug er in sich und sprach: Wieviel Tagelöhner hat mein Vater, die Brot die Fülle haben, und ich verderbe im Hunger! ◆ Ich will mich aufmachen und zu meinem Vater gehen und zu ihm sagen: Vater, ich habe gesündigt gegen den Himmel und vor dir ◆ und bin hinfort nicht mehr wert, daß ich dein Sohn heiße; mache mich zu einem deiner Tagelöhner! ◆ Und er machte sich auf und kam zu seinem Vater. Da er aber noch ferne von dannen war, sah ihn sein Vater, und es jammerte ihn, lief und fiel ihm um seinen Hals und küßte ihn. ◆

**Hieronymus Bosch
(um 1450–1516)
»Der verlorene Sohn«
(Rotterdam, Museum
Boymans-van Beuningen)**

Zum Landstreicher herabgesunken blickt der verlorene Sohn noch einmal zurück zum Ort seines Lasterlebens, Wirtshaus und Schweinetrog, während er den Rückweg ins Vaterhaus einschlägt.

**Peter Paul Rubens
(1577–1640)
»Der verlorene Sohn«
(Antwerpen,
Koninklijk Museum
voor Schone Kunsten)**

Mit der gleichen Brillanz wie
seine mythologischen Stoffe
inszeniert Rubens auch das
niedere Genre eines Bauern-
hofs. Die vielfachen Über-
schneidungen und Durch-
blicke lassen an ein barockes
Bühnenbild denken. Nur am
Rande berücksichtigt Rubens
das eigentliche Thema.

»Vater, ich habe so gesündigt gegen den Himmel und vor dir«

Der Sohn aber sprach zu ihm: Vater, ich habe so gesündigt gegen den Himmel und vor dir; ich bin hinfort nicht mehr wert, daß ich dein Sohn heiße. ◆ Aber der Vater sprach zu seinen Knechten: Bringet das beste Kleid hervor und tut es ihm an, und gebet ihm einen Fingerreif an seine Hand und Schuhe an seine Füße, ◆ und bringet ein gemästet Kalb her und schlachtet's; lasset uns essen und fröhlich sein! ◆ denn dieser mein Sohn war tot und ist wieder lebendig geworden; er war verloren und ist gefunden worden. Und sie fingen an, fröhlich zu sein. ◆ Aber der älteste Sohn war auf dem Felde. Und als er zum Hause kam, hörte er das Gesänge und den Reigen; ◆ und rief zu sich der Knechte einen und fragte, was das wäre. ◆ Der aber sagte ihm: Dein Bruder ist gekommen, und dein Vater hat ein gemästet Kalb geschlachtet, daß er ihn gesund wieder hat. ◆ Da ward er zornig und wollte nicht hineingehen. Da ging sein Vater heraus und bat ihn. ◆ Er aber antwortete und sprach zum Vater: Siehe, so viele Jahre diene ich dir und habe dein Gebot noch nie übertreten; und du hast mir nie einen Bock gegeben, daß ich mit meinen Freunden fröhlich wäre. ◆ Nun aber dieser dein Sohn gekommen ist, der sein Gut mit Huren verschlungen hat, hast du ihm ein gemästet Kalb geschlachtet. ◆ Er aber sprach zu ihm: Mein Sohn, du bist allezeit bei mir, und alles, was mein ist, das ist dein. ◆ Du solltest aber fröhlich und gutes Muts sein; denn dieser dein Bruder war tot und ist wieder lebendig geworden; er war verloren und ist wieder gefunden.

Rembrandt Harmensz van Rijn (1606–1669) »Die Heimkehr des verlorenen Sohnes« (Leningrad, Eremitage)

Das Verhältnis des Sohnes zu seinem Vater ist das Verhältnis des Gläubigen zu Gott. Durch die Rückenfigur fühlt er sich in Rembrandts Bild hineingenommen und von den väterlichen Armen sanft umschlossen. Das Gemälde ist eine der letzten biblischen Darstellungen Rembrandts.

Leonello Spada (1576–1622) »Die Rückkehr des verlorenen Sohnes« (Paris, Louvre)

Kleidung und Architekturhintergrund bezeichnen den Wohlstand des Vaters. Die Einkleidung des jugendlichen, zerlumpten Bettlers durch einen Reichen wird zu einem Werk der Barmherzigkeit. Spada übernimmt, ähnlich wie Gentileschi, das Helldunkel Caravaggios, veredelt jedoch dessen Menschenbild.

**Jean-Louis Forain
(1852–1931)
»Christus und die
Ehebrecherin«
(Ottawa,
National Gallery of Canada)**

Forain war auch als Pressezeichner tätig. Besonders
war ihm daran gelegen,
Bewegung durch impressio-
nistische Pinselführung ein-
zufangen. Seine Motive fand
er in der Pariser Halbwelt

und in Gerichtssälen, wo er
die Partei der gesellschaftlich
Geächteten ergriff. Auch mit
dem biblischen Thema wen-
det er sich gegen die Selbst-
gerechtigkeit der Ankläger
und plädiert für Nachsicht.

»Wer unter euch ohne Sünde ist, der werfe den ersten Stein auf sie«

Aber die Schriftgelehrten und Pharisäer brachten ein Weib zu ihm, im Ehebruch begriffen, und stellten sie in die Mitte dar ❖ und sprachen zu ihm: Meister, dies Weib ist ergriffen auf frischer Tat im Ehebruch. ❖ Mose aber hat uns im Gesetz geboten, solche zu steinigen; was sagst du? ❖ Das sprachen sie aber, ihn zu versuchen, auf daß sie eine Sache wider ihn hätten. Aber Jesus bückte sich nieder und schrieb mit dem Finger auf die Erde. ❖ Als sie nun anhielten, ihn zu fragen, richtete er sich auf und sprach zu ihnen: Wer unter euch ohne Sünde ist, der werfe den ersten Stein auf sie. ❖ Und bückte sich wieder nieder und schrieb auf die Erde. ❖ Da sie aber das hörten, gingen sie hinaus (von ihrem Gewissen überführt), einer nach dem andern, von den Ältesten an bis zu den Geringsten; und Jesus ward gelassen allein und das Weib in der Mitte stehend. ❖ Jesus aber richtete sich auf; und da er niemand sah denn das Weib, sprach er zu ihr: Weib, wo sind sie, deine Verkläger? Hat dich niemand verdammt? ❖ Sie aber sprach: Herr, niemand. Jesus aber sprach: So verdamme ich dich auch nicht; gehe hin und sündige hinfort nicht mehr!

Pieter Bruegel der Ältere (um 1525–1569) »Christus und die Ehebrecherin« (London, Courtauld Institute Galleries)

Christus schreibt seine Worte auf niederländisch und richtet seinen Appell damit an Bruegels Zeitgenossen.

**Salvator Rosa
(1615–1673)
»Die Auferweckung des
Lazarus«
(Chantilly, Musée Condé)**

Zwar haben auch die Pro-
pheten des Alten Testaments
Tote erweckt. Im Rahmen
der Heilsgeschichte wird die
Totenerweckung jedoch
zur Verheißung der Aufer-
stehung des Leibes aller
Gläubigen. Das Thema
entsprach Salvator Rosas
Vorliebe für meist ganz
unchristliche, makabre
Beschwörungsszenen.

Der Verstorbene kam heraus, das Angesicht mit einem Schweißtuch verhüllt

Da sagte es ihnen Jesus frei heraus: Lazarus ist gestorben; ❧ und ich bin froh um euretwillen, daß ich nicht dagewesen bin, auf daß ihr glaubet. Aber lasset uns zu ihm ziehen! ❧ Da sprach Thomas, der genannt ist Zwilling, zu den Jüngern: Laßt uns mitziehen, daß wir mit ihm sterben! ❧ Da kam Jesus und fand ihn, daß er schon vier Tage im Grabe gelegen hatte. ❧ Bethanien aber war nahe bei Jerusalem, bei fünfzehn Feld Weges; ❧ und viele Juden waren zu Martha und Maria gekommen, sie zu trösten über ihren Bruder. ❧ Als Martha nun hörte, daß Jesus kommt, geht sie ihm entgegen; Maria aber blieb daheim sitzen. ❧ Da sprach Martha zu Jesu: Herr, wärest du hier gewesen, mein Bruder wäre nicht gestorben! ❧ Aber ich weiß auch noch, daß, was du bittest von Gott, das wird dir Gott geben. ❧ Jesus spricht zu ihr: Dein Bruder soll auferstehen. ❧ Martha spricht zu ihm: Ich weiß wohl, daß er auferstehen wird in der Auferstehung am Jüngsten Tage. ❧ Jesus spricht zu ihr: Ich bin die Auferstehung und das Leben. Wer an mich glaubet, der wird leben, ob er gleich stürbe; ❧ und wer da lebet und glaubet an mich, der wird nimmermehr sterben. Glaubst du das? ❧ Sie spricht zu ihm: Herr, ja, ich glaube, daß du bist Christus, der Sohn Gottes, der in die Welt gekommen ist. ❧ Und da sie das gesagt hatte, ging sie hin und rief ihre Schwester Maria heimlich und sprach: Der Meister ist da und ruft dich. ❧ Dieselbe, als sie das hörte, stand sie eilend auf und kam zu ihm. ❧ (Denn Jesus war noch nicht in den Flecken gekommen, sondern war noch an dem Ort, da ihm Martha war entgegengekommen.) ❧ Die Juden, die bei ihr im Hause waren und sie trösteten, da sie sahen Maria, daß sie eilend aufstand und hinausging, folgten sie ihr nach und sprachen: Sie geht hin zum Grabe, daß sie daselbst weine. ❧ Als nun Maria kam, da Jesus war, und sah ihn, fiel sie zu seinen Füßen und sprach zu ihm: Herr, wärest du hier gewesen, mein Bruder wäre nicht gestor-

Giotto di Bondone
(um 1266–1337)
»Die Auferweckung des Lazarus«
(Padua, Cappella degli Scrovegni)

Die Auferweckung ist um so wunderbarer, als Lazarus deutliche Anzeichen der Verwesung aufweist. Von der Kirche als Heiliger verehrt, trägt Lazarus einen Heiligenschein.

ben! ◆ Als Jesus sie sah weinen und die Juden auch weinen, die mit ihr kamen, ergrimmte er im Geist und betrübte sich selbst ◆ und sprach: Wo habt ihr ihn hin gelegt? Sie sprachen zu ihm: Herr, komm und sieh es! ◆ Und Jesu gingen die Augen über. ◆ Da sprachen die Juden: Siehe, wie hat er ihn so liebgehabt! ◆ Etliche aber unter ihnen sprachen: Konnte, der dem Blinden die Augen aufgetan hat, nicht verschaffen, daß auch dieser nicht stürbe? ◆ Da ergrimmte Jesus abermals in sich selbst und kam zum Grabe. Es war aber eine Kluft, und ein Stein daraufgelegt. ◆ Jesus sprach: Hebt den Stein ab! Spricht zu ihm Martha, die Schwester des Verstorbenen: Herr, er stinkt schon; denn er ist vier Tage gelegen. ◆ Jesus spricht zu ihr: Habe ich dir nicht gesagt, so du glauben würdest, du solltest die Herrlichkeit Gottes sehen? ◆ Da hoben sie den Stein ab, da der Verstorbene lag. Jesus aber hob seine Augen empor und sprach: Vater, ich danke dir, daß du mich erhört hast. ◆ Doch ich weiß, daß du mich allezeit hörst; aber um des Volks willen, das umhersteht, sage ich's, daß sie glauben, du habest mich gesandt. ◆ Da er das gesagt hatte, rief er mit lauter Stimme: Lazarus, komm heraus! ◆ Und der Verstorbene kam heraus, gebunden mit Grabtüchern an Füßen und Händen und sein Angesicht verhüllt mit einem Schweißtuch. Jesus spricht zu ihnen: Löset ihn auf und lasset ihn gehen!

Und Jesus ritt auf einem Füllen in Jerusalem ein

Duccio di Buoninsegna (um 1255–1319) »Der Einzug in Jerusalem« (Siena, Museo del Domopera)

Ein einziges Mal erscheint Christus als der Messias in seiner weltlichen Majestät. An der Spitze eines Triumphzuges reitet er, von der Bevölkerung als Herrscher begrüßt, in Jerusalem ein. Am Ziel seines Weges steht bei Duccio zwar der Tempel; tatsächlich wird der eingeschlagene Weg Christus letztlich nach Golgatha führen.

nd da sie nahe an Jerusalem kamen, gen Bethphage und Bethanien an den Ölberg, sandte er seiner Jünger zwei ◆ und sprach zu ihnen: Gehet hin in den Flecken, der vor euch liegt. Und alsbald, wenn ihr hineinkommt, werdet ihr finden ein Füllen angebunden, auf welchem nie ein Mensch gesessen hat; löset es ab und führet es her! ◆ Und so jemand zu euch sagen wird: Warum tut ihr das? so sprechet: Der Herr bedarf sein; so wird er's alsbald hersenden. ◆ Sie gingen hin und fanden das Füllen gebunden an die Tür, außen auf der Wegscheide, und lösten es ab. ◆ Und etliche, die dastanden, sprachen zu ihnen: Was macht ihr, daß ihr das Füllen ablöset? ◆ Sie sagten aber zu ihnen, wie ihnen Jesus geboten hatte, und die ließen's zu. ◆ Und sie führten das Füllen zu Jesu und legten ihre Kleider darauf, und er setzte sich darauf. ◆ Viele aber breiteten ihre Kleider auf den Weg; etliche hieben Maien von den Bäumen und streuten sie auf den Weg. ◆ Und die vorne vorgingen und die nachfolgten, schrieen und sprachen: Hosianna! Gelobt sei, der da kommt in dem Namen des Herrn! ◆ Gelobt sei das Reich unsers Vaters David, das da kommt in dem Namen des Herrn! Hosianna in der Höhe!

Ihr aber habt mein Haus
zu einer Räuberhöhle gemacht

**Giovanni Benedetto
Castiglione
(1610–1665)
»Die Vertreibung der
Wechsler aus dem Tempel«
(Paris, Louvre)**

Der Tumult, den Christus im
Hintergrund auslöst, kommt
an der vorderen Rampe zum
Stillstand und ordnet sich
zu einem Arrangement
lebender und toter Tiere.

nd sie kamen gen Jerusalem. Und Jesus ging in den Tempel, fing an und trieb aus die Verkäufer und Käufer in dem Tempel; und die Tische der Wechsler und die Stühle der Taubenkrämer stieß er um ◆ und ließ nicht zu, daß jemand etwas durch den Tempel trüge. ◆ Und er lehrte und sprach zu ihnen: Steht nicht geschrieben: »Mein Haus soll heißen ein Bethaus allen Völkern«? Ihr aber habt eine Mördergrube daraus gemacht. ◆ Und es kam vor die Schriftgelehrten und Hohenpriester; und sie trachteten, wie sie ihn umbrächten. Sie fürchteten sich aber vor ihm; denn alles Volk verwunderte sich seiner Lehre.

Und am Abend setzte er sich mit den Zwölfen zu Tisch

r sprach: Gehet hin in die Stadt zu einem und sprecht zu ihm: Der Meister läßt dir sagen: Meine Zeit ist nahe; ich will bei dir Ostern halten mit meinen Jüngern. ◆ Und die Jünger taten, wie ihnen Jesus befohlen hatte, und bereiteten das Osterlamm. ◆ Und am Abend setzte er sich zu Tische mit den Zwölfen. ◆ Und da sie aßen, sprach er: Wahrlich ich sage euch: Einer unter euch wird mich verraten. ◆ Und sie wurden sehr betrübt und hoben an, ein jeglicher unter ihnen, und sagten zu ihm: Herr, bin ich's? ◆ Er antwortete und sprach: Der mit der Hand mit mir in die Schüssel tauchte, der wird mich verraten. ◆ Des Menschen Sohn geht zwar dahin, wie von ihm geschrieben steht; doch weh dem Menschen, durch welchen des Menschen Sohn verraten wird! Es wäre ihm besser, daß er nie geboren wäre. ◆ Da antwortete Judas, der ihn verriet, und sprach: Bin ich's Rabbi? Er sprach zu ihm: Du sagst es.

Federico Barocci (um 1526/35–1612) »Das Abendmahl« (Urbino, Duomo)

Das im Jahr seines Todes vollendete Werk schuf Barocci für die Sakramentskapelle des Doms zu Urbino. Die Eucharistie, die hier verwahrt wurde, steht deshalb im Mittelpunkt. Christus segnet Brot und Wein. Er ist damit Priester der ersten christlichen Messe.

**Leonardo da Vinci
(1452–1519)
»Das Abendmahl«
(Mailand,
S. Maria delle Grazie)**

Von ihren Tischen blickten
die Mönche des Klosters
Santa Maria delle Grazie auf
das Abendmahl, das Leonardo in den Jahren 1495–97 an
die Stirnwand ihres Refekto-
riums gemalt hatte. Der illusionistische Raum setzte den
realen fort; die Mahlzeiten
der Mönche spiegelten sich
in der Abendmahlsszene. Für
die Ausstattung von Refek-
torien war das Abendmahl
das gängige Thema; über-
wiegend wurde die Einset-
zung der Eucharistie in den
Mittelpunkt gestellt. Leonardo jedoch wählte den drama-
tischeren Moment der Ver-
ratsankündigung, der bei
den Aposteln, je nach Temperament, unterschiedlichste
Reaktionen auslöst. Die mal-
technischen Experimente
Leonardos – er malte mit Öl
und Firnis auf die Wand – erklären den ruinösen Erhal-
tungszustand. Unvermindert
wirkt die Komposition durch
ihre klare Gliederung in
rhythmischen Dreiergrup-
pen, aus denen einzig der
Verräter Judas ausbricht.
Leonardos Werk ist ein
Grundpfeiler der europäi-
schen Kunst. In unzähligen,
zuletzt verflachten Reproduktionen war es als Wandschmuck außerordentlich
populär.

»Nehmet und esset; das ist mein Leib«

Justus van Gent (um 1435 – nach 1480) »Die Einsetzung des Heiligen Abendmahls« (Urbino, Palazzo Ducale)

Die Apostelkommunion vollzieht sich in streng liturgischer Form. In einem Kirchenraum teilt Christus die Eucharistie nur in Gestalt des Brotes aus.

a sie aber aßen, nahm Jesus das Brot, dankte und brach's und gab's den Jüngern und sprach: Nehmet, esset; das ist mein Leib. ◆ Und er nahm den Kelch und dankte, gab ihnen den und sprach: Trinket alle daraus; ◆ das ist mein Blut des neuen Testaments, welches vergossen wird für viele zur Vergebung der Sünden. ◆ Ich sage euch: Ich werde von nun an nicht mehr von diesem Gewächs des Weinstocks trinken bis an den Tag, da ich's neu trinken werde mit euch in meines Vaters Reich.

Da stand er vom Abendmahl auf und begann, den Jüngern die Füße zu waschen

nd bei dem Abendessen, da schon der Teufel hatte dem Judas, Simons Sohn, dem Ischariot, ins Herz gegeben, daß er ihn verriete, ◆ und Jesus wußte, daß ihm der Vater hatte alles in seine Hände gegeben und daß er von Gott gekommen war und zu Gott ging: ◆ stand er vom Abendmahl auf, legte seine Kleider ab und nahm einen Schurz und umgürtete sich. ◆ Darnach goß er Wasser in ein Becken, hob an, den Jüngern die Füße zu waschen, und trocknete sie mit dem Schurz, damit er umgürtet war. ◆ Da kam er zu Simon Petrus; und der sprach zu ihm: Herr, solltest du mir meine Füße waschen? ◆ Jesus antwortete und sprach zu ihm: Was ich tue, das weißt du jetzt nicht; du wirst es aber hernach erfahren. ◆ Da sprach Petrus zu ihm: Nimmermehr sollst du mir die Füße waschen! Jesus antwortete ihm: Werde ich dich nicht waschen, so hast du kein Teil mit mir. ◆ Spricht zu ihm Simon Petrus: Herr, nicht die Füße allein, sondern auch die Hände und das Haupt! ◆ Spricht Jesus zu ihm: Wer gewaschen ist, der bedarf nichts denn die Füße waschen, sondern er ist ganz rein. Und ihr seid rein, aber nicht alle.

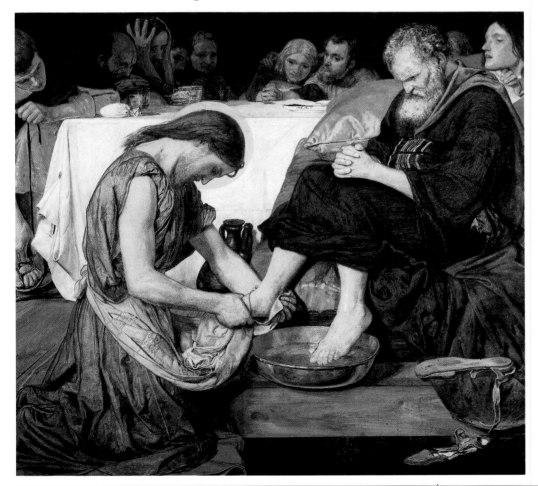

Ford Madox Brown (1821–1893) »Die Fußwaschung Petri« (London, Tate Gallery)

Durch seine Selbsterniedrigung gibt Christus ein Beispiel für die Ordnung der Liebe und des Dienens. In Browns Bild überwiegt noch die Verständnislosigkeit, mit der die Apostel auf diesen Vorgang reagieren. Insbesondere Petrus läßt inneres Widerstreben erkennen. In einigen Köpfen porträtierte Brown Mitglieder der präraffaelitischen Brüderschaft.

»Abba, mein Vater, laß diesen Kelch an mir vorübergehen«

Giovanni Bellini (um 1430–1516) »Christus am Ölberg« (London, National Gallery)

Bellinis Abendstimmung läßt nichts von den inneren Kämpfen Christi ahnen. Bereitwillig formt sich die Landschaft zu einem Betstuhl. Die Kindlichkeit des Puttos verharmlost selbst den Leidenskelch.

Und sie kamen zu einem Hofe mit Namen Gethsemane. Und er sprach zu seinen Jüngern: Setzet euch hier, bis ich hingehe und bete. Und nahm zu sich Petrus und Jakobus und Johannes und fing an, zu zittern und zu zagen. Und sprach zu ihnen: Meine Seele ist betrübt bis an den Tod; bleibet hier und wachet! Und ging ein wenig fürbaß, fiel auf die Erde und betete, daß, so es möglich wäre, die Stunde vorüberginge, und sprach: Abba, mein Vater, es ist dir alles möglich; überhebe mich dieses Kelchs; doch nicht, was ich will, sondern was du willst! Und kam und fand sie schlafend und sprach zu Petrus: Simon, schläfst du? Vermochtest du nicht, eine Stunde zu wachen? Wachet und betet, daß ihr nicht in Versuchung fallet! Der Geist ist willig; aber das Fleisch ist schwach. Und ging wieder hin und betete und sprach dieselben Worte. Und kam wieder und fand sie abermals schlafend; denn ihre Augen waren voll Schlafs, und sie wußten nicht, was sie ihm antworteten. Und er kam zum drittenmal und sprach zu ihnen: Ach, wollt ihr nun schlafen und ruhen? Es ist genug; die Stunde ist gekommen. Siehe, des Menschen Sohn wird überantwortet in der Sünder Hände. Stehet auf, laßt uns gehen! Siehe, der mich verrät, ist nahe!

Der Verräter trat zu Jesus hin und küßte ihn

nd als er noch redete, siehe, da kam Judas, der Zwölf einer, und mit ihm eine große Schar, mit Schwertern und mit Stangen, von den Hohenpriestern und Ältesten des Volks. ◆ Und der Verräter hatte ihnen ein Zeichen gegeben und gesagt: Welchen ich küssen werde, der ist's den greifet. ◆ Und alsbald trat er zu Jesu und sprach: Gegrüßet seist du, Rabbi! und küßte ihn. ◆ Jesus aber sprach zu ihm: Mein Freund, warum bist du gekommen? Da traten sie hinzu und legten die Hände an Jesum und griffen ihn. ◆ Und siehe, einer aus denen, die mit Jesu waren, reckte die Hand aus und zog sein Schwert aus und schlug des Hohenpriesters Knecht und hieb ihm ein Ohr ab. ◆ Da sprach Jesus zu ihm: Stecke dein Schwert an seinen Ort! denn wer das Schwert nimmt, der soll durchs Schwert umkommen. ◆ Oder meinst du, daß ich nicht könnte meinen Vater bitten, daß er mir zuschickte mehr denn zwölf Legionen Engel? ◆ Wie würde aber die Schrift erfüllet? Es muß also gehen. ◆ Zu der Stunde sprach Jesus zu den Scharen: Ihr seid ausgegangen wie zu einem Mörder, mit Schwertern und mit Stangen, mich zu fangen. Bin ich doch täglich gesessen bei euch und habe gelehrt im Tempel, und ihr habt mich nicht gegriffen. ◆ Aber das ist alles geschehen, daß erfüllet würden die Schriften der Propheten. Da verließen ihn alle Jünger und flohen.

Giotto di Bondone (um 1266–1337) »Die Gefangennahme Christi« (Padua, Cappella degli Scrovegni)

Noch verfügte die Malerei über keine Mittel, eine Nachtszene anders als durch Gegenstände, z. B. Fackeln, wiederzugeben. Giottos neuartige Plastizität und erzählerische Knappheit bedeuten dennoch einen wichtigen Schritt in der Entwicklungsgeschichte der Kunst. Daß es sich bei dem Judaskuß um keine Freundschaftsbezeugung, sondern um Verrat handelt, verdeutlicht Giotto in der Gegenüberstellung zweier Profile: Judas niedrige Stirn charakterisiert den Verbrecher.

Sie ergriffen Jesus
und führten ihn zu Kaiphas

Die aber Jesum gegriffen hatten, führten ihn zu dem Hohenpriester Kaiphas, dahin die Schriftgelehrten und Ältesten sich versammelt hatten. ◆ Petrus aber folgte ihm nach von ferne bis in den Palast des Hohenpriesters und ging hinein und setzte sich zu den Knechten, auf daß er sähe, wo es hinaus wollte. ◆ Die Hohenpriester aber und Ältesten und der ganze Rat suchten falsch Zeugnis wider Jesum, auf daß sie ihn töteten, ◆ und fanden keins. Und wiewohl viel falsche Zeugen herzutraten, fanden sie doch keins. Zuletzt traten herzu zwei falsche Zeugen ◆ und sprachen: Er hat gesagt: Ich kann den Tempel Gottes abbrechen und in drei Tagen ihn bauen. ◆ Und der Hohepriester stand auf und sprach zu ihm: Antwortest du nichts zu dem, was diese wider dich zeugen? ◆ Aber Jesus schwieg still. Und der Hohepriester antwortete und sprach zu ihm: Ich beschwöre dich bei dem lebendigen Gott, daß du uns sagest, ob du seist Christus, der Sohn Gottes. ◆ Jesus sprach zu ihm: Du sagst es. Doch sage ich euch: Von nun an wird's geschehen, daß ihr sehen werdet des Menschen Sohn sitzen zur Rechten der Kraft und kommen in den Wolken des Himmels. ◆ Da zerriß der Hohepriester seine Kleider und sprach: Er hat Gott gelästert! Was bedürfen wir weiteres Zeugnis? Siehe, jetzt habt ihr seine Gotteslästerung gehört. ◆ Was dünkt euch? Sie antworteten und sprachen: Er ist des Todes schuldig!

**Anthonis van Dyck
(1599–1641)
»Die Gefangennahme Christi«
(Minneapolis, Minnesota, Society of Arts)**

Van Dyck steigert die Festnahme zu einer dramatisch erregten, nächtlichen Massenszene. Die Heerschar rollt heran wie eine Woge, die über Christus zusammenschlägt. Im Vordergrund stürzt sich Petrus auf Malchus.

**Albrecht Altdorfer
(um 1480–1538)
»Christus vor Kaiphas«
(St. Florian, Augustiner Chorherrenstift)**

Das Judentum vermag den verheißenen Messias nicht zu erkennen. Für Altdorfer ist Kaiphas der Vertreter einer erstarrten Religion in den Fängen eines dämonisch belebten Thrones.

Petrus aber verleugnete ihn und sprach: »Weib, ich kenne ihn nicht«

Sie griffen ihn aber und führten ihn hin und brachten ihn in des Hohenpriesters Haus. Petrus aber folgte von ferne. ◆ Da zündeten sie ein Feuer an mitten im Hof und setzten sich zusammen; und Petrus setzte sich unter sie. ◆ Da sah ihn eine Magd sitzen bei dem Licht und sah genau auf ihn und sprach: Dieser war auch mit ihm. ◆ Er aber verleugnete ihn und sprach: Weib, ich kenne ihn nicht. ◆ Und über eine kleine Weile sah ihn ein anderer und sprach: Du bist auch deren einer. Petrus aber sprach: Mensch, ich bin's nicht. ◆ Und über eine Weile, bei einer Stunde, bekräftigte es ein anderer und sprach: Wahrlich dieser war auch mit ihm; denn er ist ein Galiläer. ◆ Petrus aber sprach: Mensch, ich weiß nicht, was du sagst. Und alsbald, da er noch redete, krähte der Hahn. ◆ Und der Herr wandte sich und sah Petrus an. Und Petrus gedachte an des Herrn Wort, wie er ihm gesagt hatte: Ehe denn der Hahn kräht, wirst du mich dreimal verleugnen. ◆ Und Petrus ging hinaus und weinte bitterlich.

Gerard van Honthorst (1590–1656)
»Christus vor Kaiphas«
(London, National Gallery)

Eine einzige Kerze beleuchtet scharf die Profile von Inquisitor und Angeklagtem. Dem Bemühen des Kaiphas, mit Fragen in ihn zu dringen, steht Christus schweigend gegenüber. Honthorsts Gemälde entstand in Rom unter dem Einfluß Caravaggios, dessen kaltes Kellerlicht er durch den wärmeren Schein künstlicher Lichtquellen ersetzte.

Italienischer Caravaggist (frühes 17. Jahrhundert)
»Petrus verleugnet Christus«
(Rom, Pinacoteca Vaticana)

Von der zeitgenössischen Kunstkritik wurde Caravaggio abgelehnt. Trotzdem erkannten viele Künstler in ihm ihr Vorbild. Zahlreiche zunächst Caravaggio zugeschriebene Gemälde gelten heute als Werke von verschiedenen Nachahmern.

Judas warf die Silberlinge in den Tempel, ging davon und erhängte sich

Des Morgens aber hielten alle Hohenpriester und die Ältesten des Volks einen Rat über Jesum, daß sie ihn töteten. ❧ Und banden ihn, führten ihn hin und überantworteten ihn dem Landpfleger Pontius Pilatus. ❧ Da das sah Judas, der ihn verraten hatte, daß er verdammt war zum Tode, gereute es ihn, und brachte wieder die dreißig Silberlinge den Hohenpriestern und den Ältesten ❧ und sprach: Ich habe übel getan, daß ich unschuldig Blut verraten habe. ❧ Sie sprachen: Was geht uns das an? Da siehe du zu! Und er warf die Silberlinge in den Tempel, hob sich davon, ging hin und erhängte sich selbst. ❧ Aber die Hohenpriester nahmen die Silberlinge und sprachen: Es taugt nicht, daß wir sie in den Gotteskasten legen; denn es ist Blutgeld. ❧ Sie hielten aber einen Rat und kauften den Töpfersacker darum zum Begräbnis der Pilger. ❧ Daher ist dieser Acker genannt der Blutacker bis auf den heutigen Tag. ❧ Da ist erfüllet, was gesagt ist durch den Propheten Jeremia, da er spricht: »Sie haben genommen dreißig Silberlinge, damit bezahlt war der Verkaufte, welchen sie kauften von den Kindern Israel, ❧ und haben sie gegeben um den Töpfersacker, wie mir der Herr befohlen hat.«

**Rembrandt Harmensz
van Rijn
(1606–1669)
»Judas gibt die 30 Silberlinge zurück«
(Mulgrave Castle,
Yorkshire,
Sammlung Normanby)**

Ergreifend schildert Rembrandt die quälende Gewissensnot eines Menschen, der sein Unrecht rückgängig machen will. Doch es erfüllt sich der Fluch der bösen Tat. Niemand wagt, den Judaslohn anzurühren. Als Ausweg bleibt Judas nur der Selbstmord.

**Jacopo Tintoretto
(1518–1594)
»Christus vor Pilatus«
Ausschnitt
(Venedig,
Scuola di San Rocco)**

Das Leiden Christi geht den Rechtsweg vom Gericht bis zur Hinrichtung. Tintorettos Christus ist das schuldlose Opfer eines Volkstribunals. Unsicherheiten in der Proportion erklären sich aus dem großen Format des Wandbildes.

Pilatus wusch die Hände vor dem Volk und sprach: »Ich bin unschuldig«

Jesus aber stand vor dem Landpfleger; und der Landpfleger fragte ihn und sprach: Bist du der Juden König? Jesus aber sprach zu ihm: Du sagst es. ❧ Und da er verklagt ward von den Hohenpriestern und Ältesten, antwortete er nichts. ❧ Da sprach Pilatus zu ihm: Hörst du nicht, wie hart sie dich verklagen? ❧ Und er antwortete ihm nicht auf ein Wort, also daß sich auch der Landpfleger sehr verwunderte. ❧ Auf das Fest aber hatte der Landpfleger die Gewohnheit, dem Volk einen Gefangenen loszugeben, welchen sie wollten. ❧ Er hatte aber zu der Zeit einen Gefangenen, einen sonderlichen vor andern, der hieß Barabbas. ❧ Und da sie versammelt waren, sprach Pilatus zu ihnen: Welchen wollt ihr, daß ich euch losgebe? Barabbas oder Jesus, von dem gesagt wird, er sei Christus? ❧ Denn er wußte wohl, daß sie ihn aus Neid überantwortet hatten. ❧ Und da er auf dem Richtstuhl saß, schickte sein Weib zu ihm und ließ ihm sagen: Habe du nichts zu schaffen mit diesem Gerechten; ich habe heute viel erlitten im Traum seinetwegen. ❧ Aber die Hohenpriester und die Ältesten überredeten das Volk, daß sie um Barabbas bitten sollten und Jesum umbrächten. ❧ Da antwortete nun der Landpfleger und sprach zu ihnen: Welchen wollt ihr unter diesen zweien, den ich euch soll losgeben? Sie sprachen: Barabbas. ❧ Pilatus sprach zu ihnen: Was soll ich denn machen mit Jesu, von dem gesagt wird, er sei Christus? Sie sprachen alle: Laß ihn kreuzigen! ❧ Der Landpfleger sagte: Was hat er denn Übles getan? Sie schrieen aber noch mehr und sprachen: Laß ihn kreuzigen! ❧ Da aber Pilatus sah, daß er nichts schaffte, sondern daß ein viel größer Getümmel ward, nahm er Wasser und wusch die Hände vor dem Volk und sprach: Ich bin unschuldig an dem Blut dieses Gerechten; sehet ihr zu! ❧ Da antwortete das ganze Volk und sprach: Sein Blut komme über uns und über unsre Kinder! ❧ Da gab er ihnen Barabbas los; aber Jesum ließ er geißeln und überantwortete ihn, daß er gekreuzigt würde.

**Derick Baegert
(um 1440–1515)
»Christus vor Pilatus«
(Nürnberg, Germanisches
Nationalmuseum)**

Die Hauptfigur ist Pontius Pilatus. Baegert charakterisiert ihn als schwachen, beeinflußbaren Beamten. Die Prachtgewänder des römischen Prokurators stehen in auffälligem Gegensatz zu dem wahren Königtum Christi, dessen Reich jedoch nicht von dieser Welt ist.

Sie flochten eine Dornenkrone und setzten sie auf sein Haupt

**Anthonis van Dyck
(1599–1641)
»Die Dornenkrönung«
(Madrid, Prado)**

Deutlicher noch als in seinen
Porträts offenbart sich
van Dyck in seinen Histo-
rienbildern als Schüler von
Rubens. Doch auch hier
verfeinert er den kraftvollen
Stil des Meisters. Die körperliche Mißhandlung tritt
zurück hinter der subtileren
seelischen Marter. Dornenkrone, Binsenzepter und
geheuchelter Kniefall ver-
höhnen den messianischen
Anspruch Christi.

Da nahmen die Kriegs-
knechte des Land-
pflegers Jesum zu
sich in das Richthaus
und sammelten über
ihn die ganze Schar ◆ und zogen
ihn aus und legten ihm einen Pur-
purmantel an ◆ und flochten
eine Dornenkrone und setzten sie
auf sein Haupt und ein Rohr in
seine rechte Hand und beugten
die Kniee vor ihm und verspotteten ihn und sprachen: Gegrüßet
seist du, der Juden König! ◆ und
spieen ihn an und nahmen das
Rohr und schlugen damit sein
Haupt.

**Jörg Breu
(1475/76–1537)
»Die Dornenkrönung«
(Melk, Klosterkirche)**

Zweimal ist Christus der
Verspottung und Geißelung
ausgesetzt, einmal nach der
Befragung durch Kaiphas,
ein zweites Mal nach dem
Verhör durch Pilatus. Im Bild
des Schmerzensmannes
wird das Leiden zusammen-
gefaßt. Nach Art der Mo-
risken umtanzen bei Breu
die Schergen ihr Opfer in
einer grotesken Pantomime.

Sie aber schrien:
»Weg, weg, mit dem! Kreuzige ihn!«

Giovanni Battista Tiepolo (1696–1770)
»Die Dornenkrönung«
(Hamburg, Kunsthalle)

Judäa war römische Provinz; die Geißelung entsprach römischer Rechtspraxis. Folgerichtig versteht Tiepolo die Dornenkrönung als ein Ereignis der römischen Geschichte. Architektur und Cäsarenbüste haben römische Vorbilder.

lso ging Jesus heraus und trug eine Dornenkrone und ein Purpurkleid. Und er spricht zu ihnen: Sehet, welch ein Mensch! ◆ Da ihn die Hohenpriester und die Diener sahen, schrieen sie und sprachen: Kreuzige! kreuzige! Pilatus spricht zu ihnen: Nehmet ihr ihn hin und kreuzigt ihn; denn ich finde keine Schuld an ihm. ◆ Die Juden antworteten ihm: Wir haben ein Gesetz, und nach dem Gesetz soll er sterben; denn er hat sich selbst zu Gottes Sohn gemacht. ◆ Da Pilatus das Wort hörte, fürchtete er sich noch mehr ◆ und ging wieder hinein in das Richthaus und spricht zu Jesu: Woher bist du? Aber Jesus gab ihm keine Antwort. ◆ Da sprach Pilatus zu ihm: Redest du nicht mit mir? Weißt du nicht, daß ich Macht habe, dich zu kreuzigen, und Macht habe, dich loszugeben? ◆ Jesus antwortete: Du hättest keine Macht über mich, wenn sie dir nicht wäre von obenherab gegeben; darum, der mich dir überantwortet hat, der hat größere Sünde. ◆ Von dem an trachtete Pilatus, wie er ihn losließe. Die Juden aber schrieen und sprachen: Läßt du diesen los, so bist du des Kaisers Freund nicht; denn wer sich zum König macht, der ist wider den Kaiser. ◆ Da Pilatus das Wort hörte, führte er Jesum heraus und setzte sich auf den Richtstuhl an der Stätte, die da heißt Hochpflaster, auf hebräisch aber Gabbatha. ◆ Es war aber der Rüsttag auf Ostern, um die sechste Stunde. Und er spricht zu den Juden: Sehet, das ist euer König! ◆ Sie schrieen aber: Weg, weg, mit dem! kreuzige ihn! Spricht Pilatus zu ihnen: Soll ich euren König kreuzigen? Die Hohenpriester antworteten: Wir haben keinen König denn den Kaiser. ◆ Da überantwortete er ihn, daß er gekreuzigt würde. Sie nahmen aber Jesum und führten ihn hin.

Quentin Massys (1465/66–1530)
»Ecce Homo«
(Madrid, Prado)

Mit dem dornengekrönten Christus tritt Pilatus hinaus auf den Altan des Gerichtsgebäudes. Massys verfolgt diese Zurschaustellung aus der Perspektive eines Zuschauers bei einem Passionsspiel.

**Hieronymus Bosch
(um 1450–1516)
»Die Kreuztragung«
(Gent,
Musée des Beaux-Arts)**

Kopf reiht sich an Kopf zu
einem Panoptikum grotesker
Grimassen. Einzig das edlere
Antlitz Christi hebt sich ab.

**Matthias Grünewald
(um 1480–1528)
»Die Kreuztragung«
(Karlsruhe,
Staatliche Kunsthalle)**

Grünewald zitiert den
Propheten Jesaia, dessen
Worte sich mit der
Kreuztragung erfüllen.

Sie brachten ihn an den Ort Golgatha

nd da sie ihn verspottet hatten, zogen sie ihm den Purpur aus und zogen ihm seine eigenen Kleider an und führten ihn aus, daß sie ihn kreuzigten. ◆ Und zwangen einen, der vorüberging, mit Namen Simon von Kyrene, der vom Felde kam (der ein Vater war des Alexander und Rufus), daß er ihm das Kreuz trüge. ◆ Und sie brachten ihn an die Stätte Golgatha, das ist verdolmetscht: Schädelstätte.

221

Und es war um die dritte Stunde, da sie ihn kreuzigten

Und da sie ihn gekreuzigt hatten, teilten sie seine Kleider und warfen das Los darum, wer etwas bekäme. ◆ Und es war um die dritte Stunde, da sie ihn kreuzigten. ◆ Und es war oben über ihm geschrieben, was man ihm schuld gab, nämlich: Der König der Juden. ◆ Und sie kreuzigten mit ihm zwei Mörder, einen zu seiner Rechten und einen zur Linken. ◆ Da ward die Schrift erfüllet, die da sagt: »Er ist unter die Übeltäter gerechnet.« ◆ Und die vorübergingen, lästerten ihn und schüttelten ihre Häupter und sprachen: Pfui dich, wie fein zerbrichst du den Tempel und baust ihn in drei Tagen! ◆ Hilf dir nun selber und steig herab vom Kreuz! ◆ Desgleichen die Hohenpriester verspotteten ihn untereinander samt den Schriftgelehrten und sprachen: Er hat andern geholfen, und kann sich selber nicht helfen. ◆ Ist er Christus und König in Israel, so steige er nun vom Kreuz, daß wir sehen und glauben. Und die mit ihm gekreuzigt waren, schmähten ihn auch. ◆ Und nach der sechsten Stunde ward eine Finsternis über das ganze Land bis um die neunte Stunde. ◆ Und um die neunte Stunde rief Jesus laut und sprach: Eli, Eli, lama asabthani? das ist verdolmetscht: Mein Gott, mein Gott, warum hast du mich verlassen? ◆ Und etliche, die dabeistanden, da sie das hörten, sprachen sie: Siehe, er ruft den Elia. ◆ Da lief einer und füllte einen Schwamm mit Essig und steckte ihn auf ein Rohr und tränkte ihn und sprach: Halt, laßt sehen, ob Elia komme und ihn herabnehme. ◆ Aber Jesus schrie laut und verschied. ◆ Und der Vorhang im Tempel zerriß in zwei Stücke von obenan bis untenaus. ◆ Der Hauptmann aber, der dabeistand ihm gegenüber und sah, daß er mit solchem Geschrei verschied, sprach: Wahrlich dieser Mensch ist Gottes Sohn gewesen!

**Matthias Grünewald
(um 1480–1528)
»Die Kreuzigung«
(Colmar,
Museum Unterlinden)**

Die Kreuzigung Christi ist das zentrale Ereignis der Heiligen Schrift. Das Bild des Gekreuzigten und das Kreuzsymbol stehen im Mittelpunkt der Verehrung. Während ältere Kreuzigungsdarstellungen die Majestät Christi auch im Tode betonen, treten am Ausgang des Mittelalters immer stärker die Züge des Leidens hervor. Grünewalds Gekreuzigter ist der Höhepunkt dieser Entwicklung.

Sie öffneten seine Seite mit einem Speer

 ie Juden aber, dieweil es der Rüsttag war, daß nicht die Leichname am Kreuze blieben den Sabbat über (denn desselben Sabbats Tag war groß), baten sie Pilatus, daß seine Beine gebrochen und sie abgenommen würden. ◆ Da kamen die Kriegsknechte und brachen dem ersten die Beine und dem andern, der mit ihm gekreuzigt war. ◆ Als sie aber zu Jesu kamen und sahen, daß er schon gestorben war, brachen sie ihm die Beine nicht; ◆ sondern der Kriegsknechte einer öffnete seine Seite mit einem Speer, und alsbald ging Blut und Wasser heraus. ◆ Und der das gesehen hat, der hat es bezeugt, und sein Zeugnis ist wahr; und dieser weiß, daß er die Wahrheit sagt, auf daß auch ihr glaubet. ◆ Denn solches ist geschehen, daß die Schrift erfüllet würde: »Ihr sollt ihm kein Bein zerbrechen.« ◆ Und abermals spricht eine andere Schrift: »Sie werden sehen, in welchen sie gestochen haben.«

Masaccio
(1401–1428)
»Die Kreuzigung«
(Neapel, Capodimonte)

Masaccio beabsichtigt keine dramatische Schilderung. Wie in einer plastischen Kreuzigungsgruppe verharren die vier Gestalten in ihrem Zustand. Im Korpus des Gekreuzigten experimentiert Masaccio mit der Perspektive.

Peter Paul Rubens
(1577–1640)
»Die Kreuzigung«
(Antwerpen,
Koninklijk Museum voor
Schone Kunsten)

Mit einer dramatischen Diagonalkomposition durchbricht Rubens die strenge Ordnung des Kultbildes. Alle Bewegungen ordnen sich unter, den dem Lanzenstich unter, den der römische Soldat ausführt. Die Legende identifiziert ihn mit Longinus. An das Blut, das aus der Seitenwunde fließt, knüpfte sich die Sage vom heiligen Gral.

Joseph von Arimathia ging zu Pilatus und bat um den Leichnam

nd es waren auch Weiber da, die von ferne solches schauten; unter welchen war Maria Magdalena und Maria, Jakobus des Kleinen und des Joses Mutter, und Salome, ◆ die ihm auch nachgefolgt waren, da er in Galiläa war, und gedient hatten, und viele andere, die mit ihm hinauf gen Jerusalem gegangen waren. ◆ Und am Abend, dieweil es der Rüsttag war, welcher ist der Vorsabbat, ◆ kam Joseph von Arimathia, ein ehrbarer Ratsherr, welcher auch auf das Reich Gottes wartete. Der wagte es und ging hinein zu Pilatus und bat um den Leichnam Jesu. ◆ Pilatus aber verwunderte sich, daß er schon tot war, und rief den Hauptmann und fragte ihn, ob er schon lange gestorben wäre. ◆ Und als er's erkundet von dem Hauptmann, gab er Joseph den Leichnam.

Rembrandt Harmensz van Rijn (1606–1669) »Die Kreuzabnahme« (Leningrad, Eremitage)

Für Rembrandt ist mit dem Tod alle Majestät von Christus abgefallen. Der Leichnam gehorcht nur noch der Schwere lebloser Körper. Von Nikodemus umfangen, gleitet er auf einer Stoffbahn herab. Am Boden ist ein kostbares Leichentuch ausgebreitet.

Rogier van der Weyden (um 1399/1400–1464) »Die Kreuzabnahme« (Madrid, Prado)

In gleicher Haltung wie ihr toter Sohn sinkt Maria ohnmächtig zu Boden. Der Bildaufbau orientiert sich an Schnitzaltären. Wie farbig gefaßte Skulpturen sind die Gestalten in einen Schrein von geringer Tiefe gestellt.

227

Meister des Bartholomäus-altars (tätig um 1475–1510) »Die Kreuz-abnahme« (London, National Gallery)

Ein Totenkopf zu Füßen des Kreuzes bezeichnet den Ort als die Schädel-stätte Golgatha. Er kann aber auch als Schädel Adams gedeutet werden, dessen Grab sich hier befunden haben soll.

**Albrecht Dürer
(1471–1528)
»Die Beweinung Christi«
(München,
Alte Pinakothek)**

In seinen Holzschnitt- und
Kupferstichfolgen erweist

sich Dürer als Meister der
Linie. Auch seine Gemälde
wirken mehr durch die
körperhafte Form als durch
die Farbe. Obwohl Dürer
1494/95 in Italien war, kehrt
er mit dem um 1500 ent-
standenen Gemälde wieder

zu einer spätgotischen
Formensprache zurück. In
den kleinen Stifterbild-
nissen im Vordergrund
porträtierte Dürer
den reichen Nürnberger
Goldschmied Glimm und
seine Familie.

Sie nahmen den Leichnam, wickelten ihn in Leinwand und legten ihn in ein Grab

Darnach bat den Pilatus Joseph von Arimathia, der ein Jünger Jesu war, doch heimlich aus Furcht vor den Juden, daß er möchte abnehmen den Leichnam Jesu. Und Pilatus erlaubte es. Da kam er und nahm den Leichnam Jesu herab. ◆ Es kam aber auch Nikodemus, der vormals bei der Nacht zu Jesu gekommen war, und brachte Myrrhe und Aloe untereinander bei hundert Pfunden. ◆ Da nahmen sie den Leichnam Jesu und banden ihn in leinene Tücher mit den Spezereien, wie die Juden pflegen zu begraben. ◆ Es war aber an der Stätte, da er gekreuzigt ward, ein Garten, und im Garten ein neues Grab, in welches niemand je gelegt war. ◆ Dahin legten sie Jesum um des Rüsttages willen der Juden, dieweil das Grab nahe war.

Peter Paul Rubens (1577–1640) »Die Grablegung Christi« (München, Alte Pinakothek)

Kreuzabnahme, Beweinung und Grablegung bieten verschiedene Kombinationsmöglichkeiten. In der kleinformatigen Ölskizze verbindet Rubens die Grablegung mit dem Motiv der Pieta, der Zweiergruppe Mariens mit ihrem toten Sohn.

Rogier van der Weyden (um 1399/1400–1464) »Die Beweinung Christi« (Florenz, Uffizien)

Rogier van der Weyden kombiniert Beweinung und Grablegung. Der erstarrte Körper, den Nikodemus und Joseph von Arimathia aufrichten, wiederholt mit seinen gebreiteten Armen noch einmal die Haltung Christi am Kreuz.

Der Engel des Herrn trat hinzu und wälzte den Stein von der Tür

es andern Tages, der da folgt nach dem Rüsttage, kamen die Hohenpriester und Pharisäer sämtlich zu Pilatus und sprachen: Herr, wir haben gedacht, daß dieser Verführer sprach, da er noch lebte: Ich will nach drei Tagen auferstehen. Darum befiehl, daß man das Grab verwahre bis an den dritten Tag, auf daß nicht seine Jünger kommen und stehlen ihn und sagen zum Volk: Er ist auferstanden von den Toten, – und werde der letzte Betrug ärger denn der erste. Pilatus sprach zu ihnen: Da habt ihr die Hüter; gehet hin und verwahret, wie ihr wisset.

Sie gingen hin und verwahrten das Grab mit Hütern und versiegelten den Stein. Als aber der Sabbat um war und der erste Tag der Woche anbrach, kam Maria Magdalena und die andere Maria, das Grab zu besehen. Und siehe, es geschah ein großes Erdbeben. Denn der Engel des Herrn kam vom Himmel herab, trat hinzu und wälzte den Stein von der Tür und setzte sich darauf. Und seine Gestalt war wie der Blitz und sein Kleid weiß wie Schnee. Die Hüter aber erschraken vor Furcht und wurden, als wären sie tot.

Piero della Francesca (um 1416–1492) »Die Auferstehung« (Borgo San Sepolcro, Pinacoteca Comunale)

Die Auferstehung ereignet sich in einer toskanischen Hügellandschaft. Piero spielt damit auf seinen Geburtsort an, dessen Name Borgo San Sepolcro auf das heilige Grab zurückgeht. Als Zeichen seines Sieges über den Tod trägt Christus eine Kreuzesfahne.

Benjamin Gerritsz Cuyp (1612–1652) »Der Engel öffnet das Grab« (Budapest, Nationalmuseum)

Cuyp erfaßt den Moment unmittelbar vor der Auferstehung. Wie von einer Druckwelle werden die zahlreichen Grabwächter beiseite geschleudert. Obwohl Cuyp mit der Darstellung explosiver Kraft beeindrukken wollte, wirkt das bunte Menschenknäuel eher belustigend.

233

»Rühre mich nicht an, denn ich bin noch nicht aufgefahren zu meinem Vater«

Maria aber stand vor dem Grabe und weinte draußen. Als sie nun weinte, guckte sie in das Grab ◆ und sieht zwei Engel in weißen Kleidern sitzen, einen zu den Häupten und den andern zu den Füßen, da sie den Leichnam Jesu hin gelegt hatten. ◆ Und diese sprachen zu ihr: Weib, was weinest du? Sie spricht zu ihnen: Sie haben meinen Herrn weggenommen, und ich weiß nicht, wo sie ihn hin gelegt haben. ◆ Und als sie das sagte, wandte sie sich zurück und sieht Jesum

**Tizian
(1488/89–1576)
»Noli me tangere«
(London,
National Gallery)**

Um seine leibliche Auferstehung zu bekunden, erscheint Christus mehreren Personen. Daß die ersten Zeugen gerade Frauen sind, bestätigt ihren neuen Rang in der Gemeinde. In dem schönen Gesicht Maria Magdalenas mischt Tizian Überraschung und Freude. In einer sanften Kurve weicht Christus vor ihrer Berührung zurück.

**Rembrandt Harmensz
van Rijn
(1606–1669)
»Noli me tangere«
(Englisches Königshaus)**

Während sich die übrigen Frauen entfernen, bleibt Maria Magdalena niedergesunken am leeren Grabe zurück. Von hinten tritt Christus in Gärtnertracht an sie heran. Nicht das »Noli me tangere«, sondern die Frage »Was weinest du?« ist für Rembrandt die wesentliche Aussage. Christus erscheint darin als Tröster aller Trauernden.

stehen und weiß nicht, daß es Jesus ist. ◆ Spricht Jesus zu ihr: Weib, was weinest du? Wen suchest du? Sie meint, es sei der Gärtner und spricht zu ihm: Herr, hast du ihn weggetragen, so sage mir, wo hast du ihn hin gelegt, so will ich ihn holen. ◆ Spricht Jesus zu ihr: Maria! Da wandte sie sich um und spricht zu ihm: Rabbuni (das heißt: Meister)! ◆

Spricht Jesus zu ihr: Rühre mich nicht an! denn ich bin noch nicht aufgefahren zu meinem Vater. Gehe aber hin zu meinen Brüdern und sage ihnen: Ich fahre auf zu meinem Vater und zu eurem Vater, zu meinem Gott und zu eurem Gott. ◆ Maria Magdalena kommt und verkündigt den Jüngern: Ich habe den Herrn gesehen, und solches hat er zu mir gesagt.

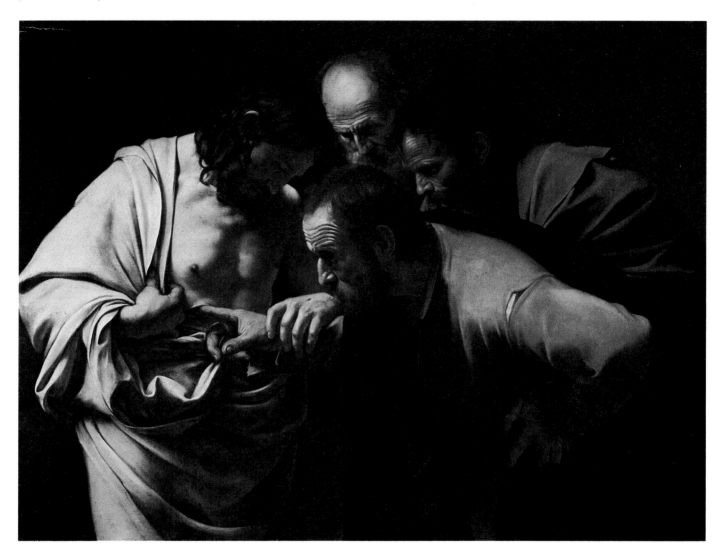

»Selig sind, die nicht sehen und doch glauben!«

**Michelangelo
Merisi da Caravaggio
(1573–1610)
»Der ungläubige Thomas«
(Potsdam, Neues Palais)**

Der in die Wunde gelegte Finger war auch schon vor Caravaggio dargestellt worden. Erst Caravaggios Realismus macht ihn zum physisch spürbaren, fast unerträglichen Vorgang.

 homas aber, der Zwölf einer, der da heißt Zwilling, war nicht bei ihnen, da Jesus kam. Da sagten die andern Jünger zu ihm: Wir haben den Herrn gesehen. Er aber sprach zu ihnen: Es sei denn, daß ich in seinen Händen sehe die Nägelmale und lege meinen Finger in die Nägelmale und lege meine Hand an seine Seite, will ich's glauben. Und über acht Tage waren abermals seine Jünger drinnen und Thomas mit ihnen. Kommt Jesus, da die Türen verschlossen waren, und tritt mitten ein und spricht: Friede sei mit euch! Darnach spricht er zu Thomas: Reiche deinen Finger her und siehe meine Hände, und reiche deine Hand her und lege sie in meine Seite, und sei nicht ungläubig, sondern gläubig! Thomas antwortete und sprach zu ihm: Mein Herr und mein Gott! Spricht Jesus zu ihm: Dieweil du mich gesehen hast, Thomas, so glaubest du. Selig sind, die nicht sehen und doch glauben!

Was sind das für Gespräche, die ihr miteinander führt, und warum seid ihr so traurig?

Scarsellino
(Ippolito Scarsella)
(um 1550–1614)
»Der Gang nach Emmaus«
(Rom, Galleria Borghese)

Mit dem Hinweis auf die sinkende Sonne nötigen die Jünger ihren Begleiter, bei ihnen einzukehren. Obwohl Scarsellinos Christus leicht zu identifizieren ist, wird er von den Jüngern nicht erkannt.

nd siehe, zwei aus ihnen gingen an demselben Tage in einen Flecken, der war von Jerusalem sechzig Feld Wegs weit; des Name heißt Emmaus. ◆ Und sie redeten miteinander von allen diesen Geschichten. ◆ Und es geschah, da sie so redeten und befragten sich miteinander, nahte Jesus zu ihnen und wandelte mit ihnen. ◆ Aber ihre Augen wurden gehalten, daß sie ihn nicht kannten. ◆ Er sprach aber zu ihnen: Was sind das für Reden, die ihr zwischen euch handelt unterwegs, und seid traurig? ◆ Da antwortete einer mit Namen Kleophas und sprach zu ihm: Bist du allein unter den Fremdlingen zu Jerusalem, der nicht wisse, was in diesen Tagen darin geschehen ist? ◆ Und er sprach zu ihnen: Welches? Sie aber sprachen zu ihm: Das von Jesus von Nazareth, welcher war ein Prophet, mächtig von Taten und Worten vor Gott und allem Volk; ◆ wie ihn unsre Hohenpriester und Obersten überantwortet haben zur Verdammnis des Todes und gekreuzigt. ◆ Wir aber hoffen, er sollte Israel erlösen. Und über das alles ist heute der dritte Tag, daß solches geschehen ist. ◆ Auch haben uns erschreckt etliche Weiber der Unsern; die sind früh bei dem Grabe gewesen, ◆ haben seinen Leib nicht gefunden, kommen und sagen, sie haben ein Gesicht der Engel gesehen, welche sagen, er lebe. ◆ Und etliche unter uns gingen hin zum Grabe und fanden's also, wie die Weiber sagten; aber ihn sahen sie nicht. ◆ Und er sprach zu ihnen: O ihr Toren und träges Herzens, zu glauben alle dem, was die Propheten geredet haben! ◆ Mußte nicht Christus solches leiden und zu seiner Herrlichkeit eingehen?

Da nahm er das Brot, dankte, brach es und gab es den Jüngern

nd sie kamen nahe zum Flecken, da sie hingingen; und er stellte sich, als wollte er fürder gehen. ◆ Und sie nötigten ihn und sprachen: Bleibe bei uns; denn es will Abend werden, und der Tag hat sich geneigt. Und er ging hinein, bei ihnen zu bleiben. ◆ Und es geschah, da er mit ihnen zu Tische saß, nahm er das Brot, dankte, brach's und gab's ihnen. ◆ Da wurden ihre Augen geöffnet, und sie erkannten ihn. Und er verschwand vor ihnen. ◆ Und sie sprachen untereinander: Brannte nicht unser Herz in uns, da er mit uns redete auf dem Wege, als er uns die Schrift öffnete? ◆ Und sie standen auf zu derselben Stunde, kehrten wieder gen Jerusalem und fanden die Elf versammelt und die bei ihnen waren, ◆ welche sprachen: Der Herr ist wahrhaftig auferstanden und Simon erschienen. ◆ Und sie erzählten ihnen, was auf dem Wege geschehen war und wie er von ihnen erkannt wäre an dem, da er das Brot brach.

Rembrandt Harmensz van Rijn (1606–1669) »Das Mahl in Emmaus« (Paris, Musée Jacquemart-André)

Eine Lichtaureole, die Christus umstrahlt, erschreckt die Jünger wie eine Geistererscheinung.

Michelangelo Merisi da Caravaggio (1573–1610) »Das Mahl zu Emmaus« (London, National Gallery)

Durch die formale Parallele zum Abendmahl, die auch Caravaggio zieht, erkennen die Jünger den Herrn.

Und da segnete er sie
und fuhr auf in den Himmel

Da sie aber davon redeten, trat er selbst, Jesus, mitten unter sie und sprach zu ihnen: Friede sei mit euch! ◆ Sie erschraken aber und fürchteten sich, meinten, sie sähen einen Geist. ◆ Und er sprach zu ihnen: Was seid ihr so erschrocken, und warum kommen solche Gedanken in euer Herz? ◆ Sehet meine Hände und meine Füße: ich bin's selber. Fühlet mich an und sehet; denn ein Geist hat nicht Fleisch und Bein, wie ihr sehet, daß ich habe. ◆ Und da er das sagte, zeigte er ihnen Hände und Füße. ◆ Da sie aber noch nicht glaubten vor Freuden und sich verwunderten, sprach er zu ihnen: Habt ihr hier etwas zu essen? ◆ Und sie legten ihm vor ein Stück von gebratenem Fisch und Honigseim. ◆ Und er nahm's und aß vor ihnen. ◆ Er sprach aber zu ihnen: Das sind die Reden, die ich zu euch sagte, da ich noch bei euch war; denn es muß alles erfüllt werden, was von mir geschrieben ist im Gesetz Mose's, in den Propheten und in den Psalmen. ◆ Da öffnete er ihnen das Verständnis, daß sie die Schrift verstanden, ◆ und sprach zu ihnen: Also ist's geschrieben, und also mußte Christus leiden und auferstehen von den Toten am dritten Tage ◆ und predigen lassen in seinem Namen Buße und Vergebung der Sünden unter allen Völkern und anheben zu Jerusalem. ◆ Ihr aber seid des alles Zeugen. ◆ Und siehe, ich will auf euch senden die Verheißung meines Vaters. Ihr aber sollt in der Stadt Jerusalem bleiben, bis daß ihr angetan werdet mit Kraft aus der Höhe. ◆ Er führte sie aber hinaus bis gen Bethanien und hob die Hände auf und segnete sie. ◆ Und es geschah, da er sie segnete, schied er von ihnen und fuhr auf gen Himmel. ◆ Sie aber beteten ihn an und kehrten wieder gen Jerusalem mit großer Freude ◆ und waren allewege im Tempel, priesen und lobten Gott.

Rembrandt Harmensz van Rijn (1606–1669) »Die Himmelfahrt Christi« (München, Alte Pinakothek)

Mit erhobenen Armen, dem antiken Gebetsgestus eines Oranten, wird Christus von Engeln auf einem Wolkenpodest in den Himmel getragen. Das Gemälde entstand im Auftrag des Statthalters Prinz Frederik Hendrik von Oranien.

Johann Heinrich Schönfeld (1609–1684) »Die heilige Dreifaltigkeit« (Hohenwart, Marktkirche)

Mit der Himmelfahrt nimmt Christus seinen Platz zur Rechten Gottes ein. Dreifach wiederholt Schönfeld die Dreizahl in Gott Vater, Sohn und Heiligem Geist, in drei Engeln und dreimaligem »Sanctus«.

Sie alle wurden erfüllt vom Heiligen Geist und fingen an, in anderen Sprachen zu predigen

Tizian
(1488/89–1576)
»Das Pfingstwunder«
(Venedig,
S. Maria della Salute)

Der gemalte Raum setzt die architektonische Ordnung des Kirchenraumes jenseits der Bildfläche fort. Der Versammlungsort der Urgemeinde und die Kirche Santa Maria della Salute bilden eine Einheit. Die Apostel werden zum Vorbild jeder christlichen Gemeinde, die das Pfingstfest begeht.

Und als der Tag der Pfingsten erfüllt war, waren sie alle einmütig beieinander. ◆ Und es geschah schnell ein Brausen vom Himmel wie eines gewaltigen Windes und erfüllte das ganze Haus, da sie saßen. ◆ Und es erschienen ihnen Zungen, zerteilt, wie von Feuer; und er setzte sich auf einen jeglichen unter ihnen; ◆ und sie wurden alle voll des heiligen Geistes und fingen an, zu predigen mit anderen Zungen, nach dem der Geist ihnen gab auszusprechen. ◆ Es waren aber Juden zu Jerusalem wohnend, die waren gottesfürchtige Männer aus allerlei Volk, das unter dem Himmel ist. ◆ Da nun diese Stimme geschah, kam die Menge zusammen und wurden bestürzt; denn es hörte ein jeglicher, daß sie mit seiner Sprache redeten. ◆ Sie entsetzten sich aber alle, verwunderten sich und sprachen untereinander: Siehe, sind nicht diese da, die da reden, aus Galiläa? ◆ Wie hören wir denn ein jeglicher seine Sprache, darin wir geboren sind? ◆ Parther und Meder und Elamiter, und die wir wohnen in Mesopotamien und in Judäa und Kappadozien, Pontus und Asien, ◆ Phrygien und Pamphylien, Ägypten und an den Enden von Libyen bei Kyrene und Ausländer von Rom, ◆ Juden und Judengenossen, Kreter und Araber: wir hören sie mit unseren Zungen die großen Taten Gottes reden. ◆ Sie entsetzten sich aber alle und wurden irre und sprachen einer zu dem andern: Was will das werden? ◆ Die andern aber hatten's ihren Spott und sprachen: Sie sind von süßen Weins. ◆ Da trat Petrus auf mit den Elfen, erhob seine Stimme und redete zu ihnen: Ihr Juden, liebe Männer, und alle, die ihr zu Jerusalem wohnet, das sei euch kundgetan, und lasset meine Worte zu euren Ohren eingehen. ◆ Denn diese sind nicht trunken, wie ihr wähnet – sintemal es ist die dritte Stunde am Tage –; ◆ sondern das ist's, was durch den Propheten Joel zuvor gesagt ist: ◆ »Und es soll geschehen in den letzten Tagen, spricht Gott, ich will ausgießen von meinem Geist auf alles Fleisch; und eure Söhne und Töchter sollen weissagen, und eure Jünglinge sollen Gesichte sehen, und eure Älteste sollen Träume haben; ◆ und auf meine Knechte und auf meine Mägde will ich in denselben Tagen von meinem Geist ausgießen, und sie solle weissagen. ◆ Und ich will Wunder tun oben im Himmel und Zeichen unten auf Erden: Blut und Feuer und Rauchdampf; ◆ die Sonne soll sich verkehren in Finsternis und der Mond in Blut, ehe denn der große offenbare Tag des Herrn kommt. ◆ Und soll geschehen, wer den Namen des Herrn anrufen wird, soll selig werden.«

Petrus faßte ihn bei der Hand und richtete ihn auf

Raffael (Raffaello Santi) (1483–1520) »Die Heilung des Lahmen im Tempel« (London, Victoria and Albert Museum)

Der Karton gehört in dieselbe Reihe von Teppichentwürfen wie der »Fischzug« (S. 164/165). Bewegter als die statuarischen Apostelgestalten wirken die kunstvoll gewundenen Säulen des Salomonischen Tempels.

Petrus aber und Johannes gingen miteinander hinauf in den Tempel um die neunte Stunde, da man pflegt zu beten. Und es war ein Mann, lahm von Mutterleibe, der ließ sich tragen; und sie setzten ihn täglich vor des Tempels Tür, die da heißt »die schöne«, daß er bettelte das Almosen von denen, die in den Tempel gingen. Da er nun sah Petrus und Johannes, daß sie wollten zum Tempel hineingehen, bat er um ein Almosen. Petrus aber sah ihn an mit Johannes und sprach: Sieh uns an! Und er sah sie an, wartete, daß er etwas von ihnen empfinge. Petrus aber sprach: Silber und Gold habe ich nicht; was ich aber habe, das gebe ich dir: im Namen Jesu Christi von Nazareth stehe auf und wandle! Und griff ihn bei der rechten Hand und richtete ihn auf. Alsobald standen seine Schenkel und Knöchel fest; sprang auf, konnte gehen und stehen und ging mit ihnen in den Tempel, wandelte und sprang und lobte Gott. Und es sah ihn alles Volk wandeln und Gott loben. Sie kannten ihn auch, daß er's war, der um das Almosen gesessen hatte vor der schönen Tür des Tempels; und sie wurden voll Wunderns und Entsetzens über das, was ihm widerfahren war. Als aber dieser Lahme, der nun gesund war, sich zu Petrus und Johannes hielt, lief alles Volk zu ihnen in die Halle, die da heißt Salomos, und wunderten sich. Als Petrus das sah, antwortete er dem Volk: Ihr Männer von Israel, was wundert ihr euch darüber, oder was sehet ihr auf uns, als hätten wir diesen wandeln gemacht durch unsre eigene Kraft oder Verdienst? Der Gott Abrahams und Isaaks und Jakobs, der Gott unsrer Väter hat seinen Knecht Jesus verklärt, welchen ihr überantwortet und verleugnet habt vor Pilatus, da er urteilte, ihn loszulassen. Ihr aber verleugnetet den Heiligen und Gerechten und batet, daß man euch den Mörder schenkte; aber den Fürsten des Lebens habt ihr getötet. Den hat Gott auferweckt von den Toten; des sind wir Zeugen. Und durch den Glauben an seinen Namen hat diesen, den ihr sehet und kennet, sein Name stark gemacht; und der Glaube durch ihn hat diesem gegeben diese Gesundheit vor euren Augen.

Sie steinigten Stephanus, während er betete: »Herr, rechne ihnen diese Sünde nicht an!«

a sie solches hörten, ging's ihnen durchs Herz, und bissen die Zähne zusammen über ihn. ◆ Wie er aber voll heiligen Geistes war, sah er auf gen Himmel und sah die Herrlichkeit Gottes und Jesum stehen zur Rechten Gottes und sprach: Siehe, ich sehe den Himmel offen und des Menschen Sohn zur Rechten Gottes stehen. ◆ Sie schrieen aber laut und hielten ihre Ohren zu und stürmten einmütig auf ihn ein, stießen ihn zur Stadt hinaus und steinigten ihn. ◆ Und die Zeugen legten ab ihre Kleider zu den Füßen eines Jünglings, der hieß Saulus, ◆ und steinigten Stephanus, der anrief und sprach: Herr Jesu, nimm meinen Geist auf! ◆ Er kniete aber nieder und schrie laut: Herr, behalte ihnen diese Sünde nicht! Und als er das gesagt, entschlief er.

**Eugène Delacroix
(1798–1863)
»Die Zeugen der Steinigung des Stephanus bemächtigen sich seines Körpers«
(Birmingham, Barber Institute of Fine Arts)**

Die Bestattung von Toten ist eines der sieben Werke christlicher Barmherzigkeit. Die Todesumstände des Stephanus machen seine Bergung zu einem gefahrvollen Unternehmen.

**Jan van Scorel
(1495–1562)
»Die Steinigung des Heiligen Stephanus«
(Donai, Musée Municipal)**

Stephanus steht am Beginn einer langen Reihe von Märtyrern, die für ihren Glauben in den Tod gehen. Ihr Martertod ist die letzte Konsequenz der Nachfolge Christi. Ein großer Teil der religiösen Kunst widmet sich der Darstellung ihrer Todesarten.

Er fiel auf die Erde
und hörte eine Stimme: »Saul, Saul,
was verfolgst du mich?«

Peter Paul Rubens
(1577–1640)
»Die Bekehrung des
Paulus«
(London, Courtauld
Institute Galleries)

In flüchtigen Pinselstrichen
skizziert Rubens eine
figurenreiche Komposition.
Saulus wird von einer un-
sichtbaren Kraft zu Boden
geschleudert.

aulus aber schnaubte noch mit Drohen und Morden wider die Jünger des Herrn und ging zum Hohenpriester ◆ und bat ihn um Briefe gen Damaskus an die Schulen, auf daß, so er etliche dieses Weges fände, Männer und Weiber, er sie gebunden führte gen Jerusalem. ◆ Und da er auf dem Wege war und nahe an Damaskus kam, umleuchtete ihn plötzlich ein Licht vom Himmel; ◆ und er fiel auf die Erde und hörte eine Stimme, die sprach zu ihm: Saul, Saul, was verfolgst du mich? ◆ Er aber sprach: Herr, wer bist du? Der Herr sprach: Ich bin Jesus, den du verfolgst. Es wird dir schwer werden, wider den Stachel zu lecken. ◆ Und er sprach mit Zittern und Zagen: Herr, was willst du, daß ich tun soll? Der Herr sprach zu ihm: Stehe auf und gehe in die Stadt; da wird man dir sagen, was du tun sollst. ◆ Die Männer aber, die seine Gefährten waren, standen und waren erstarrt; denn sie hörten die Stimme, und sahen niemand. ◆ Saulus aber richtete sich auf von der Erde; und als er seine Augen auftat, sah er niemand. Sie nahmen ihn aber bei der Hand und führten ihn gen Damaskus; ◆ und er war drei Tage nicht sehend und aß nicht und trank nicht.

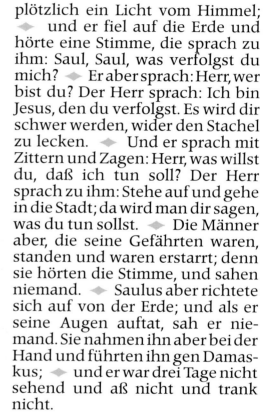

Michelangelo Merisi
da Caravaggio
(1573–1610)
»Die Bekehrung des
Paulus«
(Rom, S. Maria del Popolo)

Auch kompositorisch geht
Caravaggio neue Wege. Ein
Pferd und ein unbeteiligter
Stallknecht beherrschen
die Bildfläche. Von Saulus
hingegen erscheinen
nur die Arme unverkürzt.

Der Engel des Herrn trat zu Petrus…

 m diese Zeit legte der König Herodes die Hände an etliche von der Gemeinde, sie zu peinigen. ◆ Er tötete aber Jakobus, den Bruder des Johannes, mit dem Schwert. ◆ Und da er sah, daß es den Juden gefiel, fuhr er fort und fing Petrus auch. Es waren aber eben die Tage der süßen Brote. ◆ Da er ihn nun griff, legte er ihn ins Gefängnis und überantwortete ihn vier Rotten, je von vier Kriegsknechten, ihn zu bewahren, und gedachte, ihn nach Ostern dem Volk vorzustellen. ◆ Und Petrus ward zwar im Gefängnis gehalten; aber die Gemeinde betete ohne Aufhören für ihn zu Gott.

Hendrick Terbrugghen (1588–1629) »Die Befreiung des Petrus« (Den Haag, Mauritshuis)

Terbrugghen ist neben Honthorst der bedeutendste niederländische Caravaggist. In der unklassischen Auffassung der Gesichter unterscheidet er sich jedoch von Caravaggio und dessen italienischen Nachahmern.

… und führte
ihn aus dem Gefängnis

 nd da ihn Herodes wollte vorstellen, in derselben Nacht schlief Petrus zwischen zwei Kriegsknechten, gebunden mit zwei Ketten, und die Hüter vor der Tür hüteten das Gefängnis. ◆ Und siehe, der Engel des Herrn kam daher, und ein Licht schien in dem Gemach; und er schlug Petrus an die Seite und weckte ihn und sprach: Stehe behende auf! Und die Ketten fielen ihm von seinen Händen. ◆ Und der Engel sprach zu ihm: Gürte dich und tu deine Schuhe an! Und er tat also. Und er sprach zu ihm: Wirf deinen Mantel um dich und folge mir nach! ◆ Und er ging hinaus und folgte ihm und wußte nicht, daß ihm wahrhaftig solches geschähe durch den Engel; sondern es deuchte ihn, er sähe ein Gesicht. ◆ Sie gingen aber durch die erste und andere Hut und kamen zu der eisernen Tür, welche zur Stadt führte; die tat sich ihnen von selber auf. Und sie traten hinaus und gingen hin eine Gasse lang; und alsobald schied der Engel von ihm. ◆ Und da Petrus zu sich selber kam, sprach er: Nun weiß ich wahrhaftig, daß der Herr seinen Engel gesandt hat und mich errettet aus der Hand des Herodes und von allem Warten des jüdischen Volks.

**Raffael (Raffaello Santi)
(1583–1520)
»Die Befreiung des Petrus«
(Rom, Vatikan,
Stanza d'Eliodoro)**

Obwohl die Freskotechnik keine tiefen Töne erlaubt, gelingt Raffael eine Nachtszene mit überzeugenden Lichtwirkungen. In der Dreiteilung der Komposition greift Raffael die Gliederung der Wand auf.

**Hans Memling
(um 1430/40–1494)
»Johannes auf Patmos«
(Brügge, Memling Museum)**

Johannes erfährt die Schrift-
inspiration nicht als wört-
liche Eingebung. In visionä-
rer Schau erblickt er Bilder,
die er hernach in Worte
kleidet. Memling erfaßt den
Moment zwischen Vision
und schriftlicher Fixierung.
Johannes hält im Schreiben
inne. Am Himmel erscheint
die Anbetung der vierund-
zwanzig Ältesten. Über die
Inselwelt von Patmos verteilen sich die apokalyptischen
Reiter.

Dies ist die Offenbarung Christi, die er seinem Knecht kundtat

Dies ist die Offenbarung Jesu Christi, die ihm Gott gegeben hat, seinen Knechten zu zeigen, was in der Kürze geschehen soll; und er hat sie gedeutet und gesandt durch seinen Engel zu seinem Knecht Johannes, ◆ der bezeugt hat das Wort Gottes und das Zeugnis von Jesu Christo, was er gesehen hat. ◆ Selig ist, der da liest und die da hören die Worte der Weissagung und behalten, was darin geschrieben ist; denn die Zeit ist nahe. ◆ Johannes den sieben Gemeinden in Asien: Gnade sei mit euch und Friede von dem, der da ist und der da war und der da kommt, und von den sieben Geistern, die da sind vor seinem Stuhl, ◆ und von Jesu Christo, welcher ist der treue Zeuge und Erstgeborene von den Toten und der Fürst der Könige auf Erden! Der uns geliebt hat und gewaschen von den Sünden mit seinem Blut ◆ und hat uns zu Königen und Priestern gemacht vor Gott und seinem Vater, dem sei Ehre und Gewalt von Ewigkeit zu Ewigkeit! Amen. ◆ Siehe, er kommt mit den Wolken, und es werden ihn sehen alle Augen und die ihn zerstochen haben; und werden heulen alle Geschlechter der Erde. Ja, amen. ◆ Ich bin das A und das O, der Anfang und das Ende, spricht Gott der Herr, der da ist und der da war und der da kommt, der Allmächtige. ◆ Ich, Johannes, der auch euer Bruder und Mitgenosse an der Trübsal ist und am Reich und an der Geduld Jesu Christi, war auf der Insel, die da heißt Patmos, um des Wortes Gottes willen und des Zeugnisses Jesu Christi.

Diego Velasquez (1599–1660) »Johannes auf Patmos« (London, National Gallery)

Ob der Autor der Offenbarung und der gleichnamige Evangelist identisch sind, ist eine theologische Streitfrage. Velasquez sieht sie als eine Person. Johannes ist von seinem traditionellen Evangelistensymbol, einem Adler, begleitet.

**Joseph Mallord William
Turner
(1775–1851)
»Der Tod auf fahlem Pferd«
(London, Tate Gallery)**

Lange war man sich über das
apokalyptische Thema
des Gemäldes im unklaren.
Turner verallgemeinert das
apokalyptische Motiv zu
einem Bild des triumphie-
renden Todes schlechthin.
Der Tod erscheint wie ein
kurz aufblitzendes Traum-
bild, von dem nur der Eindruck bedrohlich ausgreifen-
der Fangarme zurückbleibt.

Ich sah unter dem Altar
die Seelen derer,
die hingemordet wurden

**El Greco
(1541–1614)
»Die Öffnung des fünften
Siegels«
(New York, Metropolitan
Museum of Art)**

El Grecos Kunst hat selbst
visionäre Züge. Form und
Farbe führen ein Eigenleben.
Ein Sturm zerfetzt die Wolken, bauscht die knittrigen
Gewänder und reißt auch die
schwerelosen Körper in seinen Sog. Johannes erscheint
nicht als unbeteiligter
Zuschauer. Mit ekstatisch
emporgeworfenen Armen
reagiert er auf die Einkleidung in eines der Gewänder,
mit deren Verteilung die
Märtyrer hinter ihm noch
beschäftigt sind.

nd ich sah, daß das Lamm der Siegel eines auftat; und ich hörte der vier Tiere eines sagen wie mit einer Donnerstimme: Komm! ◆ Und ich sah, und siehe, ein weißes Pferd. Und der daraufsaß, hatte einen Bogen; und ihm ward gegeben eine Krone, und er zog aus sieghaft, und daß er siegte. ◆ Und da es das andere Siegel auftat, hörte ich das andere Tier sagen: Komm! ◆ Und es ging heraus ein anderes Pferd, das war rot. Und dem, der daraufsaß, ward gegeben, den Frieden zu nehmen von der Erde und daß sie sich untereinander erwürgten; und ihm ward ein großes Schwert gegeben. ◆ Und da es das dritte Siegel auftat, hörte ich das dritte Tier sagen: Komm! Und ich sah, und siehe, ein schwarzes Pferd. Und der daraufsaß, hatte eine Waage in seiner Hand. ◆ Und ich hörte eine Stimme unter den vier Tieren sagen: Ein Maß Weizen um einen Groschen und drei Maß Gerste um einen Groschen, und dem Öl und Wein tu kein Leid! ◆ Und da es das vierte Siegel auftat, hörte ich die Stimme des vierten Tiers sagen: Komm! ◆ Und ich sah, und siehe, ein fahles Pferd. Und der daraufsaß, des Name hieß Tod,

und die Hölle folgte ihm nach. Und ihnen ward Macht gegeben, zu töten den vierten Teil auf der Erde mit dem Schwert und Hunger und mit dem Tod und durch die Tiere auf Erden. ◆ Und da es das fünfte Siegel auftat, sah ich unter dem Altar die Seelen derer, die erwürgt waren um des Wortes Gottes willen und um des Zeugnisses willen, das sie hatten. ◆ Und sie schrieen mit großer Stimme und sprachen: Herr, du Heiliger und Wahrhaftiger, wie lange richtest du nicht und rächest unser Blut an denen, die auf der Erde wohnen? ◆ Und ihnen wurde gegeben einem jeglichen ein weißes Kleid, und ward zu ihnen gesagt, daß sie ruhten noch eine kleine Zeit, bis daß vollends dazukämen ihre Mitknechte und Brüder, die auch sollten noch getötet werden gleich wie sie.

Ich sah die
Großen, Reichen und Mächtigen,
die sich verbargen

nd ich sah, daß es das sechste Siegel auftat, und siehe, da ward ein großes Erdbeben, und die Sonne ward so schwarz wie ein härener Sack, und der Mond ward wie Blut; ◆ Und die Sterne des Himmels fielen auf die Erde, gleichwie ein Feigenbaum seine Feigen abwirft, wenn er von großem Wind bewegt wird. ◆ Und der Himmel entwich wie ein zusammengerolltes Buch; und alle Berge und Inseln wurden bewegt aus ihren Örtern. ◆ Und

**Francis Danby
(1793–1861)
»Die Öffnung
des sechsten Siegels«
(Dublin,
National Gallery of Ireland)**

Die Bildersprache der Offenbarung ist symbolisch. Danby jedoch versteht sie wörtlich und gibt ein realistisches Bild der geschilderten Katastrophen nicht wie Johannes sie visionär erlebt, sondern wie sie sich in der erwarteten Endzeit tatsächlich erfüllen. Sichtbar werden nur die Auswirkungen, Gewitter, Erdbeben und Vulkanausbruch. Die bewegenden Kräfte bleiben verborgen.

die Könige auf Erden und die Großen und die Reichen und die Hauptleute und die Gewaltigen und alle Knechte und alle Freien verbargen sich in den Klüften und Felsen an den Bergen ◆ und sprachen zu den Bergen und Felsen: Fallet über uns und verberget uns vor dem Angesichte des, der auf dem Stuhl sitzt, und vor dem Zorn des Lammes! ◆ Denn es ist gekommen der große Tag seines Zorns, und wer kann bestehen? ◆ Und darnach sah ich vier Engel stehen auf den vier Ecken der Erde, die hielten die vier Winde der Erde, auf daß kein Wind über die Erde bliese noch über das Meer noch über irgend einen Baum. ◆ Und ich sah einen andern Engel aufsteigen von der Sonne Aufgang, der hat das Siegel des lebendigen Gottes und schrie mit großer Stimme zu den vier Engeln, welchen gegeben war zu beschädigen die Erde und das Meer; ◆ und er sprach: Beschädiget die Erde nicht noch das Meer noch die Bäume, bis daß wir versiegeln die Knechte unsers Gottes an ihren Stirnen!

Ich sah eine große Schar, die stand vor dem Thron und vor dem Lamm

arnach sah ich, und siehe, eine große Schar, welche niemand zählen konnte, aus allen Heiden und Völkern und Sprachen, vor dem Stuhl stehend und vor dem Lamm, angetan mit weißen Kleidern und Palmen in ihren Händen, schrieen mit großer Stimme und sprachen: Heil sei dem, der auf dem Stuhl sitzt, unserm Gott, und dem Lamm! Und alle Engel standen um den Stuhl und um die Ältesten und um die vier Tiere und fielen vor dem Stuhl auf ihr Angesicht und beteten Gott an und sprachen: Amen, Lob und Ehre und Weisheit und Dank und Preis und Kraft und Stärke sei unserm Gott von Ewigkeit zu Ewigkeit! Amen.

Jan und Hubert van Eyck
»Die Anbetung des
Lammes«
(vollendet 1432)
(Gent, St. Bavo)

Der Genter Altar ist das
bedeutendste Denkmal der
altniederländischen
Malerei. In seinen vierzehn
Bildtafeln vereinigt er eine
bunte Fülle naturgetreu be-
obachteter Details.

Ich sah einen Engel,
der im gleißenden Licht
der Sonne stand

Und ich sah den Himmel aufgetan; und siehe, ein weißes Pferd. Und der daraufsaß, hieß Treu und Wahrhaftig, und er richtet und streitet mit Gerechtigkeit. ❖ Seine Augen sind wie eine Feuerflamme, und auf seinem Haupt viele Kronen; und er hatte einen Namen geschrieben, den niemand wußte denn er selbst. ❖ Und er war angetan mit einem Kleide, das mit Blut besprengt war; und sein Name heißt »das Wort Gottes«. ❖ Und ihn folgte nach das Heer im Himmel auf weißen Pferden, angetan mit weißer und reiner Leinwand. ❖ Und aus seinem Munde ging ein scharfes Schwert, daß er damit die Heiden schlüge; und er wird sie regieren mit eisernem Stabe; und er tritt die Kelter des Weins des grimmigen Zorns Gottes, des Allmächtigen. ❖ Und er hat einen Namen geschrieben auf seinem Kleid und auf seiner Hüfte also: Ein König aller Könige und ein Herr aller Herren. ❖ Und ich sah einen Engel in der Sonne stehen; und er schrie mit großer Stimme und sprach zu allen Vögeln, die unter dem Himmel fliegen: Kommt und versammelt euch zu dem Abendmahl des großen Gottes, ❖ daß ihr esset das Fleisch der Könige und der Hauptleute und das Fleisch der Starken und der Pferde und derer, die daraufsitzen, und das Fleisch aller Freien und Knechte, der Kleinen und der Großen! ❖ Und ich sah das Tier und die Könige auf Erden und ihre Heere versammelt, Streit zu halten mit dem, der auf dem Pferde saß, und mit seinem Heer. ❖ Und das Tier ward gegriffen und mit ihm der falsche Prophet, der die Zeichen tat vor ihm, durch welche er verführte, die das Malzeichen des Tiers nahmen und die das Bild des Tiers anbeteten; lebendig wurden diese beiden in den feurigen Pfuhl geworfen, der mit Schwefel brannte. ❖ Und die andern wurden erwürgt mit dem Schwert des, der auf dem Pferde saß, das aus seinem Munde ging; und alle Vögel wurden satt von ihrem Fleisch.

Joseph Mallord William Turner (1775–1851) »Der Engel, in der Sonne stehend« (London, Tate Gallery)

Turner verbindet Anfang und Ende der Bibel, Genesis und Offenbarung. In dem Engel greift er zurück auf den Wächter des Paradieses, zu dessen Füßen er Vertreter der gefallenen Menschheit gruppiert. Adam und Eva beweinen Abel; Judith hält das Haupt des Holofernes. Das Motiv der gefesselten Schlange entnahm er Offenbarung 20, 1–2.

Ich sah einen großen, weißen Stuhl und den, der darauf saß

nd ich sah einen Engel vom Himmel fahren, der hatte den Schlüssel zum Abgrund und eine große Kette in seiner Hand. ◆ Und er griff den Drachen, die alte Schlange, welche ist der Teufel und Satan, und band ihn tausend Jahre ◆ und warf ihn in den Abgrund und verschloß ihn und versiegelte obendarauf, daß er nicht mehr verführen sollte die Heiden, bis daß vollendet würden tausend Jahre; und darnach muß er los werden eine kleine Zeit. Und ich sah Stühle, und sie setzten sich darauf, und ihnen ward gegeben das Gericht; und die Seelen derer, die enthauptet sind um des Zeugnisses Jesu und um des Wortes Gottes willen, und die nicht angebetet hatten das Tier noch sein Bild und nicht genommen hatten sein Malzeichen an ihre Stirn und auf ihre Hand, diese lebten und regierten mit Christo tausend Jahre. ◆ Die andern Toten aber wurden nicht wieder lebendig, bis daß tausend Jahre vollendet wurden. Dies ist die erste Auferstehung. ◆ Selig ist der und heilig, der teilhat an der ersten Auferstehung. Über solche hat der andere Tod keine Macht; sondern sie werden Priester Gottes und Christi sein und mit ihm regieren tausend Jahre. ◆ Und wenn tau-

Michelangelo Buonarroti (1475–1564) »Das Jüngste Gericht« (Rom, Vatikan, Sixtinische Kapelle)

Bei Michelangelo verliert Christus das zeremonielle Wesen des Richters. Mit kraftvoller Bewegung versetzt er das gesamte Bildfeld in eine kreisende Bewegung stürzender und aufsteigender Körper.

Hans Memling (um 1430/40–1494) »Das Jüngste Gericht« Mittelteil (Danzig, Muzeum Pomorskie)

Memling schuf sein Weltgerichtstriptychon für einen italienischen Auftraggeber. Auf dem Transport nach Italien wurde das Schiff gekapert, und der Altar gelangte nach Danzig. Mit Verdammungs- und Aufnahmegestus scheidet Christus die Verdammten von den Seligen.

send Jahre vollendet sind, wird der Satanas los werden aus seinem Gefängnis. ◆ und wird ausgehen, zu verführen die Heiden an den vier Enden der Erde, den Gog und Magog, sie zu versammeln zum Streit, welcher Zahl ist wie der Sand am Meer. ◆ Und sie zogen herauf auf die Breite der Erde und umringten das Heerlager der Heiligen und die geliebte Stadt. Und es fiel Feuer von Gott aus dem Himmel und verzehrte sie. ◆ Und der Teufel, der sie verführte, ward geworfen in den feurigen Pfuhl und Schwefel, da auch das Tier und der falsche Prophet war; und sie werden gequält werden Tag und Nacht von Ewigkeit zu Ewigkeit. ◆ Und ich sah einen großen, weißen Stuhl und den, der daraufsaß; vor des Angesicht floh die Erde und der Himmel, und ihnen ward keine Stätte gefunden.

**Hans Memling
(um 1430/40–1494)
»Das Jüngste Gericht«
Linker Seitenflügel
(Danzig,
Muzeum Pomorskie)**

Die Seitenflügel bilden die Fortsetzung der Mitteltafel mit Christus als Weltenrichter (S. 264). Im linken Seitenflügel gelangt der Zug der Seligen vor der Paradiespforte an. Auf Kristallstufen erwartet sie Petrus. Engel kleiden sie mit kirchlichen Gewändern. Die Paradiespforte gleicht einem Kirchenportal. Memling kehrt damit die Vorstellung um, daß die gotische Kathedrale ein Abbild des Himmlischen Jerusalem darstellt.

Das Buch des Lebens ward aufgetan

nd ich sah die Toten, beide, groß und klein, stehen vor Gott, und Bücher wurden aufgetan. Und ein anderes Buch ward aufgetan, welches ist das Buch des Lebens. Und die Toten wurden gerichtet nach der Schrift in den Büchern, nach ihren Werken. ◆ Und das Meer gab die Toten, die darin waren, und der Tod und die Hölle gaben die Toten, die darin waren; und sie wurden gerichtet, ein jeglicher nach seinen Werken. ◆ Und der Tod und die Hölle wurden geworfen in den feurigen Pfuhl. Das ist der andere Tod. ◆ Und so jemand nicht ward gefunden geschrieben in dem Buch des Lebens, der ward geworfen in den feurigen Pfuhl.

Hans Memling (um 1430/40–1494) »Das Jüngste Gericht« Rechter Seitenflügel (Danzig, Muzeum Pomorskie)

Dem Einzug der Seligen in das Paradies steht kontrastierend der Höllensturz der Verdammten gegenüber. In älteren Höllendarstellungen wurde jedem Laster eine besondere, abschreckende Körperstrafe zugeordnet. Memling verzichtet auf eine detaillierte Darstellung solcher Marter. Sie widersprach seinem gemäßigten, vornehmen Menschenbild.

Ich sah einen neuen Himmel und eine neue Erde, denn der erste Himmel und die erste Erde sind vergangen

**John Martin
(1789–1854)
»Die himmlischen Gefilde«
(London, Tate Gallery)**

Über die Beschaffenheit des Jenseits gibt die Bibel keine Auskunft. Johannes nennt eine Stadt. Martin indessen greift zurück auf die antike Vorstellung einer milden, menschenfreundlichen Jenseitslandschaft. In Booten gelangen die Verklärten in Elysium an. Auf einer Bergkuppe versammeln sie sich zu gemeinsamem Gesang und Daseinsgenuß.

nd ich sah einen neuen Himmel und eine neue Erde; denn der erste Himmel und die erste Erde verging, und das Meer ist nicht mehr. ◆ Und ich, Johannes, sah die heilige Stadt, das neue Jerusalem, von Gott aus dem Himmel herabfahren, bereitet als eine geschmückte Braut ihrem Mann. ◆ Und ich hörte eine große Stimme von dem Stuhl, die sprach: Siehe da, die Hütte Gottes bei den Menschen! und er wird bei ihnen wohnen, und sie werden sein Volk sein, und er selbst, Gott mit ihnen, wird ihr Gott sein; ◆

und Gott wird abwischen alle Tränen von ihren Augen, und der Tod wird nicht mehr sein, noch Leid noch Geschrei noch Schmerz wird mehr sein; denn das Erste ist vergangen. ◆ Und der auf dem Stuhl saß, sprach: Siehe, ich mache alles neu! Und er spricht zu mir: Schreibe; denn diese Worte sind wahrhaftig und gewiß! ◆ Und er sprach zu mir: Es ist geschehen. Ich bin das A und das O, der Anfang und das Ende. Ich will dem Durstigen geben von dem Brunnen des lebendigen Wassers umsonst. ◆ Wer überwindet, der wird es alles ererben, und ich

werde sein Gott sein, und er wird mein Sohn sein. ◆ Der Verzagten aber und Ungläubigen und Greulichen und Totschläger und Hurer und Zauberer und Abgöttischen und aller Lügner, deren Teil wird sein in dem Pfuhl, der mit Feuer und Schwefel brennt; das ist der andere Tod. ◆ Und es kam zu mir einer von den sieben Engeln, welche die sieben Schalen voll der letzten sieben Plagen hatten, und redete mit mir und sprach: Komm, ich will dir das Weib zeigen, die Braut des Lammes. ◆ Und er führte mich im Geist auf einen großen und hohen Berg und zeigte mir die große Stadt, das heilige Jerusalem, herniederfahren aus dem Himmel, von Gott, ◆ die hatte die Herrlichkeit Gottes. Und ihr Licht war gleich dem alleredelsten Stein, einem hellen Jaspis.

Hieronymus Bosch (um 1450–1516) »Das Paradies« (Venedig, Palazzo Ducale)

Bosch reduziert die Paradiespforte auf eine abstrakte Trichterform und auf den Gegensatz von Licht und Dunkel. Der Aufstieg der Seligen kann auch betrachtet werden als eine Gestaltung des Todeserlebnisses überhaupt: Die körperlose Seele nimmt ihren Weg durch einen dunklen Tunnel, an dessen Ende strahlendes Licht aufscheint.

Anmerkungen zu den Künstlern und ihrem Werk

ALBRECHT ALTDORFER

(Regensburg um 1480 – ebd. 1538)
Seite 209

Altdorfer ist der Hauptmeister der Donauschule, einer Richtung der deutschen Malerei Anfang des 16. Jahrhunderts, die ihren Schwerpunkt an der oberen Donau hatte. Mit dem frühen Cranach, Wolf Huber und Jörg Breu teilt er die Vorliebe für bizarre Gebirgslandschaften, märchenhaft versponnene Wälder und bewegte Wolkenbilder. Diese neue Liebe zur Natur führte bei Altdorfer zur Entwicklung des selbständigen Landschaftsbildes. Zwei Italienreisen Altdorfers fanden ihren Niederschlag in phantasievollen Architekturdarstellungen; er verwendet dabei Renaissanceformen, jedoch in unklassischer Zusammenstellung. Wie seine Landschaften sind auch Altdorfers Architekturen von organischem Leben erfüllt.

Albrecht Altdorfer: Die Alexanderschlacht; München, Alte Pinakothek.

FRA ANGELICO

(eigentl. Guido di Pietro;
Vicchio um 1400 – Rom 1455)
Seite 138/139

Fra Angelico war Mönch und 1450–52 auch Prior des Dominikanerklosters in Fiesole bei Florenz. Mit dem Beinamen Angelico, der Engelhafte, charakterisierten die Mitbrüder sein Wesen und seine Kunst. Fra Angelico vertritt eine unerschütterte Gläubigkeit in einer Zeit, als sich die Kunst aus ihrer Bindung an die Kirche zu lösen begann. Die künstlerischen Errungenschaften der Florentiner Frührenaissance waren ihm zwar vertraut; trotzdem bewahrte seine Kunst ein mittelalterliches Element. Die Mischung fortschrittlicher und konservativer Stilmittel wird als Regotisierung bezeichnet. Sie hat in den Niederlanden in Rogier van der Weyden eine Parallele.

DERICK BAEGERT

(Wesel um 1440 – ebd. 1515)
Seite 214

Baegerts Wirkungskreis ist der Niederrhein. In seinem Werk überlagern sich Einflüsse der Kölner Malerschule und aus den Niederlanden. Die Tafelbilder sind von großem Detailreichtum und leuchtender Farbigkeit. Ausführlich widmet sich Baegert dem Kostüm und Schmuck; doch auch in seinen vielgestaltigen Physiognomien erweist er sich als Meister der Charakterisierung. Über das Leben Baegerts ist nichts bekannt. Sein Name ist dokumentarisch nur im Zusammenhang mit Auftragswerken belegt. Aufgrund einer falschen Lesart wurde sein gesamtes Œuvre früher den Gebrüdern Duenwege zugeschrieben.

HANS BALDUNG

(genannt Grien; wahrscheinlich Schwäbisch Gmünd 1484/85 – Straßburg 1545)
Seite 30

Im Unterschied zu anderen Künstlern der Dürerzeit, die aus dem Handwerk hervorgingen, entstammt Baldung einer Gelehrtenfamilie. In Nürnberg und Straßburg fand er Anschluß an Dürer und an Grünewald; hier erhielt er auch als jüngstes Werkstattmitglied den Namen Grien, der Grüne. Baldungs unverwechselbares, naturfernes Kolorit enthebt aller Zuschreibungsprobleme. Sein Hauptwerk ist der 1512 bis 1516 entstandene Hochaltar des Freiburger Münsters. Verbindungen zu den Humanisten seiner Zeit, die ihn zu mythologischen und historischen Themen anregten, machen Baldung zu einem Repräsentanten des Renaissancezeitalters in Deutschland.

FEDERICO BAROCCI
(Urbino um 1526 – ebd. 1612)
Seite 201

Mit Federico Barocci erhebt sich das einstige Kunstzentrum Urbino ein letztes Mal über das provinzielle Niveau, in das es mit dem Weggang Raffaels zurückgesunken war. Baroccis Schaffen fällt in die Zeit des Spätmanierismus. Durch die Besinnung auf die Kunst der Hochrenaissance, insbesondere auf Correggio, überwindet Barocci den Manierismus und wird, wenn auch in anderer Weise als Caravaggio, zum Wegbereiter des Barock. Während die empfindsame Überzeichnung der Gestalten noch dem Manierismus angehört, geht Baroccis Kolorit neue Wege. Verschwimmende Konturen und ein pastellartiger Schimmer werten die Farbe gegenüber der Linie auf. Baroccis Einfluß läßt sich bis zu Rubens verfolgen.

JACOPO BASSANO
(eigentl. Da Ponte;
Bassano um 1517/18 – ebd. 1592)
Seite 20/21, 33, 34/35, 186

Bassano trägt den Namen seines Geburtsortes, dem er zeitlebens verbunden blieb. Trotzdem ist seine Kunst Teil der venezianischen Kunstszene. Tizian und Tintoretto sind seine Vorbilder. Obwohl Bassano dieselben anspruchsvollen Themen wie diese städtischen Meister gestaltete, überführte er das Geschehen in den ihm vertrauten Bereich des Landlebens. Landschaften, Tiere und Landvolk bezeugen seine Verbundenheit mit der

Francesco Bassano: Anbetung der Könige; Schloß Pommersfelden.

Heimat. Auf diese Weise wurde Bassano zum Begründer der Pastorale, der Landschaft mit bäuerlicher Staffage. Aus Bassanos Familienwerkstatt gingen als bedeutendste Schüler seine Söhne Leandro und Francesco hervor; sie setzten die reiche Werkstattproduktion in der Art ihres Vaters fort.

GIOVANNI BELLINI
(Venedig um 1430 – ebd. 1516)
Seite 40, 154/155, 182, 206

Mit der Tätigkeit der Brüder Giovanni und Gentile Bellini wird Venedig zum wichtigsten Zentrum der italienischen

Giovanni Bellini: Pietà;
Mailand, Pinacoteca di Brera.

Frührenaissance neben Florenz. Der ältere Gentile behielt seine spröde Formensprache. Giovanni hingegen entwikkelte unter dem Einfluß Antonello da Messinas einen malerischen Stil mit warmen Farben. Er steht damit am Beginn einer Entwicklung, die über Giorgione zu Tizian führt. Aber auch für Dürer wurde

die Kunst Bellinis zum folgenreichsten Erlebnis seiner Italienreise. Ein bevorzugter Bildtyp Bellinis ist die Sacra Conversazione, die Versammlung von Heiligen um eine thronende Madonna. In seinen Landschaftshintergründen entwickelte er eine neue, atmosphärische Sicht der Natur.

MEISTER BERTRAM VON MINDEN
(Minden/Westf.
um 1340 – Hamburg 1414/15)
Seite 23, 31

Der sogenannte Grabower Altar ist das bedeutendste Denkmal der hochgotischen Malerei in Norddeutschland. Er entstand für die St. Petri-Kirche in Hamburg. 1734 wurde er nach Grabow verkauft und 1903 für die Hamburger Kunsthalle zurückerworben. Als sein Schöpfer wurde Meister Bertram identifiziert, dem seitdem auch andere Altarwerke zugeschrieben werden konnten. Meister Bertrams Kunst ist der nördlichste Ausläufer des von Giotto herbeigeführten Stilwandels. Ihm verdankt Meister Bertram die Plastizität der Figuren und die architektonische Tiefenräumlichkeit. Wahrscheinlich wurden ihm diese Kenntnisse in Böhmen vermittelt, wo unter Karl IV. eine italienisch orientierte Schule entstanden war.

WILLIAM BLAKE
(London 1757 – ebd. 1827)
Seite 13, 15, 17, 27

Innerhalb seiner Zeit ist Blake eine einzigartige Erscheinung. Nach akademischen Maßstäben ist seine Zeichnung unvollkommen. Blake verwarf das Modellstudium und schuf allein aus der

Hans Baldung, genannt Grien: Selbstbildnis; Basel, Kupferstichkabinett.

Imagination. Dabei bediente er sich der exzentrischen Liniensprache Johann Heinrich Füsslis, mit dem er befreundet war. Eine rein formale Betrachtung als Vorläufer des Jugendstils und des Expressionismus wird Blake nicht gerecht. Seine Kunst will Inhalte vermitteln. Aus mystischen, manichäischen und theosophischen Elementen schuf er sich ein Weltbild, dem er als Künstler, aber auch als Dichter Ausdruck verlieh. Blake bediente sich dazu der druckgraphischen Illustration; oft erscheinen Wort und Bild in wechselseitiger Durchdringung.

LEON BONNAT
(Bayonne 1833 – Monchy-Saint-Eloi, Oise, 1922)
Seite 89, 116

Ribera und Caravaggio sind die Vorbilder Bonnats, die ihm durch seinen Lehrer, den Spanier Federico Madrazo, vermittelt wurden. Ein dreijähriger Aufenthalt in Italien 1858–60 festigte diese Gesinnung auf Dauer. Sie stellte ihn in scharfen Gegensatz zu den Impressionisten. Bonnats Malweise kann als „stilisierter Naturalismus" bezeichnet werden. Muskulatur und Knochenbau sind plastisch herausgearbeitet, werden aber durch die Lichtführung gleichsam verklärt. Diese beiden Stilelemente machten Bonnat zum Porträtmaler geeignet. Fast alle Berühmtheiten seiner Zeit und alle Präsidenten der Dritten Republik wurden von ihm porträtiert. Seine historischen Themen entnahm Bonnat der Bibel und der Heiligenlegende. Im Pantheon in Paris führte er das „Martyrium des Heiligen Dionys" in Fresko aus. Das Museum seiner Heimatstadt Bayonne, eines der bedeutenden französischen Provinzmuseen, trägt den Namen des heute wenig bekannten Künstlers.

Hieronymus Bosch:
Das Heuwagen-Triptychon; Madrid, Prado.

Dirk Bouts d. Ä.: Das Gastmahl im Hause Simon; Berlin-Dahlem, Gemäldegalerie.

HIERONYMUS BOSCH
(s'Hertogenbosch um 1450 – ebd. 1516)
Seite 190, 221, 269

Aus heutiger Sicht erscheint Bosch als Vorläufer des Surrealismus. Abseits der Kunstzentren entwickelte Bosch in s'Hertogenbosch eine verschlüsselte Bildsprache. Mit unerschöpflichem Einfallsreichtum schildert er eine närrische, verkehrte Welt voller Monstrositäten. Besonders in Versuchungen und Höllenstrafen entfaltet sich seine Phantasie. Selbst in religiösen Darstellungen verwischt Bosch die Grenze zwischen Andachts- und Spottbild. Sein bekanntestes, zugleich rätselhaftestes Werk ist der „Garten der Lüste". Manche Symbole deuten auf eine Berührung mit der vorreformatorischen Sekte der Hieronymianer. Möglicherweise liegt Boschs Bildern ein heute verschüttetes Geheimwissen zugrunde.

SANDRO BOTTICELLI
(eigentl. Alessandro Filipepi; Florenz 1445 – ebd. 1510)
Seite 128

Botticelli verkörpert am reinsten den Geist, der am mediceischen Musenhof und der platonischen Akademie in Florenz herrschte. Nur vor diesem Hintergrund erklären sich so komplizierte mythologische Bilder wie die „Geburt der Venus". Ursprünglich war Botticelli Goldschmied. Als Maler entwickelte er einen poetischen, schönlinigen Stil. Die leise Schwermut seiner Gestalten wirkt wie eine Ahnung des baldigen Endes dieser Kunstblüte. Tatsächlich führten Savonarolas Bußpredigten, die Florenz erschütterten, auch zu einem inneren Wandel Botticellis. Er verbrannte seine „heidnischen" Bilder und wandte sich ausschließlich religiösen Themen zu, wobei sich sein Stil verdüsterte.

DIRK BOUTS
(Haarlem um 1410 – Löwen 1475)
Seite 4, 79

Bouts gehört wie Memling zu den Nachfolgern des Rogier van der Weyden. Allerdings mildert er dessen expressive Formensprache, indem er zu der ruhigeren Auffassung der Gebrüder van Eyck zurückkehrt. Seine Gestalten agieren auch bei dramatischen Anlässen mit feierlicher Ruhe. Mit seiner eingehenden Naturbeobachtung, seiner Feinmalerei und der satten Farbwirkung wurde Bouts zum Vorläufer der niederländischen Landschafts- und Stillebenmaler des 17. Jahrhunderts. Sein Hauptwerk, die „Perle von Brabant", wurde vorübergehend für Bouts den Jüngeren in Anspruch genommen. Die neuere Forschung ist jedoch zu der alten Zuschreibung zurückgekehrt.

JÖRG BREU
(Augsburg um 1475/76 – ebd. 1537)
Seite 88, 217

Breu wird der Donauschule zugerechnet, doch ist er als Künstler durchaus selbständig. Unverwechselbar ist die harte Fügung seiner Kompositionen voller Pathos und Kraft. Ein gutes Beispiel für die gewaltsame Rhythmisierung der Bewegungen ist die „Dornenkrönung". Sie ist Teil des 1502 vollendeten Hochaltars für das Benediktinerstift in Melk. Mit diesem Werk hatte Breu den Gipfel seines Schaffens erreicht. In einer absinkenden Kurve wurde Breu zu seinem eigenen manieristischen Nachahmer. Auch eine 1514/15 unternommene Italienreise vermochte keine neuen Impulse zu geben. Als Anhänger der Reformation bejahte Breu den Bildersturm, dem auch eigene Werke zum Opfer fielen. Auch Botticelli hatte unter dem Eindruck Savonarolas eigene Bilder verbrannt.

272

FORD MADOX BROWN

(Calais 1821 – London 1893)
Seite 63, 205

Brown ist ein Bindeglied zwischen den deutschen Nazarenern, die er 1845 in Rom kennenlernte, und den englischen Präraffaeliten. Obwohl er nicht Mitglied ihrer Brüderschaft wurde, regte er die präraffaelitische Bewegung an. Mit sozialkritischen Themen nimmt er aber auch Anteil an den Entwicklungen des Industriezeitalters. An seinem ehrgeizigsten Projekt, einer Darstellung des Arbeitslebens, arbeitete Brown dreizehn Jahre, so daß es seinen Titel „Arbeit" in doppeltem Sinn verdient. Browns Bilder sind aus einer Vielzahl von Details zusammengesetzt, die er in Einzelstudien vorbereitete. Sie wirken oft überladen und erzeugen das Gefühl von Raumnot.

JAN BRUEGEL DER ÄLTERE

(Brüssel 1568 – Antwerpen 1625)
Seite 45, 124

Zwei Söhne Pieter Bruegels des Älteren, Jan und Pieter, wurden gleichfalls Maler. Zur Unterscheidung von den übrigen Mitgliedern der Malerfamilie wird Jan auch als Samt- oder Blumenbruegel bezeichnet. Er spezialisierte sich auf weite Überblickslandschaften mit unabsehbaren Menschenmengen und auf Blumenstilleben. Die außerordentliche Feinheit der Malerei und der Farbenglanz machten Bruegels Bilder zu begehrten Sammlerstücken. Gemeinsam mit Rubens schuf Bruegel eine Reihe von Werken, wobei Rubens die Figuren und Bruegel die Landschaften malte. Auch Jans Sohn, Jan Bruegel der Jüngere, setzte die Malertradition in der Familie fort.

PIETER BRUEGEL DER ÄLTERE

(Breda (?) um 1525 – Brüssel 1569)
Seite 42/43, 142/143, 146, 195

Stammvater der Malerfamilie ist Pieter Bruegel der Ältere. Sein Beiname Bauernbruegel bezeichnet seine Vorliebe für Szenen aus dem bäuerlichen Alltag. Bruegel begann als Nachahmer Hieronymus Boschs. Von ihm übernimmt er die figurenreiche, bilderbogenartige Szenerie vor einem hohen Horizont. Stärker als bei Bosch treten die satirischen Züge hervor. Auch seine Bauerndarstellungen sind kein beschauliches Genre; sie enthalten Sprichwörter und gelehrte Anspielungen, mit denen sich Bosch an ein gelehrtes, städtisches Publikum wandte. Ein Italienaufenthalt wird erkennbar in Bruegels Gebirgslandschaften und seinen Architekturdarstellungen (Abb. S. 274).

Jan Bruegel d. Ä.: Blumen in blauer Vase; Wien, Kunsthistorisches Museum.

MICHELANGELO MERISI DA CARAVAGGIO

(Caravaggio 1573 – Porto Ercole 1610)
Seite 171, 179, 236, 238, 249

Caravaggios stilbildende Wirkung ist nur mit Giotto und Michelangelo zu vergleichen. Mit seinem Realismus, der Beschränkung auf wenige große Formen

Sandro Botticelli: Christi Geburt; London, National Gallery.

Michelangelo Merisi da Caravaggio: Lautenspieler; Leningrad, Eremitage.

273

Pieter Bruegel d. Ä.: Bauerntanz; Wien, Kunsthistorisches Museum.

und einer dramatischen Lichtregie setzt er sich ab gegen den Manierismus seines Lehrers Cavalier d'Arpino und den Idealismus der Carracci. Damit wird er zu einem Mitbegründer des Barock. In Italien, Frankreich und den Niederlanden bildeten Caravaggisten lokale Schulen. Der Einfluß reicht bis zu Rembrandt. Auch als Mensch war Caravaggio eine ungewöhnliche Erscheinung. Wegen eines Totschlags mußte er Rom verlassen. Seine Flucht führte ihn nach Neapel, Malta und Sizilien, wo er Werke von vertiefter Religiosität schuf. Auf dem Rückweg nach Rom starb Caravaggio einsam am Strand von Porto Ercole.

GIOVANNI BENEDETTO CASTIGLIONE
(Genua 1610 – Mantua 1665)
Seite 200

Genua stand im Schatten der größeren Kunstzentren Venedig, Florenz, Rom und Neapel. Gleichwohl gab es auch hier eine reiche Kunstproduktion. Castiglione ist der bedeutendste Barockmaler Genuas, der auch über die Grenzen der Stadt hinaus seine Tätigkeit entfaltete. Zeitweise arbeitete er in Venedig und Rom; 1639 wurde er Hofmaler in Mantua. Seine Beliebtheit verdankt er der dekorativen Wirkung seiner Bilder, die einen Detailnaturalismus mit eleganter Formauffassung und bewegter Komposition verbinden. Castiglione schuf biblische und mythologische Gemälde, Stilleben, Landschaften und Porträts. Wo es ihm möglich war, bezog er Tiere in die Darstellung ein. Castiglione schuf auch ein umfangreiches graphisches Œuvre. Er gehört zu den wenigen italienischen Künstlern, die sich in der Verteilung des Helldunkels an einem niederländischen Vorbild, den Radierungen Rembrandts, orientieren.

THOMAS COLE
(Bolton-le-Moors, England, 1801 – Catskill, New York, 1848)
Seite 22/23

Die amerikanische Landschaftsmalerei des 19. Jahrhunderts wurde beherrscht von der „Hudson River School". Thomas Cole gehört zu ihren Gründern. Als Kind amerikanischer Eltern wurde er in England geboren. Siebzehnjährig ging er nach Amerika, von wo aus er wiederum ausgedehnte Europareisen unternahm. Seine heroischen Landschaften setzen die Tradition Poussins, Lorrains und Ruisdaels fort. Von den Zeitgenossen steht ihm John Martin am nächsten. Das romantische Element äußert sich bei Cole in komplizierten religiösen und philosophischen Inhalten. Die gedankliche Befrachtung ist sein europäisches Erbe; die Motive fand er jedoch in der unberührten Natur Nordamerikas. Besonders geschätzt sind heute seine kleinformatigen Landschaftsstudien aus der Umgebung des Hudson River.

SAMUEL COLMAN
(tätig 1816–1840)
Seite 78/79

Über den Künstler ist nur bekannt, daß er eine Zeitlang in Bristol arbeitete. Sein Gemälde „Der Durchzug durch das Rote Meer" verrät ihn als unselbständigen Nachahmer John Martins. Eine unbekannte Hand versah das Gemälde, wahrscheinlich wegen der besseren Verkäuflichkeit, mit der Signatur Martins.

FERNAND CORMON
(Paris 1845 – ebd. 1924)
Seite 28/29

Seine Ausbildung erhielt Cormon in Paris und Brüssel durch zwei Hauptvertreter der Historienmalerei, Alexandre Cabanel und Jean-François Portaels. 1868 debütierte er im Salon mit einem „Tod Mohammeds". Cormon bearbeitete ausschließlich historische Szenen von der Urzeit bis zum Mittelalter. Ein thematischer Schwerpunkt sind Darstellungen der Steinzeit. Im Naturhistorischen Museum in Paris schuf er zehn Wandgemälde und einen Plafond mit urzeitlichen Tieren, der Entstehung des Menschen und Herausbildung der Menschenrassen. Auch seine „Flucht Kains" gehört in diesen Themenkreis. Cormon legte seinen Arbeiten umfangreiche historische, beziehungsweise prähistorische Studien zugrunde. Die Darstellung wirkt dadurch wissenschaftlich lehrhaft und könnte als Illustration eines populärwissenschaftlichen Werkes dienen. Dennoch ist sie nicht ohne künstlerische Qualität. Durch dramatische Gestaltung erweckt Cormon Vergangenheit zu neuem Leben.

Samuel Colman: St. Jakobs-Jahrmarkt (St. James Fair); Bristol, Museum and Art Gallery.

JEAN-BAPTISTE-CAMILLE COROT
(Paris 1796 – ebd. 1875)
Seite 50

Erst mit 26 Jahren konnte Corot seinem Vater die Erlaubnis abringen, sich der Malerei zu widmen. Seine Motive suchte er in Italien, in der Provence und im Wald von Fontainebleau, wo sich mit der Schule von Barbizon ein neuer Landschaftstyp, die "paysage intime", herausgebildet hatte. In scheinbar zufälligen Landschaftsausschnitten wurde unmittelbar nach der Natur gemalt. Corot wagte jedoch nicht, seine Landschaftsstudien öffentlich auszustellen. Mit "offiziellen" Landschaften, basierend auf diesen Studien, aber mit historischer, biblischer und mythologischer Staffage angereichert, versuchte er bei der Kunstkritik Anerkennung zu finden. Erst allmählich wurden auch seine vorbereitenden Studien wie der „Teich mit sich neigendem Baum" bekannt. Durch sie gilt Corot heute als der bedeutendste Landschaftsmaler Frankreichs im 19. Jahrhundert. Seine Malweise nimmt Tendenzen des Impressionismus vorweg.

FRANCESCO COZZA
(Stilo 1605 – Rom 1682)
Seite 52/53

Die Kunstblüte Roms im 17. Jahrhundert lebte von dem Zustrom von außen. Caravaggio kam aus Norditalien, die Gebrüder Carracci aus Bologna. Der Kalabrese Francesco Cozza bereichert die Kunstszene um das süditalienische Element. Cozza lernte bei Domenichino. Als der Meister starb, fiel Cozza die Aufgabe zu, dessen hinterlassene Werke zu vollenden. Er wurde Mitglied der Accademia di San Luca und bekleidete mehrere Ämter. 1670 erhielt er den ehrenvollen Auftrag, an der Decke des neuen Akademiesaales eine Allegorie der Roma und Fama zu malen. Die reiche Bautätigkeit in Rom hatte umfangreiche Dekorationsaufträge zur Folge. Fresken und Altarbilder boten auch Cozza ein weites Arbeitsfeld. Abnehmer seiner Tafelbilder waren die reichen adligen Familien wie die Sparapani und die Colonna. Der Tod seiner Frau nach dreißigjähriger Ehe erschütterte Cozza tief; im Alter war er geistesgestört. Cozza kann als Beispiel für das erstaunliche Niveau eines Künstlers auch zweiter Güte in Rom gelten.

LUCAS CRANACH DER ÄLTERE
(Kronach 1472 – Weimar 1553)
Seite 18, 19, 76/77, 131

Cranach entstammt dem fränkisch-bayrischen Bereich. Auf Reisen in Süddeutschland und einem mehrjährigen Aufenthalt in Wien wurde er zum wichtigsten Anreger der Donauschule. 1505 ließ er sich am Hof Friedrichs des Weisen in Wittenberg im Zentrum der Reformation nieder. Mit Luther und Melanchthon war Cranach eng befreundet. Er stellte

sich in den Dienst der Reformatoren, indem er ihre Schriften und die Bibelübersetzung mit Holzschnitten illustrierte. Unsere Vorstellung von Luther als „Junker Jörg" und Wittenberger Reformator verdanken wir ausschließlich den von Cranach geschaffenen Porträts. Seine Tätigkeit in Sachsen begründete eine Schule, die vor allem in den Norden und Osten Deutschlands ausstrahlte. Der „Cranachstil" eignete sich zur schablonenhaften Wiederholung durch einen großen Werkstattbetrieb. Von Cranachs „Lucretia" sind allein 31 Varianten überliefert.

CARLO CRIVELLI
(Venedig um 1430/35 –
Ascoli Piceno 1500)
Seite 141

Obwohl sich Crivellis Tätigkeit vorwiegend in den Marken abspielte, ist er der Hauptvertreter der sogenannten Schule von Murano. Venezianische und paduanische Einflüsse verschmelzen bei ihm zu einem Stil von herber Plastizität, der in der Intensität des Ausdrucks an den Bildhauer Donatello gemahnt. Crivelli schuf ausschließlich Heiligenbilder. Auch seine einzige biblische Historie, die „Verkündigung", ist ein verstecktes Bild des heiligen Emygdius. Crivelli selbst war kein Heiliger. In Venedig hatte er sich 1457 der Entführung einer verheirateten Frau schuldig gemacht. Nach einer Haftstrafe zog er es vor, sein Wirkungsfeld außerhalb Venedigs, zunächst in Dalmatien und schließlich in Ascoli Piceno, zu suchen.

BENJAMIN GERRITSZ CUYP
(Dordrecht 1612 – ebd. 1652)
Seite 233

Der Maler ist Mitglied einer Künstlerfamilie. Er war Sohn des Gerrit, Bruder des

Lucas Cranach d. Ä.: Selbstbildnis; Florenz, Galleria degli Uffizi.

Gerard David: Madonna mit der Milchsuppe; Brüssel, Musées Royaux des Beaux-Arts.

Jacob und Neffe des Aelbert Cuyp. Eine große Anzahl von Werken, Landschaften, Bauernszenen, biblischen Darstellungen und Schlachten, spiegelt Cuyps ungewöhnliche Vielseitigkeit. Die schnelle Arbeitsweise verrät sich auch durch die geistvolle Flüchtigkeit der Technik. Der warme Ton und die kräftigen Lichteffekte weisen auf eine oberflächliche Beeinflussung durch Rembrandt hin.

FRANCIS DANBY
(Killnick 1793 – Exmouth 1861)
Seite 258/259

Wie William Turner und John Martin vertritt Danby die englische romantische Landschaftsmalerei. Die Grundlage auch seines Schaffens sind Landschaftsstudien, die er in England und auf Reisen schuf. Mit ihnen verdiente er seinen Lebensunterhalt. Als Romantiker zielte sein Anspruch jedoch über die bloße Naturwiedergabe hinaus. In großartigen Panoramen steigert er sich zu einer pathetischen Landschaftsauffassung. In der visionären Sicht der Naturphänomene berührt er sich mit der Apokalypse. Tatsächlich hat Danby mehrfach apokalyptische Themen bearbeitet. Anders als bei Turner bleibt die Malweise jedoch konventionell. Die Royal Academy versuchte in Danby einen Gegenspieler zu John Martin aufzubauen, der in der rivalisierenden Ausstellungshalle, der British Institution, große Erfolge beim Publikum hatte.

GERARD DAVID
(Oudewater bei Gouda um 1460 –
Brügge 1523)
Seite 152

David steht am Ende der großen Tradition altniederländischer Malerei. Von der Spätgotik blieb er unberührt. Statt dessen faßt er noch einmal die Errungenschaften der großen Meister Jan van Eyck, Rogier van der Weyden und Hugo van der Goes zusammen. Eine gewisse Ermüdung zeigt sich in der Ausdrucksarmut Davids. Er verzichtet auf heftige Bewegung. Die Figuren agieren mit feierlichem Ernst und niedergeschlagenen Augen. Nur ausnahmsweise, als Auftragswerk, gestaltete er auch profane Themen. Im übrigen ist seine Kunst religiös, im engsten Sinne kirchlich. Madonnen, Heilige und biblische Szenen vermitteln das Gefühl innerer Sammlung und andächtiger Stille. Um ihre Wirkung zu entfalten, bedürfen sie des Ortes, für den sie geschaffen wurden, des Kirchenraumes.

EUGENE DELACROIX
(St.-Maurice bei Charenton 1798 – Paris 1863)
Seite 246

Zwei sich bekämpfende Richtungen, Klassizismus und Romantik, stehen sich in der französischen Kunst des 19. Jahrhunderts gegenüber. Ingres vertritt die erste, Delacroix die zweite Partei. Das Romantische äußert sich bei Delacroix in der Auflösung und dramatischen Übersteigerung der Form und in der Themenwahl. Er schöpft aus Shakespeare, Dante, Byron und Goethe. Auch die Bibel gehört zu seinem thematischen Spektrum. Meist gab dazu ein kirchlicher Auftrag, wie für die Kirche St. Sulpice in Paris, den äußeren Anlaß. Delacroix war auch publizistisch tätig. Als sein natürlicher Vater wird der französische Staatsmann Talleyrand vermutet.

Eugène Delacroix: Selbstbildnis; Paris, Musée du Louvre.

FREDERICK DILLON
(London 1823 – ebd. 1900)
Seite 70/71

Abgesehen von weiten Reisen, die ihn bis nach Japan führten, verbrachte Dillon sein Leben in London. Er war Schüler der

Otto Dix: Die Eltern des Künstlers; Hannover, Niedersächsisches Landesmuseum.

Royal Academy unter James Holland und beschickte bis kurz vor seinem Tode regelmäßig die Jahresausstellungen. 1878 war er auch auf der Weltausstellung in Paris vertreten. Bekannt wurde Dillon durch seine topographischen Ansichten, die er als Ertrag seiner Reisen in Spanien, Italien, Ägypten und Japan mitbrachte. Sie schildern nicht nur Städte und Landschaften, sondern geben auch Einblick in das Volksleben dieser Länder. Nur gelegentlich versucht Dillon, mit historischer Staffage seine Ansichten in die höhere Klasse des Historienbildes zu überführen. Da sich die Kunstkritik vorzugsweise mit Historienbildern befaßte, strebte Dillon mit diesen Bildern auch nach offizieller Anerkennung. Das Publikum hingegen schätzte eher die Landschaften. Der reisefreudigen englischen Nation dienten sie als Reiseerinnerungen oder als Ersatz für Reisen.

OTTO DIX
(Gera-Untermhaus 1891 – Singen 1969)
Seite 49

Mit seinen schonungslosen Darstellungen des Großstadtlebens gehört Dix zu den wichtigsten Vertretern des kritischen Realismus. Auch in seinen Porträts wie „Die Eltern des Künstlers" zeigt sich eine ungeschminkte Naturwahrheit. Während der NS-Diktatur wurde Dix als „entarteter Künstler" seiner Ämter enthoben. In der inneren Emigration wandte er sich verstärkt religiöser Thematik zu, um das Erlebnis des Krieges zu verarbeiten. For-

mal lehnte er sich dabei an den altdeutschen Stil der Donauschule an. Sein Gemälde „Lot und seine Töchter" entstand in dieser Zeit.

GERRIT DOU
(Leiden 1613 – ebd. 1675)
Seite 95

1628 trat Dou als erster Schüler in die Werkstatt des jungen Rembrandt ein. Während der Meister sich weiter entwickelte, blieb Dou ein Leben lang auf der einmal vorgefundenen Stilstufe stehen. Mit feinster Detailmalerei gibt er die stofflichen Reize unterschiedlicher Oberflächen wie Haut, Samt und Metall fast greifbar wieder. Sein Ehrgeiz beschränkt sich auf die handwerklich perfekte Ausführung. Er bevorzugt das Genre, Einzelfiguren aus dem Alltagsleben wie Küchenmägde, Marktschreier und Zahnärzte. Oft blicken seine Figuren aus Fenstern heraus, so daß die Gemälde wie eine Augentäuschung, als Öffnung der Wand, wirken.

DUCCIO DI BUONINSEGNA
(wahrscheinlich Siena um 1255 – ebd. 1319)
Seite 162, 199

Duccios Bedeutung für die Entwicklung der Kunst liegt in der Erneuerung der byzantinischen Tradition, die er in eine gotische Liniensprache überführt. Sein Hauptwerk ist die „Maestà" für den Dom in Siena. Die byzantinische Starre ist hier

Duccio di Buoninsegna: Madonna mit Kind;
Standort unbekannt.

einer gelösteren, verinnerlichten Haltung gewichen. Durch die weich fallenden Gewänder hindurch werden die Körper erkennbar. In der „Madonna mit Kind" ist menschliches Empfinden zart angedeutet. Die Predellentafeln mit Szenen aus dem Marienleben und dem Leben Christi sind heute über mehrere Museen verstreut. Vasari rechnete Duccio mit Cimabue und Giotto zu den Stammvätern der italienischen Kunst, aus denen in direkter Linie die Kunst der Renaissance hervorgehen sollte. Im engeren Sinne ist Duccio das Haupt der sienesischen Schule, die im 14. Jahrhundert neben Padua und Assisi ein eigenes Kunstzentrum bildete. Ugolino di Neri und Segna di Bonaventura sind seine unmittelbaren Nachahmer.

ALBRECHT DÜRER
(Nürnberg 1471 – ebd. 1528)
Seite 44, 117, 158, 229

Aus der Enge des kleinbürgerlichen Goldschmiedehandwerks, das er bei seinem Vater erlernte, entwickelte sich Dürer zu einem Künstler von Weltgeltung. Er repräsentiert durch seine Persönlichkeit und sein künstlerisches Schaffen die deutsche Renaissance. Nicht zu Unrecht wird die deutsche Kunst seiner Zeit unter dem Begriff „Dürerzeit" zusammengefaßt. Seine Nürnberger Lehrmeister Michael Wolgemut und Hans Pleydenwurff vermittelten ihm die handwerklichen Grundlagen. Auf Reisen an den Oberrhein, nach Italien und den Niederlanden erweiterte er seinen Horizont. Dürers künstlerische Leistung ist, die Formensprache der italienischen Renaissance in die deutsche Kunst integriert zu

haben. Dabei schwankt er zwischen Spätgotik und italienischer Klassizität. Die „Vier Apostel" sind sein reifstes Werk, in dem er die ruhige Ausgeglichenheit und Menschenwürde der Hochrenaissance erreicht. Seinem vergleichsweise schmalen malerischen Œuvre steht eine umfangreiche graphische Produktion gegenüber. In Holzschnittfolgen bearbeitete er die Passion, das Marienleben und die Apokalypse. Seine Meisterkupferstiche sind „Ritter, Tod und Teufel", „Der Heilige Hieronymus im Gehäus" und die „Melancholie". Ihnen verdankt Dürer seine Bekanntheit und europäische Wirkung. Aber auch als Mensch ist Dürer von Bedeutung. Er reflektierte die theoretischen Grundlagen der Kunst und veröffentlichte eine Reihe von Schriften. Mit dem Humanisten Willibald Pirckheimer verband ihn enge Freundschaft, und auch mit Luther, Melanchthon und Erasmus von Rotterdam unterhielt er Beziehungen. Das neue Selbstverständnis des Künstlers als humanistisch gebildete Persönlichkeit kommt in seinem christusähnlichen Selbstbildnis zum Ausdruck.

Albrecht Dürer: Selbstbildnis;
München, Alte Pinakothek.

GASPARD DUGHET
(Rom 1615 – ebd. 1675)
Seite 122/123

Dughet war der Sohn eines in Rom beschäftigten, französischen Kochs. Er lernte bei dem gleichfalls in Rom ansässigen, französischen Landschaftsmaler Nicolas Poussin, der später sein Schwager wurde. Da Dughet sich daraufhin gleichfalls Poussin nannte, verzeichnen ihn manche Lexika unter „Poussin"; in Frankreich wird er zur Unterscheidung „Le Guaspre" genannt. Als leidenschaftlicher Jäger sah Dughet die Natur mit anderen Augen als der klassizistisch ruhige Poussin. Landschaft ist für Dughet immer

Schauplatz erregten Geschehens. Bäume, Wolken, selbst die Berge geraten in Bewegung. Während Poussins Landschaften Versenkung erfordern, ziehen Dughets Bilder von selbst den Blick auf sich. Die unterschiedliche mythologische, historische oder biblische Staffage ist ohne Belang für die Gestaltung der Landschaft. Auch in Freskotechnik führte Dughet Landschaften aus, so die Wandbilder in der Kirche S. Martino ai Monti in Rom.

WILLIAM DYCE
(Aberdeen 1806 –
Streatham, Surrey, 1864)
Seite 60, 103

Dyce schuf seine Kunst auf der Grundlage theoretischer Überlegungen. Er reflektierte die Probleme industrieller Formgestaltung und entwickelte Gedanken zu einer Reform des Kunstschulwesens. Am King's College war er Professor für Kunsttheorie. Einen Förderer fand Dyce in Prinzgemahl Albert. Er erhielt Aufträge zu Fresken im Parlamentsge-

Anthonis van Dyck: Selbstbildnis;
Wien, Akademie der Bildenden Künste.

bäude, im königlichen Palast in Osborne und in der Allerheiligenkirche in der Margaret Street in London. Vor allem in seinen Tafelbildern nimmt Dyce Tendenzen der Präraffaeliten vorweg.

ANTHONIS VAN DYCK
(Antwerpen 1599 – London 1641)
Seite 208, 216

Van Dyck arbeitete zunächst in der Werkstatt von Rubens, der ihn als seinen besten Schüler bezeichnete. Das Porträt, das im Schaffen des Meisters nur einen kleinen Raum einnahm, wurde van Dycks fast ausschließliches Medium.

Schon in Genua, wo er sich 1621 aufhielt, wurde er auf die Rolle des Porträtmalers der vornehmen Gesellschaft festgelegt. Von 1632 bis zu seinem vorzeitigen Tod lebte van Dyck in London, das er nur für kurze Reisen verließ. Er wurde der umworbene Porträtmaler der Familie Karls I. und der Hofgesellschaft. Sein Erfolg beruhte auf einer empfindsamen Vornehmheit und Eleganz, die er allen seinen Modellen zu verleihen wußte. Van Dyck schuf damit einen Porträttypus, der für die europäische Bildnismalerei bis ins 19. Jahrhundert verpflichtend blieb. Auch in seinen mythologischen und religiösen Darstellungen verfeinerte er den kraftvollen Stil des Meisters. Die Figuren sind schlanker, ihre Bewegungen nervöser. Vorzugsweise wählte van Dyck Schilderungen des Duldens und Meditierens. Seine Überlastung als Porträtmaler hinderte ihn jedoch, auf diesem Gebiet, auf dem sein eigentlicher Ehrgeiz lag, eine größere Tätigkeit zu entfalten.

ADAM ELSHEIMER
(Frankfurt am Main 1578 – Rom 1610)
Seite 125, 149

Dem schmalen Œuvre des bescheiden und zurückgezogen lebenden Künstlers ist nicht anzusehen, welche weitreichende Wirkung es auf seine Zeitgenossen entfaltete. Die großen Meister Rubens, Rembrandt und Claude Lorrain ließen sich von Elsheimer anregen. Trotzdem fehlte der äußere Erfolg. In Not und Schwermut starb Elsheimer mit 32 Jahren in Rom. Elsheimers Kunst wurzelt in der altdeutschen Malerei, die ihm sein Frankfurter Lehrer Philipp Uffenbach vermittelte. Auf seinem Weg über München und Venedig nach Rom, wo er 1598 eintraf, vollzog Elsheimer die Wendung zum Barock, jedoch in einer schlichten, verinnerlichten Form.

HUBERT VAN EYCK
(Maaseyck um 1370 – Gent 1426)
Seite 140, 260/261

Eine Inschrift des Genter Altars bezeichnet Hubert van Eyck nicht nur als den ersten Schöpfer des Werkes, sondern überhaupt als größten Künstler aller Zeiten. Demnach hätte Hubert den Altar begonnen und sein jüngerer Bruder Jan ihn zu Ende geführt. Die Ausgrenzung von Huberts Anteil aus dem Gesamtwerk hat sich als schwierig erwiesen. Zuschreibungen wie die „Verkündigung" bleiben deshalb hypothetisch.

JAN VAN EYCK
(Maaseyck um 1390 – Brügge 1441)
Seite 260/261

Jans Laufbahn als Maler beginnt mit dem Genter Altar, den sein Bruder Hubert unvollendet hinterlassen hatte. Er wurde 1432 zum Abschluß gebracht. Im Mittelpunkt steht die Anbetung des Lammes,

darüber in separaten Bildfeldern Gottvater, Maria, Johannes der Täufer, zwei Engelskonzerte und Adam und Eva. Im geschlossenen Zustand zeigen die Rückseiten der Außenflügel zwei Stifterporträts und eine Verkündigung. Das eucharistische Gesamtprogramm ist zwar mittelalterlich-spirituell. In der künstlerischen Behandlung aber äußert sich eine neue Sicht der Wirklichkeit. Mit fast wissenschaftlicher Präzision sind die Einzelheiten nachgebildet. In Stilleben, Lichtspiegelungen, tonigen Schatten und Landschaftsaussichten erzielt der Maler illusionistische Wirkungen. Ohne die mathematischen Grundlagen der Zentralperspektive zu beherrschen, gelingt van Eyck die Erzeugung einer Tiefenräumlichkeit durch eine bloße Erfahrungsperspektive. Die Gestalten Adams und Evas sind die ersten, wirklich beobachteten Akte, die beiden Stifterporträts die ersten naturwahren Porträts der neueren Kunst. An den Genter Altar schließt sich eine Reihe zum Teil signierter und datierter Werke an. Für verschiedene Auftraggeber schuf Jan van Eyck Porträts und Madonnenbilder. Wahrscheinlich war er auch der Miniaturist des sogenannten Turin-Mailänder Stundenbuchs. Zwar sind die Gebrüder van Eyck nicht die Erfinder der Ölmalerei, als die sie lange Zeit galten. Ihrer kunsthistorischen Bedeutung nach, als Begründer der altniederländischen Tafelmalerei, stehen sie jedoch in der ersten Reihe der europäischen Künstler.

Jan van Eyck: Madonna von Lucca;
Frankfurt, Städel.

DOMENICO FETTI
(Rom 1589 – Venedig 1623)
Seite 72

Fettis Laufbahn führt von Rom über Mantua nach Venedig. Vor allem durch seine malerische Technik wurde er zum Vorbild der nachfolgenden Künstlergenera-

Domenico Fetti:
Gleichnis vom Gastmahl ohne Gäste;
Dresden, Staatliche Kunstsammlung.

tion. Er entwickelte die Form aus der pastosen Konsistenz der Ölfarbe und aus der Pinselführung; mitunter wirken seine Gewänder dadurch teigig. Obwohl er in Venedig nur die letzten 18 Monate seines Lebens verbracht hatte, zeigt sich sein Einfluß in der venezianischen Kunst des 17. Jahrhunderts, insbesondere bei Bernardo Strozzi und Johann Liss. Mit Recht wird Fetti deshalb der venezianischen Schule zugerechnet.

GOVAERT FLINCK
(Kleve 1615 – Amsterdam 1660)
Seite 56/57, 144

Flinck ging aus Rembrandts Werkstatt hervor. Die Ausdrucksweise, die er hier vorgefunden hatte, Rembrandts Stil der 1630er Jahre, behielt er zeitlebens bei. Für sich betrachtet sind Flincks Werke von reifer Menschlichkeit; sie wären allerdings undenkbar ohne das Vorbild des Meisters. Mit seiner prunkvolleren Farbigkeit zog Flinck einen Großauftrag zur Ausschmückung des Amsterdamer Rathauses an sich, wie er Rembrandt nie zuteil wurde. Allerdings verhinderte Flincks Tod die Ausführung. Ein großer, heute in Chatsworth befindlicher Komplex von Rembrandtzeichnungen ist gleichfalls mit dem Namen Flincks verbunden; die Zeichnungen fanden sich in der Kunstsammlung, die Flinck seinem Sohn hinterließ.

JEAN LOUIS FORAIN
(Reims 1852 – Paris 1931)
Seite 194/195

Die Begegnung mit den Radierungen Goyas wurde 1869 für Forain zum Schlüsselerlebnis. Er brach mit der akademi-

Jean Louis Forain: Opernball; Privatbesitz.

schen Tradition. Seine Modelle suchte er fortan nicht mehr im Akademiesaal und in den Werken der Meister, sondern im Großstadtleben. Die Pariser Halbwelt, die Börse, das Theater, das Gericht, aber auch Zeitereignisse wie der Panamaskandal fanden ihren Niederschlag in Forains Kunst. Sein bevorzugtes Medium, das ihm Breitenwirkung sicherte, wurde die Lithographie. Er belieferte zahlreiche Zeitschriften wie den „Figaro" und den „Monde parisien". Seine besten Illustrationen brachte er in geschlossenen Serien heraus. Auch Plakate hat Forain gestaltet. Daneben beschickte er regelmäßig Ausstellungen mit Gemälden. Trotz seiner Tätigkeit als Pressezeichner verstand sich Forain als Künstler. Mit gleichem Gefühl für Satire wie für Tragik greift er Situationen heraus, in denen ein Individuum im Konflikt mit der Gesellschaft steht. Forain fühlt immer mit dem Opfer. So überrascht es nicht, daß er auch Themen des Neuen Testaments aufgreift. Stilistisch vertritt Forain, gleichzeitig mit den Impressionisten, einen Impressionismus nicht des Lichts, sondern der Linie.

JEAN-HONORE FRAGONARD
(Grasse 1732 – Paris 1806)
Seite 106

Mit der Welt des „Ancien régime", der Adelsherrschaft vor der Französischen Revolution, ist der Name Fragonards unlösbar verbunden. Geistreicher noch als sein Lehrer François Boucher hat Fragonard die Gefühle einer nur dem Lebensgenuß hingegebenen Gesellschaft eingefangen. Galante Schäfer- und Boudoirszenen, aber auch Motive aus dem Familienleben, sind der Gegenstand seiner Gemälde. Ganz im Geist des Rokoko zeigen sie eine heitere, verspielte Erotik. Gleichzeitig schuf Fragonard aber auch religiöse Werke wie „Johannes der Täufer", „Die Erziehung der Jungfrau Maria" und „Die Anbetung der Hirten". Die Revolution bedeutete das Ende von Fragonards Kunst. Als er 1806 in Paris starb, war er ein vergessener Künstler.

Jean-Honoré Fragonard: Wasserfälle bei Tivoli; Paris, Musée du Louvre.

PAUL GAUGUIN
(Paris 1848 – Atuona Hiva-Oa, Südsee, 1903)
Seite 61

Zu eigener künstlerischer Tätigkeit wurde Gauguin angeregt, als er als wohl-habender Bankkaufmann Bilder der Impressionisten zu sammeln begann. Er gab seinen Beruf auf und widmete sich der Malerei. Die flächige Darstellung mit intensiven Farben ohne detaillierte Binnenzeichnung, die Gauguin entwickelte, wird als „Cloissonismus" bezeichnet. Die Anregungen zu seiner gewollt primitiven Ausdrucksweise suchte er zunächst in der Bretagne, dann auf den Inseln der Südsee, wo er 1903 starb. Neben Darstellungen des Eingeborenenlebens beschäftigte sich Gauguin auch mit religiösen Themen, häufig in einer zweiten Realitätsebene wie in „Jakobs Kampf mit dem Engel" und dem „Selbstbildnis mit gelbem Christus".

AERT DE GELDER
(Dordrecht 1645 – ebd. 1727)
Seite 94

Aert de Gelder bekannte sich zu Rembrandt, als dieser bereits vereinsamt und in der Kunstszene seiner Zeit eine isolierte Erscheinung war. Noch 1660 trat er in das Atelier des alten Meisters ein. Als jüngster aller Schüler setzte Gelder die Stilrichtung Rembrandts bis weit ins 18. Jahrhundert hinein fort. Er hielt fest an der biblischen Thematik, die er mit pastosem Farbauftrag in Gold- und Brauntönen behandelte. Häufig tragen die Gestalten orientalische Gewänder. Offensichtlich zehrte Gelder von dem Kostüm- und Requisitenfundus der Rembrandtwerkstatt. In einer humorvolleren, mitunter schwankhaften Auffassung wird sein andersgeartetes Naturell deutlich, das ihn von Rembrandt unterscheidet.

Paul Gauguin: Selbstportrait; Basel, Kunstmuseum

Orazio Gentileschi: Die Heilige Cäcilie mit einem Engel; Washington, National Gallery of Art.

ARTEMISIA GENTILESCHI
(Rom 1597 – Neapel 1652/53)
Seite 129, 136

Nur die Werkstatt ihres Vaters Orazio Gentileschi bot Artemisia die Möglichkeit, sich zur Künstlerin zu bilden. Stilistisch steht sie wie der Vater in der Nachfolge Caravaggios. Trotzdem beansprucht sie als Künstlerin einen anderen Maßstab. Daß es einer Frau gelang, den Anschluß an die männlich beherrschte Kunstszene zu finden, ist für ihre Zeit eine beispiellose, ja geniale Leistung. Ihre Themenwahl spiegelt die Problematik ihres Schicksals. Nicht „weibliche" Themen wie Stilleben, Blumen und Porträt, sondern der Geschlechterkampf zwischen Judith und Holofernes entsprach ihrem inneren Anliegen.

ORAZIO GENTILESCHI
(Pisa 1553 – London 1639)
Seite 64, 98, 150/151

Unter den römischen Nachfolgern Caravaggios ragt Gentileschi hervor. Er übernimmt dessen Helldunkel und die Beschränkung auf wenige große Figuren. In der manieristischen Glätte der Form und der Kühle seiner Frauenakte wirkt jedoch auch der toskanische Manierismus, etwa Agnolo Bronzinos, nach. Mit seiner gemäßigten Nachahmung Caravaggios hatte Gentileschi großen Erfolg. Nach über dreißigjähriger Tätigkeit in Rom, wo ihn Papst und Adel mit Aufträgen bedachten, wurde er noch im Alter an den Hof der Savoyer in Turin berufen. 1624 folgte er einer Einladung Maria Medicis nach Paris; 1626 wurde er Hofmaler Karls I. von England.

Luca Giordano: Der Heilige Michael; Berlin-Dahlem, Gemäldegalerie.

FRANÇOIS-PASCAL GERARD
(Rom 1770 – Paris 1837)
Seite 67

Als Sohn eines französischen Vaters und einer italienischen Mutter wurde Gérard in Rom geboren; auch er selbst heiratete eine Italienerin, seine Tante mütterlicherseits. Die künstlerische Ausbildung erhielt Gérard im Atelier Jacques-Louis Davids. Nach einem Mißerfolg im Salon von 1798 gab Gérard die Historienmalerei auf und widmete sich dem einträglichen Porträtfach. Fast alle Mitglieder der weitverzweigten Familie Bonaparte wurden von ihm porträtiert. In der gefälligen, idealisierenden Auffassung erkannte sich die Gesellschaft der Kaiserzeit wieder. Gérards Porträtstil überlebte selbst den Sturz Napoleons und wurde von dessen Nachfolgern, den Bourbonen, gleichermaßen geschätzt.

LUCA GIORDANO
(Neapel 1634 – ebd. 1705)
Seite 110/111, 187

Schon als kleinen Jungen zog es Giordano in das Atelier des spanisch-neapolitanischen Meisters Ribera. Es gelang ihm, als Lehrling aufgenommen zu werden; später lernte er auch in Rom bei Pietro da Cortona. Mit großer Leichtigkeit eignete er sich ganz entgegengesetzte Stile an, über die er dann frei nach Bedarf verfügte. „Der Tod Isebels" und „Der barmherzige Samariter" sind Beispiele des düsteren neapolitanischen Barock; gleichzeitig schuf Giordano jedoch auch heitere mythologische Szenen. Mit seinen Fresken im Palazzo Medici-Riccardi und im Escorial gehört Giordano zu den bedeutendsten Freskanten des Barock. Wegen seiner außerordentlichen Produktivität erhielt er den Beinamen „Fa presto": der Schnellmacher.

GIORGIONE
(Castelfranco
um 1477/78 – Venedig 1510)
Seite 134/135

So rätselhaft wie seine Kunst ist auch die Person Giorgiones. Was wir über ihn wissen, verdanken wir Vasari, der seine Künstlerviten erst Jahrzehnte nach Giorgiones Tod schrieb. Giorgiones Name ist unbekannt. Er stammte aus Castelfranco im Veneto und kam schon früh nach Venedig, wo er vielleicht bei Giovanni Bellini lernte. Schon in jungen Jahren war Giorgione ein anerkannter Künstler. Er unterhielt eine Werkstatt und führte Großaufträge aus. 1510 starb er an der Pest. Als gesichert wird allenfalls ein hal-

Giorgine: Das Gewitter; Venedig, Galleria dell' Accademia.

bes Dutzend Ölgemälde angesehen, um die sich wechselnde Zuschreibungen gruppieren. Zu diesem Kernbestand gehört auch das „Gewitter". Mit seiner Malerei führt Giorgione die venezianische Kunst zur Hochrenaissance. Natur und Mensch verschmelzen darin zu einer Einheit, verbunden durch eine raumschaffende Gestaltung des Lichtes und einen warmen, stimmungsvollen Farbton. Tizian griff diese Stilmittel auf, so daß die Abgrenzung des frühen Tizian von Giorgine sehr schwierig ist. Aber auch inhaltlich bereicherte Giorgione die venezianische Kunst, die bis dahin in biblischen Themen befangen war. Die antike Mythologie bot ihm Gelegenheit, Akte in der freien Natur darzustellen. Sein „Ländliches Konzert", zwei Frauenakte und zwei musizierende Jünglinge in einer Landschaft, begründete die Gattung der „Fêtes champêtres".

GIOTTO DI BONDONE

(wahrscheinlich Colle di Vespignano bei Florenz um 1266 – ebd. 1337)
Seite 197, 207

Giotto war der Sohn eines Bauern. Cimabue soll auf Giottos Talent aufmerksam geworden sein, als der Hirtenknabe Schafe in den Sand zeichnete. Die bahnbrechende Wirkung, die das Auftreten Giottos hervorrief, läßt sich nur mit Michelangelo oder Caravaggio vergleichen. Mit einem völlig neuartigen, ja revolutionären Stil schuf Giotto die Voraussetzungen für die weitere Entwicklung der Malerei. Noch die Künstler der Renaissance, Masaccio und selbst Michelangelo, sahen in Giotto ihr Vorbild. Giotto brach mit der byzantinischen Tradition und setzte an ihre Stelle eine wuchtige, körperhafte Formensprache. Anregungen dazu konnte er allenfalls in der Monumentalplastik, etwa Giovanni Pisanos, nicht aber in der Malerei finden. Der formalen Erneuerung der Bildsprache

Giotto di Bondone: Die Vogelpredigt; Assisi, aus den Fresken der Oberkirche.

Anne-Louis Girodet-Trioson: Atalas Begräbnis; Paris, Musée du Louvre.

entsprach auch eine inhaltliche. Bewegungen und Gesten verlieren ihre Formelhaftigkeit und werden zum Ausdruck inneren Erlebens. Zwischen den Einzelfiguren entsteht eine dramatische Spannung. Giottos Schilderungen biblischen Geschehens oder der Heiligenlegende sind deshalb von großer Eindringlichkeit. Sein Hauptwerk sind die Fresken in der Cappella degli Scrovegni in Padua. Auch in Florenz und Assisi schuf Giotto umfangreiche Dekorationszyklen.

ANNE-LOUIS GIRODET-TRIOSON

(Montargis 1767 – Paris 1824)
Seite 36

Der Klassizismus um 1800 ist der letzte gesamteuropäische Stil. Jacques-Louis David prägte eine ganze Künstlergeneration. Die Abhängigkeit von David macht die Unterscheidung seiner zahlreichen gleichförmigen Nachahmer besonders schwierig. Girodet bildet die Ausnahme. Zwar übernahm auch er von seinem Lehrer David die Ausdrucksmittel. Inhaltlich vollzog er jedoch die Wendung zur Romantik. Seine Themen fand Girodet in der romantischen Literatur, bei Ossian und Chateaubriand. Auch durch seine Vorliebe für Michelangelo unterscheidet sich Girodet von seinen Zeitgenossen; in Michelangelo glaubte er sein eigenes melancholisches Temperament wiederzuerkennen. Girodet hatte Philosophie studiert. Seine künstlerischen Anliegen versuchte er auch literarisch, so in dem Gedicht „Le peintre", zum Ausdruck zu bringen. Napoleon brachte Girodet besonderes Verständnis entgegen; seine Werke zieren die Wohnräume der kaiserlichen Schlösser in Malmaison und Compiègne.

EL GRECO

(eigentl. Domenikos Theotokopoulos, Kreta 1541 – Toledo 1614)
Seite 257

El Greco begann als Ikonenmaler auf Kreta. 1565 ging er nach Venedig, wo er in die Werkstatt Tizians eintrat. 1577 wechselte er ein weiteres Mal das Land und lebte fortan in Spanien, wo er wegen seiner Herkunft der Grieche, „el Greco", genannt wurde. Zwischen seiner visionä-

El Greco (eigentlich Domenikos Theotokopoulos): Heilige Familie; Madrid, Museo del Prado.

ren Kunst und der spanischen, zur Mystik neigenden Religiosität besteht eine innere Verwandtschaft. Byzantinische Tradition, die Kunst des italienischen Manierismus und venezianische Maltechnik verbinden sich zu einem unverwechselbaren Stil. Auch der ungeübte Betrachter vermag, sofern er nur ein Werk kennt, alle weiteren Werke El Greco zuzuschreiben.

MATTHIAS GRÜNEWALD
(eigentl. Mathis Gothart Nithart,
um 1470/75 – Halle an der Saale 1528)
Seite 220, 222/223

Erst neuere Dokumentenfunde haben Licht in das Dunkel um die Person des Künstlers gebracht, der schon kurz nach seinem Tod in Vergessenheit fiel. Sie erlauben, das Monogramm „MGN", mit dem Grünewald signierte, aufzulösen. Demnach hieß er Mathis Nithart, von ihm selbst ergänzt um den Namen Gothart. Seit 1511 war er Hofmaler der Mainzer Erzbischöfe Uriel von Gemmingen und

Matthias Grünewald: Die Auferstehung Christi (Tafelbild aus dem Isenheimer Altar); Colmar, Museum.

Albrecht von Brandenburg. Als Anhänger der Reformation schied er 1526 aus ihrem Dienst und starb bald darauf in Halle. Grünewalds Hauptwerk, zugleich eine der größten Schöpfungen abendländischer Kunst, ist der Isenheimer Altar, ein Wandelaltar mit doppelten Flügeltüren und zwei festen Seitenflügeln, die mit ihrer unterschiedlichen Wandlung den Gläubigen durch das Kirchenjahr führen. Eine Kreuzigung, eine Geburt Christi, eine Auferstehung und verschiedene Heilige füllen die großformatigen

Tafeln. Mit nie zuvor erreichter Deutlichkeit schildert Grünewald darin körperliches Leiden und übermenschlichen Schmerz ebenso wie mystische Verzükkung und strahlende Verklärung. Während Dürer die Farbe vernachlässigte, ist Grünewald zugleich ein Meister der Farbwirkungen. Sein auferstehender Christus ist ganz aus dem Weiß und Gelb der Aureole heraus gestaltet. Sein Grabtuch löst sich in einer leuchtenden Flamme auf. Grünewald schuf ausschließlich Altarwerke. Die packende und erschütternde Wirkung, die von seinen Bildern ausgeht, wurzelt in der religiösen Erlebniskraft des Künstlers, der die Freude über die Menschwerdung Christi, die Erschütterung durch die Passion und die Erlösungshoffnung der Auferstehung selbst durchlebte. Mit einem Schlagwort wird Grünewald deshalb als der „letzte mittelalterliche Mystiker" bezeichnet. Grünewald läßt sich nicht aus Vorbildern erklären und hat keine Schule begründet. Seine Bedeutung liegt einzig in seinem Werk beschlossen.

Gerard van Honthorst: Der Soldat und das Mädchen; Braunschweig, Herzog Anton Ulrich-Museum.

GERARD VAN HONTHORST
(Utrecht 1590 – ebd. 1656)
Seite 210

Honthorsts künstlerischer Höhepunkt fällt in seine italienische Zeit. Schon als Zwanzigjähriger begab er sich nach Rom, wo er zehn Jahre lang als angesehener Maler für die römische Aristokratie, die Kirche und den Großherzog von Toskana arbeitete. Wie für viele Künstler wurde auch für Honthorst das Vorbild Caravaggios prägend. Durch eine gepflegtere Oberflächenbehandlung und ein milderes Licht mildert er jedoch dessen harten Naturalismus. Da er sich auf die Darstellung künstlicher Lichtquellen und ihrer Reflexe auf den umgebenden Gegenständen spezialisierte, wurde er Gerard

„delle notti", der Nächte, genannt. 1620 kehrte Honthorst in seine Heimatstadt zurück. Als Mitglied der Utrechter Caravaggisten wandte er sich verstärkt dem Sittenbild zu. Die Poesie seiner italienischen Bilder wie in der „Anbetung der Hirten" erreichte Honthorst darin nicht mehr. Das Kerzenlicht beleuchtet nunmehr Kartenspieler, Trinker und fröhliche Gelage. Trotzdem blieb Honthorst ein vielbeschäftigter, auch an ausländischen Höfen geschätzter Maler. 1628 arbeitete er in London. Zahlreiche Werke nahmen den Weg in dänische und schwedische Schlösser.

WILLIAM HOLMAN HUNT
(London 1827 – ebd. 1910)
Seite 159

Hunt gehört mit John Everett Millais und Dante Gabriel Rossetti zu den Gründern der „Pre-Raphaelite Brotherhood". Mit einer Rückbesinnung auf die italienische Kunst des 15. Jahrhunderts versuchten die Präraffaeliten, eine Reform der nach ihrer Ansicht veräußerlichten Kunst einzuleiten. Naturwahrheit, innere Aufrichtigkeit und eine moralische Botschaft sollten auch in der religiösen Kunst erneut zum Tragen kommen. Anders als die Nazarener, die den Stil der alten Meister nachahmten, blieb Hunt jedoch in einem pedantischen Naturalismus befangen. Er schuf eine Reihe religiössymbolischer Bilder. Obwohl die Gegenstände darin symbolische Bedeutung haben, gibt sie Hunt realistisch und mit großer Detailgenauigkeit wieder. Das Christuswort „Ich bin das Licht der Welt" z.B. illustriert er, indem er Christus eine Laterne in die Hand gibt. Die Abhängigkeit vom Naturvorbild ließ Hunt auf den Gedanken kommen, seine Vorbilder in Palästina selbst zu suchen. 1869, 1876 und ein letztes Mal 1892 reiste er für jeweils mehrere Jahre in das Heilige Land.

HANS JORDAENS DER JÜNGERE
(wahrscheinlich Antwerpen
1595 – ebd. 1643)
Seite 73

Das früheste Dokument, das über den Künstler Aufschluß gibt, ist seine Heiratsurkunde aus dem Jahre 1617. Zwei Jahre später wurde Jordaens Mitglied der Antwerpener Lukasgilde. Jordaens hatte sich auf Darstellungen des Zugs der Israeliten durch das Rote Meer spezialisiert. Exemplare dieses Themas befinden sich in Antwerpen, Budapest, Frankfurt, Utrecht und weiteren Museen. Durch Kopien nach Jordaens wird ihre Zahl weiter erhöht. Die Kopie von Jakob Besserer in der Kunsthalle Karlsruhe wurde nach einem in Leningrad befindlichen Bild gemalt. Jordaens kleinfigurige Darstellungen sind von einer feinen, bunten Farbigkeit. In seinen fortgeschrittenen Arbeiten wird der Einfluß von Rubens erkennbar.

William Holman Hunt: The Hireling Shepherd (Der Mietling); Manchester, City Art Gallery.

JUSTUS VAN GENT

(eigentl. Joos van Wassenhove,
wahrscheinlich Gent um 1435 –
wahrscheinlich Urbino nach 1480)
Seite 204

Der Maler, der 1460 als Joos van Wassenhove in die Lukasgilde in Antwerpen aufgenommen wurde, tauchte 1473 als „Magistro Giusto da Guanto" in Italien auf. Er erhielt Zahlungen von der Corpus-Christi-Bruderschaft in Urbino für das Altargemälde „Die Einsetzung des Abendmahls". Es ist das einzige Werk, das dokumentarisch für Justus van Gent belegt ist. Umstritten ist hingegen, ob er auch der Schöpfer der 28 Idealbildnisse von Dichtern und Philosophen im Studiolo des Herzogs Federico da Montefeltre im Palast von Urbino war. Wahrscheinlich wurden sie von Justus van Gent begonnen und von dem Spanier Pedro Berruguete vollendet. Daß auch niederländische und spanische Maler im Italien der Renaissance Aufträge an sich ziehen konnten, beweist die Weltoffenheit am Hof der Montefeltre. Zur gleichen Zeit arbeitete ein Hauptmeister der toskanischen Frührenaissance, Piero della Francesca, in Urbino.

JAN JOEST VAN KALKAR

(Wesel um 1455/60 – Haarlem 1519)
Seite 175

Jan Joest ist ein Neffe des niederrheinischen Meisters Derick Baegert, bei dem er vermutlich auch in die Lehre ging. Sein Wirkungskreis sind der Niederrhein und die Niederlande. Den Beinamen van Kalkar erhielt er nach seinem Hauptwerk, dem Hochaltar von St. Nikolaus in Kalkar. In zwanzig Einzeltafeln schildert er darin Szenen aus dem Leben Christi. Jede Tafel ist als Einheit aufgefaßt, meist mit symmetrischer Komposition. Aus der Nähe

betrachtet offenbaren sie eine niederländische Feinheit der Malerei. Die Gestalten sind als edle Persönlichkeiten charakterisiert und wirken häufig porträthaft. In die Hintergründe finden sich Ansichten aus Kalkar und Umgebung eingefügt. Außer dem Kalkarer Altar und einem zweiten Altarwerk in der Kathedrale von Palencia werden Jan Joest neuerdings auch einige Porträts zugeschrieben.

FREDERICK LORD LEIGHTON

(Scarborough 1830 – London 1896)
Seite 109

Die viktorianische Epoche erkannte in Leighton ihren Repräsentanten. Er wurde mit Ehren überhäuft. 1878 wurde Leighton geadelt, 1886 zum Baronet und 1896 zum Baron of Stretton ernannt. Er bekleidete das Amt des Akademiepräsidenten und war Ehrendoktor von fünf Universitäten. Leighton studierte an den Akademien in London, Rom, Dresden, Berlin und Florenz. 1849–52 arbeitete er im Ate-

Frederick Lord Leighton: The Music Lesson; London, Guildhall.

lier des Nazareners Edward von Steinle in Frankfurt am Main, den er später als seinen einzigen Lehrer bezeichnete. Mit zahlreichen Dichtern seiner Zeit unterhielt Leighton Beziehungen. Literarisch ist auch seine Stoffwahl. Mit Vorliebe behandelte er Themen aus der griechischen Mythologie und der Welt der italienischen Renaissance. Sein Bemühen galt dabei der klassischen Schönheit. Leightons Schönheitsideal wurde bald als innerlich hohl kritisiert. Heute erkennen wir in der Schönheitssuche die uneingestandene Erotik, die den Erfolg seiner Bilder bei seinen Zeitgenossen erklärt.

LEONARDO DA VINCI

(Vinci bei Empoli 1452 – Cloux bei
Amboise 1519)
Seite 202/203

Leonardo war ein Universalgenie. Sein künstlerisches Schaffen bildete nur einen Ausschnitt seiner vielseitigen Tätigkeit. Er war Maler, Bildhauer, Kunsttheoretiker, Naturforscher, Ingenieur und Anatom. Künstlerische und wissen-

Leonardo da Vinci:
Die Heilige Anna Selbdritt; Paris, Louvre.

schaftliche Probleme beschäftigten ihn jedoch nur so lange, bis er die Lösung vor sich sah. Die praktische Verwirklichung interessierte ihn nicht mehr. Entsprechend gering ist die Zahl seiner Werke. Als einziges Fresko blieb das »Abendmahl«, wenn auch in ruinösem Zustand, erhalten. Von den wenigen Tafelbildern zählen die „Mona Lisa" und die „Heilige Anna Selbdritt" zu den bekanntesten Schöpfungen der abendländischen Malerei. Leonardo wurde als unehelicher Sohn eines Florentiner Notars und eines Bauernmädchens geboren. Er lernte bei Andrea Verrocchio in Florenz. Schon seine Mitarbeit an dessen „Taufe Christi" bedeutete den Einbruch einer fremden Welt in die trockene Formensprache der Frührenaissance. Leonardo entwirft ideale, engelhafte Gestalten von rätselhaftem Ausdruck in weichen, verschwimmenden Umrissen. Der Aufenthalt am Hofe Lodovico il Moros in Mailand war Leonardos fruchtbarste Zeit, obwohl er auch als Musiker und Arrangeur von Festlichkeiten beschäftigt wurde. 1516 folgte er einer Einladung Franz I. nach Frankreich. In den Armen des Königs soll er gestorben sein. Die heute im Louvre befindlichen Werke, die Leonardo mit sich nach Frankreich gebracht hatte, begründeten die Schule von Fontainebleau. Leonardos Kunst erreichte noch vor Michalangelo und Raffael den ersten Höhepunkt der Renaissance. Zugleich sind seine Werke Ausdruck von Archetypen, die uns heute noch bewegen.

Claude Lorrain: Ländliches Fest; Paris, Musée du Louvre.

FILIPPINO LIPPI

(Prato um 1457 – Florenz 1504)
Seite 112

Filippino Lippi war ein unehelicher Sohn des Malermönchs Fra Filippo Lippi, der die schöne Nonne Lucrezia Buti verführt hatte, als sie ihm zu einer Madonna Modell saß. Zusammen mit Botticelli lernte Filippino in der väterlichen Werkstatt. Zu seinen frühesten erhaltenen Werken zählen die Szenen aus dem Leben der Esther. In der Cappella Brancacci führte Lippi die unvollendet hinterlassenen Fresken Masaccios zu Ende. 1485/86 entstand seine „Vision des Heiligen Bernhard", ein Hauptwerk der florentinischen Malerei des Quattrocento. In dem Detailreichtum und der satten Farbigkeit zeigt sich der Einfluß der niederländischen Kunst, die mit Werken Hugo van der Goes

und Rogier van der Weydens auch in Florenz vertreten war. Wie bei Botticelli, mit dem er befreundet war, spricht aus Lippis frühen Bildern eine leise Melancholie. Um 1495 wird auch bei ihm die religiöse Erschütterung durch die Predigten Savonarolas erkennbar. Lippis Spätstil ist gekennzeichnet durch eine protobarocke Aufgewühltheit.

CLAUDE LORRAIN

(eigentl. Claude Gellée, Chamagne bei Mirecourt 1600 – Rom 1682)
Seite 51, 166/167

Nach seiner Herkunft aus Lothringen wurde Claude Gellée „Le Lorrain" genannt. Ab 1627 lebte er dauernd in Rom. Mit Nicolas Poussin gehört Lorrain zu den französischen Künstlern, die ihre Inspiration zwar aus der römischen Kunst und Umgebung schöpften, im erweiterten Sinn aber der französischen Hofkunst unter Ludwig XIV. zuzurechnen sind. Gleichzeitig mit Poussin entwickelte Lorrain die heroische Landschaft, blieb jedoch zeitlebens auf diese Gattung beschränkt. Lorrains Landschaften sind gesetzmäßig komponiert. Architektur, Natur, Mensch und Licht stehen in harmonischem Gleichklang. Die Versatzstücke fand Lorrain in römischen Ruinen, der Landschaft der Sabiner Berge, der italienischen Küste und den atmosphärischen Erscheinungen des mediterranen Himmels. Lorrain ist der erste Künstler, der nicht nur das Licht, sondern die Sonne selbst, in ihrer natürlichen Erscheinung wiederzugeben vermochte. Ursprünglich hatte Lorrain den Beruf des Konditors erlernt; er soll zeitlebens ein versierter Koch gewesen sein.

ALESSANDRO MAGNASCO

(Genua 1667 ebd. 1749)
Seite 180/181

In seiner Themenwahl erinnert Magnasco an Salvator Rosa, ohne dessen Vielseitigkeit zu besitzen. Magnasco zeigt die Welt in ihrem düstersten Licht als Narrenhaus. Vor dunklem Hintergrund leuchten grotesk überspitzte Figuren gespensterhaft auf: Eremiten, Magier, Hexen, Wegelagerer und Zigeuner. Eine Zeitlang war Magnasco toskanischer Hofmaler unter Giangastone, dem letzten Großherzog aus der Familie der Medici. Unter ihm hatte sich im Palazzo Pitti eine Schar von Schauspielern, Prostituierten und bigotten Mönchen eingenistet. Magnascos Bilder spiegeln auf ihre Weise die Innenseite des verblühenden, dekadenten Hoflebens.

ANDREA MANTEGNA

(Isola di Cartura bei Padua um 1430/31 – Mantua 1506)
Seite 156/157

Mantegna ist neben Giovanni Bellini der bedeutendste Maler der Frührenaissance in Oberitalien. Mit den Kunstzentren Venedig und Florenz stand Mantegna in fruchtbarer Wechselbeziehung. Er verkörpert den Geist der Renaissance als Wiedergeburt der Antike in wörtlichem Sinn. Seine Architekturen und viele Details wie Skulpturen, Rüstungen, Waffen und Kostüme sind nach antiken Vorbildern kopiert. Auch kompositorisch ließ sich Mantegna von römischen Reliefs anregen. Seine Kunst erhält dadurch einen gelehrten, antiquarischen Zug, der gefördert wurde durch den Humanismus an der Universität in Padua, wo Mantegna in der Werkstatt seines Adoptivvaters Francesco Squarcione seine erste Ausbildung erhielt. Mantegnas Stil ist von scharfkantiger Plastizität. Er verfügt über genaue Kenntnisse der Perspektive, die er nicht nur in der Konstruktion des Raumes, sondern auch in seinen Figuren anwendet. Die menschliche Gestalt sieht Mantegna als stereometrischen Körper, den er wie jeden Gegenstand der Verkürzung unterwirft. In seiner „Beweinung" ist Christus so stark verkürzt von den Fußsohlen her gesehen, daß sich der Körperumriß einem gleichmäßigen Fünfeck nähert. In einem Deckenfresko der „Camera degli Sposi", das Mantegna 1474 als Hofmaler der Gonzaga in Mantua schuf, öffnet sich zum erstenmal die Decke illusionistisch zum Himmel.

JOHN MARTIN

(Haydon Bridge, Northumberland, 1789 – Douglas, Isle of Man, 1854)
Seite 37, 38/39, 86/87, 118/119, 268

Während William Turner heute als der Hauptvertreter der englischen Landschaftsmalerei gilt, ist sein Rivale John Martin vergessen. Auch Martin malte theatralische Landschaften mit drama-

Andrea Mantegna: Anbetung der Könige; (Mitteltafel des Triptychons), Florenz, Galleria degli Uffizi.

JAN MASSYS
(oder Metsys,
Antwerpen 1509 – ebd. 1575)
Seite 48

Jan ist der Sohn und Schüler des Quentin Massys. An künstlerischer Bedeutung steht er jedoch hinter seinem Vater zurück. 1544 wurde Massys aus Antwerpen vertrieben. Angeblich soll er sich heimlich den Reformierten angeschlossen haben. Die Zeit seiner Verbannung verbrachte er wahrscheinlich in Italien und Frankreich. Nach seiner Rückkehr malte er Bilder von unterkühlter Erotik, die den Einfluß der Schule von Fontainebleau erkennen lassen. Zu Massys Eigenheiten gehört, daß er dieselben Themen mehrmals in kompositorisch völlig unterschiedlichen Fassungen wiederholte. Auch das Thema „Lot und seine Töchter" ist in zwei weiteren Varianten in Wien und in Brüssel erhalten.

QUENTIN MASSYS
(Löwen 1465/66 – Antwerpen 1530)
Seite 219

In den ersten Jahrzehnten des 16. Jahrhunderts war Massys der fortschrittlichste niederländische Meister. Er ist das Bindeglied zwischen der niederländischen Tradition, wie er sie in der Werkstatt des Dirk Bouts vermittelt bekam, und der italienischen Renaissance. Offensichtlich hatte Massys Kenntnis von Leonardo da Vinci und der lombardischen Schule, so daß eine italienische

tisch zugespitzten Naturphänomenen. Zwischen hochaufragenden Klippen und kolossalen Architekturen verteilen sich Myriaden von winzigen Figuren. Stürme, Blitze und Erdbeben steigern den unheimlichen Effekt. Mit solchen spektakulären Schaustücken zog Martin das Ausstellungspublikum in Scharen an. Zeitweise überstrahlte sein Ruhm den Turners. Er erhielt internationale Auszeichnungen und war Ehrenmitglied mehrerer Akademien. Dabei hatte Martin selbst keine reguläre akademische Ausbildung. Er begann als Glas- und Porzellanmaler. Seinen ersten Erfolg erzielte er 1816 mit „Josua gebietet der Sonne stillzustehen". Martin arbeitete auch als Illustrator. Zu Miltons „Paradise Lost" und für eine Bibelausgabe von 1835 lieferte er Zeichnungen. Den Abschluß seines Lebenswerkes bildet ein apokalyptischer Zyklus; über der Arbeit an den „Himmlischen Gefilden" starb Martin 1854.

MASACCIO
(eigentl. Tommaso die Ser Giovanni Cassai, S. Giovanni Val d'Arno 1401 – Rom 1428)
Seite 184/185, 224

Obwohl Masaccio in jungen Jahren starb, ist sein schmales Œuvre von größter entwicklungsgeschichtlicher Bedeutung. Er ist der eigentliche Begründer der Frührenaissance in der Malerei. Noch Leonardo, Michelangelo und Raffael schulten sich an Masaccios Vorbild. Innerhalb weniger Jahre überwand Masaccio die gotische Tradition, indem er auf Giotto zurückgriff. Hinzu kam das Vorbild der zeitgenössischen Bildhauer Ghiberti und Donatello, deren Ideen er in der Malerei verwirklichte. Seine Gestalten bewegen sich mit natürlicher Schwerkraft in einem Raum von überzeugender Tiefe. Sie sind als Individuen aufgefaßt und lassen Ansätze einer psychologischen Durchdringung erkennen. Dabei bewahren sie die von Giotto herrührende monumentale Würde. Masaccios Fresko der „Heiligen Dreifaltigkeit" (1527) in der Kirche S. Maria Novella in Florenz ist das erste Beispiel eines zentralperspektivisch konstruierten Raumes. Es verwirklicht die Theorie der Bildfläche als Projektionsebene eines jenseits liegenden Raumes. Masaccios Hauptwerk sind die Fresken in der Cappella Brancacci in der Kirche S. Maria del Carmine, die er zusammen mit Masolino ausführte. Mit nur 27 Jahren hatte Masaccio einen Beitrag geleistet, von dem die Künstler auf Jahrzehnte hinaus zehren konnten. Als Mensch scheint er schroff und unzugänglich gewesen zu sein. Man nannte ihn „Tommasaccio" (derber Thomas), verkürzt zu „Masaccio".

Masaccio: SS. Trinità (Dreifaltigkeit mit Stifterbildnissen); Florenz, S. Maria Novella.

285

Quentin Massys: Der Goldwäger und seine Frau; Paris, Musée du Louvre.

MEISTER DER JOSEPHSLEGENDE
(Brüssel, tätig um 1500)
Seite 65

In einer Folge von sechs Rundbildern hat der unbekannte Meister die Josephslegende bearbeitet. Einen zweiten, ähnlich geschlossenen Komplex bilden die acht Tafeln mit Szenen aus der Kindheit Jesu und der Passion aus der Abtei von Afflighem. Stilistisch gibt sich der Meister der Josephslegende als Nachfolger des Rogier van der Weyden zu erkennen.

MEISTER VON SCHLOSS LICHTENSTEIN
(tätig um 1525–1530)
Seite 153

Ausgangspunkt einer beträchtlichen Zahl von Zuschreibungen sind zwei große Tafeln mit einer „Krönung Mariae" und einem „Marientod", die sich in der Privatsammlung von Schloß Lichtenstein in Württemberg befinden. Die Wirkungsstätte des Meisters ist umstritten. Sie wurde früher in Schwaben vermutet. Die Bildtafeln eines Altars aus Wiener-Neustadt, die sich heute über mehrere Museen verteilen, deuten jedoch auf eine österreichische Herkunft.

HANS MEMLING
(Seligenstadt, Hessen,
um 1430/40 – Brügge 1494)
Seite 101, 252, 264, 266, 267

Memling ist deutscher Herkunft. Seine Ausbildung erhielt er jedoch in den Niederlanden. 1465 erwarb er das Bürgerrecht in Brügge. Neben Dirk Bouts war Memling hier die maßgebende Künstler-

Meister des Bartholomäusaltars:
Hl. Johannes der Täufer und Hl. Cäcilie;
Köln, Wallraf-Richartz-Museum.

Reise vermutet wird. Als typischer Vertreter des Renaissancekünstlers unterhielt er auch Beziehungen mit dem Antwerpener Humanisten Petrus Aegidius und Erasmus von Rotterdam. Gelegentlich teilte sich Massys die Arbeit mit Joachim Patinier, indem er nur die Figuren und Patinier die Landschaft ausführte. Neben Altarwerken schuf Massys auch Sittenbilder. Sein Gemälde „Der Goldwäger und seine Frau" ist als Satire zu verstehen. Massys verspottet darin das falsche Christentum der Frau, die in einem Gebetbuch blättert und dabei nach dem Geld schielt.

MEISTER DES BARTHOLOMÄUSALTARS
(um 1440/50 – Köln 1510)
Seite 228

Der Meister des Bartholomäusaltars trägt seinen Notnamen nach einem in der Alten Pinakothek in München befindlichen Flügelaltar, in dessen Mittelpunkt der Heilige Bartholomäus steht. Kein Dokument gibt über seine Persönlichkeit Auskunft. Trotzdem konnte um diesen Altar eine ganze Anzahl weiterer Werke gruppiert werden, die einen Überblick über seine künstlerische Herkunft und Entwicklung erlauben. Wahrscheinlich war der Niederrhein oder Holland seine

Heimat. Seine Kunst ist im wesentlichen niederländisch geprägt, enthält jedoch auch Elemente der älteren Kölner Malerschule. Um 1480/85 muß sich der Meister in Köln niedergelassen haben. Die spätgotische idealistische Grundhaltung wird überlagert von einer modischen Geziertheit und goldschmiedehaften äußeren Pracht. Mit dieser Überfeinerung, die deutlich die Kennzeichen eines Spätstiles trägt, erreichte die gotische Malerei in Köln einen letzten Höhepunkt.

MEISTER DER DARMSTÄDTER PASSION
(tätig um 1440 am Mittelrhein)
Seite 172

Zwei Altarflügel mit Passionsszenen im hessischen Landesmuseum in Darmstadt gaben dem anonymen Meister seinen Namen. Der Stil weist auf den Mittelrhein. Die „Auferweckung des Jünglings zu Nain" gehört zu einem Altar, zu dem sich weitere Fragmente in Dijon und Zürich erhalten haben. Die Auffassung der Figuren ist von einer kindlichen Schüchternheit. Trotzdem kommt dem Meister der Darmstädter Passion eine stilgeschichtliche Bedeutung zu: Erstmals werden Licht und Schatten in subtiler Verteilung zu einem Mittel der dramatischen Gestaltung.

Meister von Schloß Lichtenstein: Marientod; Schloß Lichtenstein (Wttbg.).

persönlichkeit. Er bereicherte die niederländische Kunst um ein neues Element. Wahrscheinlich arbeitete Memling einige Zeit in der Werkstatt des Rogier van der Weyden. In der abgeklärten, formalen Schönheit, mit der er die ausdrucksstarke Formensprache Rogiers abwandelt, kommt jedoch Memlings eigenes sensibles Naturell zum Ausdruck. Seine Farben sind von ausgesuchter Schönheit. Die Gliederung ist klar und übersichtlich. In den Menschen vermeidet Memling jede Herbheit und leiht ihnen ideale Züge. Insgesamt ist der Eindruck des Wohlgefälligen und Harmonischen bestimmend. Von allen niederländischen Künstlern seiner Zeit wurde Memling von italienischen Auftraggebern am meisten geschätzt. Sie erkannten über die Ländergrenzen hinweg in ihm einen Verwandten der Kunstbestrebungen, die zur selben Zeit in Italien wirksam waren.

MICHELANGELO BUONARROTI
(Caprese 1475 – Rom 1564)
Seite 14/15, 16, 265

Durch einen Satyrkopf, den der halbwüchsige Michelangelo im Skulpturengarten der Medici in Florenz gemeißelt hatte, machte er Lorenzo de'Medici auf sich aufmerksam. Er wurde in den Palast aufgenommen, wo er im Kreis der Dichter und Philosophen der Akademie verkehrte. Neuplatonisches und christliches Gedankengut bildete die Grundlage seines künstlerischen Schaffens. Die Medici und die Päpste wurden seine wichtigsten

Auftraggeber. Michelangelo verstand sich selbst als Bildhauer. In das Grabmal für Papst Julius II. und die mediceischen Grabmäler legte er seinen eigentlichen künstlerischen Ehrgeiz. Unter dem Druck seiner Auftraggeber arbeitete er aber auch als Architekt und Maler. 1508-12 freskierte er die Decke der Sixtinischen Kapelle in Rom. 1536-41 erhielt er einen zweiten Auftrag für die Stirnwand der Kapelle. Mit dem „Jüngsten Gericht" entstand hier ein Werk von dramatischer Religiosität, das Entrüstung und Begeisterung erweckte und ein unerschöpflicher Lehrstoff der Künstler wurde. Im Mittelpunkt von Michelangelos Schaffen steht der Mensch. Auf der Grundlage selbsterworbener anatomischer Kenntnisse gestaltet Michelangelo Körper von kraftvoller innerer Bewegtheit. In raum-

greifenden Bewegungen, gegensätzlichen Drehungen und Wendungen sind starke seelische Spannungen eingefangen. Seine Zeitgenossen empfanden die dämonisch packende Wirkung seiner Kunst als „terribile", als schrecklich. Als Mensch war Michelangelo ungesellig und einsam. Er lebte immer im Konflikt zwischen Ich und Welt. Die Problematik seiner Existenz kommt in allen seinen Werken zum Ausdruck, aber auch seine Dichtungen, Sonette und Madrigale, geben Einblick in seine inneren Kämpfe. Schon Michelangelos Zeitgenossen erkannten, daß in dem Künstler selbst etwas von dem Geist der Propheten lebendig sein müsse, die er in der Sixtinischen Kapelle und in der Gestalt des Moses in S. Pietro in Vincoli so überzeugend dargestellt hatte.

Hans Memling: Musizierende Engel; aus dem Triptychon »Vermählung der Hl. Katharina«.

Michelangelo Buonarroti:
Der Prophet Ezechiel;
Rom, Deckenfresko der Cappella Sixtina.

GUSTAVE MOREAU
(Paris 1826 – ebd. 1898)
Seite 86

Gustave Moreau ist der Hauptvertreter der französischen Symbolisten. Er stilisiert seine Bilder zu rätselhaften Ikonen. Das Leuchten von Gold, Edelsteinen und Brokatstoffen gibt ihnen einen magischen Glanz. Die Anregungen dazu empfing Moreau von der östlichen Kunst, byzantinischen Mosaiken und persischen Miniaturen. Meist steht eine Gestalt der antiken Mythologie im Mittelpunkt. Aus der Bibel griff Moreau vorzugsweise Stoffe von dämonischer Erotik wie „Salome" und „Sebastian" heraus. Durch seine unakademische Auffassung traditioneller Themen wurde Moreau zu einem wichtigen Anreger der modernen Kunst; zu seinen Schülern zählten Georges Rouault und Henri Matisse. Das Musée Gustave Moreau bewahrt geschlossen seinen künstlerischen Nachlaß.

287

BARTOLOME ESTEBAN MURILLO
(Sevilla 1618 – ebd. 1682)
Seite 173

Mit Velasquez, Ribera, Zurbaran und Murillo erreichte die spanische Malerei des 17. Jahrhunderts europäisches Niveau. Murillo wurde als Sohn des Baders Perez geboren. Früh verwaist, nahm er den Namen seiner Urgroßmutter Murillo an, der auch der Mädchenname seine Pflegemutter war. Sein Leben verbrachte Murillo in Sevilla, unterbrochen nur von einer Studienreise 1648 nach Madrid. Er schöpfte allein aus den Anregungen, die ihm sein enger Lebenskreis bieten konnte. Ribera und Zurbaran sind seine Vorbilder, doch studierte er auch die Werke der Italiener in spanischen Sammlungen. Die religiöse Strenge und der zeremonielle Ernst wandelt sich bei Murillo ins Volkstümliche. Seine Gestalten sind anmutig und liebenswürdig. Die Madonnen und Heiligenbilder, die Murillo in großem Umfang schuf, eigneten sich besonders zur Verbreitung in der Devotionalkunst. Eines seiner Lieblingsthemen war die „Immaculata", die unbefleckte Empfängnis Mariä. Daneben entstanden die Darstellungen von Gassenjungen und Mädchen, wie ihnen Murillo

Bartolomé Esteban Murillo:
Die Melonen- und Traubenesser;
München, Alte Pinakothek.

auf den Straßen Sevillas begegnen konnte. Seine „Traubenesser" und „Melonenesser" sind heute in unzähligen Reproduktionen verbreitet.

ERNEST NORMAND
(London 1857 – ebd. 1923)
Seite 115

Wie Poynter und Solomon verdankt Normand die routinierte Beherrschung der akademischen Malweise der Ausbildung

Jacob Cornelisz van Oostsanen,
gen. Cornelisz van Amsterdam:
Christus erscheint der Hl. Magdalena
als Gärtner;
Kassel, Staatliche Kunstsammlungen.

an der Londoner Royal Academy. In Paris kam er mit der französischen „Pompiers-Malerei" in Berührung. Obwohl Normand die Aufnahme als offizielles Mitglied der Royal Academy versagt blieb, wurde er auf der Weltausstellung 1900 immerhin ehrenvoll erwähnt. Auch Normands Ehefrau Henrietta, geb. Rae, war künstlerisch tätig; sie beschränkte sich jedoch auf Genre- und Bildnismalerei.

JACOB CORNELISZ VAN OOSTSANEN
(Oostzaan um 1470 – Amsterdam 1533)
Seite 163

Amsterdam war um 1500 eine aufstrebende Handelsstadt. Zugleich regten sich erste Kunstbestrebungen, die im Lauf der Jahrzehnte Amsterdam zu einem führenden Kunstzentrum in Holland machten. Jacob Cornelisz ist der erste Amsterdamer Künstler von überregionaler Bedeutung. Er entstammte dem künstlerischen Umkreis des Geertgen tot Sint Jans in Haarlem. 1500 ließ er sich in Amsterdam nieder, wo die Bauunternehmungen der aufstrebenden Stadt ein reiches Tätigkeitsfeld boten. Cornelisz schuf Altäre, freskierte Kirchengewölbe und entwarf Vorlagen für Glasgemälde. In seinen Porträts spiegelt sich das neue Selbstbewußtsein des wohlhabenden Bürgertums. Seine Werke sind von dekorativer Gesamtwirkung, wobei oft der Eindruck einer fast barocken Überladenheit entsteht. Auch seine biblischen Gestalten stattet Cornelisz mit kostbaren Gewändern aus und stellt sie vor reichverzierte Architekturen. Zur Bewältigung seiner Aufgaben, zu denen auch Holzschnitte zählten, unterhielt Cornelisz einen großen Werkstattbetrieb.

JOACHIM PATINIER
(Dinant oder Bouvignes um 1480 – Antwerpen 1524)
Seite 160

Patinier gilt als erster niederländischer Landschaftsmaler. Die minutiös ausgeführte Landschaft, die bei den älteren Niederländern nur Folie figürlicher Szenen war, nimmt bei ihm erstmals den größeren Teil der Bildfläche ein. Die menschliche Gestalt wird zur Staffage. Der panoramaartige Überblick über eine Landschaft mit Gebirge, Flüssen und Städten vor einem hohen Horizont wird als „Weltlandschaft" bezeichnet. Die phantastischen Felsformationen studierte Patinier nicht etwa in der freien Natur, sondern anhand von Gesteinsbrocken im Atelier. Das Gebirge hat der Künstler nie gesehen. Schon zu seinen Lebzeiten erwarb sich Patiniers Landschaftsmalerei europäischen Ruf. Auf seiner niederländischen Reise schloß Dürer mit Patinier Freundschaft und nahm an seiner Hochzeit 1521 teil.

GIOVANNI BATTISTA PIAZZETTA
(Venedig 1682 – ebd. 1754)
Seite 107

Piazzetta war der Sohn eines Holzschnitzers und lernte zunächst das väterliche Handwerk. Zu seiner weiteren Ausbildung ging er nach Bologna in das Atelier Giuseppe Maria Crespis. Seine frühen Bilder weisen dessen malerisches Helldunkel auf. Ab 1711 lebte Piazzetta in Venedig, wo sich seine Palette unter dem Einfluß Tiepolos aufhellte. Während Tiepolo aber mit klaren Farben und starken Kontrasten arbeitet, beherrscht Piazzetta die Zwischentöne. Seine Farben sind fein nuanciert und auf einen Grundton abgestimmt. Piazzetta war ein bedächtiger

Giovanni Battista Piazzetta:
Madonna mit Kind und Heiligen;
Standort unbekannt.

Arbeiter, der lange an einem Bild verbesserte, bevor es die Werkstatt verließ. Dies erklärt, warum er mit wenigen Ausnahmen keine Großaufträge für Kirchenausstattungen annahm. Seine wenigen Deckengemälde sind nicht in Fresko, sondern in Öl auf Leinwand in der Werkstatt ausgeführt und wurden erst nachträglich an der Decke angebracht. Er bevorzugte die kleine Form, das Galeriebild, die Zeichnung und die Buchillustration. Sein Lieblingsgegenstand sind Charakterköpfe, häufig von Kindern. Die Porträtauffassung ist jedoch nicht psychologisierend, sondern sucht in den Gesichtern nur die malerischen Reize.

PIERO DELLA FRANCESCA

(Borgo San Sepolcro um 1416 – ebd. 1492)
Seite 161, 232

Piero entstammt der Provinz Arezzo, erhielt seine Ausbildung jedoch im nahegelegenen Florenz. Hier beteiligte er sich an der Bewältigung der Probleme, die sich die Künstler der Frührenaissance stellten. Vor allem in der Raumkonstruktion und Plastizität der Figur war er seiner Zeit voraus. Wie Paolo Uccello hat sich Piero della Francesca auch theoretisch mit der Perspektive befaßt. Seine Erkenntnisse legte er in zwei Schriften „De prospectiva pingendi" und „Libellus de quinque corporibus regularibus" nieder. Sein umfangreichstes Werk ist der Freskenzyklus mit zehn Szenen aus der Legende des Heiligen Kreuzes in der Kirche S. Francesco in Arezzo. Die Darstellung, wie das Kreuz Kaiser Konstantin im Traum erscheint, ist eine der frühesten Nachtszenen mit einer künstlichen Lichtquelle. Eine ikonographische Besonderheit stellt aber auch Pieros „Madonna del Parto" dar; sie zeigt die Muttergottes als Schwangere. In der Reduktion der menschlichen Gestalt auf geometrische Körper und dem klaren Aufbau der Komposition äußert sich die Disziplin eines gedanklich arbeitenden Künstlers. Obwohl Piero mit formalen Problemen beschäftigt scheint, haben seine Gestalten eine auch im religiösen Sinne wirksame Aura. Sie vertreten das Wort Gottes mit gesetzhafter Strenge.

NICOLAS POUSSIN

(Villers bei Les Andelys 1594 –
Rom 1665)
Seite 80/81

Abgesehen von einer zweijährigen Unterbrechung verbrachte Poussin ab 1624 sein Leben in Rom. Dies entsprach einem inneren Bedürfnis. Die Kunst Raffaels und der Antike war die Sphäre, aus der Poussin seine Anregungen schöpfte. Seine Kunst ist eklektisch; oft lassen sich Zitate antiker Skulpturen und Reliefs nachweisen. Inmitten der hochbarocken Kunstszene vertrat Poussin einen rationalen Klassizismus, der bei einem gelehrten Publikum, aber auch am Hof Ludwigs

Piero della Francesca: Legende des Heiligen Kreuzes: Anbetung des Kreuzes; Arezzo, S. Francesco.

XIV. auf besonderes Verständnis stieß. Poussin war ein gebildeter Künstler, der die antiken Autoren, die er illustrierte, im Original lesen konnte. Seine mythologischen Darstellungen enthalten oft ein kompliziertes Programm, das hohe Anforderungen an die Bildung des Betrachters stellt. Mehr unter dem Zwang der Auftraggeber schuf Poussin neben den mythologischen auch religiöse Tafelbilder, darunter eine Folge der Sieben Sakramente. Die biblische Geschichte sah er dabei als Bestandteil der antiken Welt. Das Abendmahl z.B. wird bei Poussin zu einem römischen Symposium, bei dem die Apostel wie Philosophen auf Klinen lagern. Poussins Bilder erwecken nicht die Vergangenheit zu neuem Leben. Sie enthalten zugleich die Distanz, die das 17. Jahrhundert vom Altertum trennt. Sehnsüchtig blickt Poussin zurück auf die antike Welt als ein goldenes, jedoch nur im Bild wiederholbares Zeitalter. Sein Gemälde „Et in Arcadia ego" ist Ausdruck dieser unerfüllten Antikensehnsucht.

EDWARD POYNTER

(Paris 1836 – London 1919)
Seite 104/105

Poynter war nicht nur ausführender Künstler, sondern auch Kunsthistoriker und Sammler. 1871–79 war er Professor für Kunstgeschichte an der Londoner Universität; 1894–1904 Direktor der National Gallery. Seine wertvolle Sammlung von Handzeichnungen alter Meister hinterließ er dem British Museum. Gelehrte kulturhistorische Kenntnisse

Nicolas Poussin: Selbstbildnis; 1650, Paris, Musée du Louvre.

verraten auch seine Gemälde. Die Antike und das Alte Testament lieferten Poynter die Themen zu figurenreichen Szenen vor reichem architektonischen Hintergrund. Das Alte Testament sah Poynter dabei eher kulturhistorisch als eine der griechischen Antike ebenbürtige Welt. Trotz dieser veräußerlichten Auffassung erhielt er auch Aufträge für kirchliche Ausstattungen. Für Westminster zeichnete Poynter die Entwürfe zu einem Mosaikzyklus mit der Geschichte des Heiligen Georg.

Raffael: Selbstbildnis;
Florenz, Galleria degli Uffizi.

RAFFAEL
(eigentlich Raffaello Santi,
Urbino 1483 – Rom 1520)
Seite 12, 35, 68, 99, 164/165, 183, 244/245,
250/251

Mit Leonardo und Michelangelo zusammen bildet Raffael das Dreigestirn der italienischen Hochrenaissance. In seiner kurzen Lebenszeit legte Raffael eine erstaunliche Entwicklung zurück. Zunächst war seine Kunst umbrisch geprägt in der Art seines Lehrers Perugino. Aufenthalte in Florenz und ab 1508 in Rom führten schrittweise zu Raffaels entwickeltem klassischen Stil, den am vollkommensten seine „Schule von Athen" verkörpert. In seinen letzten Werken kündigte sich bereits eine Wende zum Manierismus an. In päpstlichem Auftrag freskierte Raffael die Stanzen und Loggien des Vatikans mit Darstellungen aus der Bibel und der Kirchengeschichte. Er erweist sich darin als Meister der monumentalen Dekorationskunst. Von seinen zahlreichen Madonnenbildern, die durch Beinamen voneinander unterschieden werden, ist die sogenannte „Sixtinische Madonna" das bekannteste. Sie prägten mit ihrer Mischung aus Mütterlichkeit und Idealität das Madonnenbild der folgenden Jahrhunderte. Raffael hinterließ durch seine persönliche Schönheit und Liebenswürdigkeit auf seine Zeitgenossen einen tiefen Eindruck. Als er starb, wurde er an würdigster Stätte, im Pantheon, beigesetzt.

REMBRANDT HARMENSZ VAN RIJN
(Leiden 1606 – Amsterdam 1669)
Seite 55, 56, 62, 66, 82, 85, 96/97,
102, 108, 126, 170, 192, 212/213, 226, 235,
238/239, 240

Nach dem Willen seiner Eltern sollte Rembrandt die akademische Laufbahn einschlagen. Er besuchte eine Lateinschule und schrieb sich 1610 in die Universität Leiden ein. Aber noch im selben Jahr wechselte er in das Atelier des Malers Jacob Swanenberg. Pieter Lastmann war sein nächster Lehrer. Bereits 1625 konnte Rembrandt in Leiden ein eigenes Atelier eröffnen. 1631 ging er nach Amsterdam. Er heiratete Saskia van Uylenburgh, die ein beträchtliches Vermögen in die Ehe brachte. Hinzu kam Rembrandts Erfolg als Maler. Er unterhielt eine große Werkstatt und legte sich eine Kunstsammlung mit italienischen Bildern, antiken Skulpturen, Kostümen, Waffen und Rüstungen an. Seine Sammelleidenschaft führte 1656 zum finanziellen Ruin. Aber auch Rembrandts Ruhm begann zu verblassen. Nur die Geschäftstüchtigkeit von Hendrickje Stoffels, die nach dem Tod Saskias seine Lebensgefährtin wurde, sicherte sein Auskommen. Aber Hendrickje starb 1663 und 1668 auch Rembrandts einziger Sohn Titus. Ein Jahr später folgte ihnen Rembrandt. Zwei Themengruppen bilden den Schwerpunkt in Rembrandts Schaffen: biblische Szenen und Selbstbildnisse. Annähernd hundertmal hat Rembrandt sich in Bildnissen selbst erforscht. Die Vertrautheit mit sich selbst, den menschlichen und innersten seelischen Vorgängen, ließ ihn auch die Bibel neu und unmittelbar erleben. Nicht Kunstfiguren agieren in seinen Bildern, sondern Menschen, an deren echten Gefühlen der Betrachter unmittelbaren Anteil nimmt. Das Helldunkel war Rembrandt ein Mittel zur Ausdruckssteigerung und Konzentration auf das Wesentliche, das menschliche Gesicht.

JUSEPE DE RIBERA
(Játiva, Valencia, 1591 – Neapel 1652)
Seite 59

Ribera ging schon früh nach Italien, wo er sich nach Reisen in Oberitalien für immer

Rembrandt: Frühes Selbstbildnis;
München, Alte Pinakothek.

in Neapel niederließ. Neapel stand unter spanischer Hoheit, so daß die Verbindung zum Heimatland Spanien gewahrt blieb. Ribera arbeitete sowohl für italienische wie für spanische Auftraggeber. 1629 und 1649 besuchte ihn Velasquez, um Gemälde für König Philipp IV. anzukaufen. Ribera übernahm von Caravaggio das Helldunkel und den krassen Naturalismus. Dabei scheute er auch nicht die Wiedergabe der Häßlichkeit. Sein Gemälde „Der Klumpfuß" würdigt selbst die körperliche Deformation der künstlerischen Darstellung. Zu den bedeutendsten Künstlern, die aus Riberas Werkstatt hervorgingen, gehört Luca Giordano.

BRITON RIVIERE
(London 1840 – ebd. 1920)
Seite 120/121, 168/169

Riviere galt als der beste Tiermaler seiner Zeit, als würdigster Nachfolger Edwin Henry Landseers, der in England die Tradition der sentimentalen Tierdarstellung begründet hatte. Seine Modelle, Hunde, Geflügel, selbst Schweine, hielt sich Riviere in der Werkstatt, während er für sein Lieblingstier, den Löwen, auf Modellstudien im Londoner Zoo angewiesen war. Seine Darstellungen offenbaren nicht nur die Kenntnis von Anatomie und Bewegung, sondern auch ein tiefes Einfühlungsvermögen in das Verhalten der Tiere. Oft bringt er Tier und Mensch in eine gefühlvolle Verbindung: Ein junges Mädchen wird von seinem Hund getröstet; ein Jagdhund verteidigt seinen von Wilderern verletzten Herrn. Gelegentlich versucht sich Riviere auch in historischen Stoffen, vorausgesetzt sie enthalten Tiere wie Prometheus mit dem Adler oder Gladiatoren beim Löwenkampf. Auch in der biblischen Geschichte fand Riviere Anlässe zur Tierdarstellung.

DAVID ROBERTS
(Stockbridge,
Edinburgh, 1796 – London 1864)
Seite 74/75

Roberts begann als Dekorationsmaler für die Bühne, zunächst an den königlichen Theatern in Glasgow und Edinburgh, 1822 am Drury Lane Theater in London und ab 1824 im Covent Garden. Es gelang Roberts, sich aus dem Bereich der angewandten Kunst emporzuarbeiten und mit Veduten zum geschätztesten Architekturmaler seiner Zeit zu werden. Auf zahlreichen Reisen auf dem Kontinent und 1838/39 in Ägypten und Syrien sammelte er Motive, die er dann in seinem Londoner Atelier in Öl ausführte oder lithographierte. In seinen architektonischen Ansichten wirkt seine Herkunft aus der Welt des Theaters nach. Sie sind bühnenmäßig arrangiert und ausgeleuchtet. Die Hauptdarsteller werden von großen Massenauftritten begleitet. Auch der Einfluß der niederländischen Kircheninterieurmalerei ist erkennbar.

Salvator Rosa: Skylla und Glaukos;
Brüssel, Musées Royaux des Beaux-Art.

SALVATOR ROSA
(Arenella bei Neapel 1615 – Rom 1673)
Seite 196

Salvator Rosas Kunst trägt ganz persönliche Züge. In einem umfangreichen Werk, Gemälden und Radierungen, in Dichtungen und Hunderten von Briefen spiegelt sich sein problematischer, grüblerischer Charakter. Obwohl er als Schlachtenmaler in der Art seines neapolitanischen Lehrers Aniello Falcone begann, entsprachen Themen mit philosophischer Aussage eher seinem Naturell. Oft liegt der Gedanke des „Memento mori" zugrunde. Rosa war zeitlebens kränklich. Zwei seiner Kinder starben früh und veranlaßten ihn zu dem Gemälde „Humana fragilitas", einer Allegorie menschlicher Todesverfallenheit. Seine Neigung zu den Nachtseiten des Lebens äußert sich auch in Darstellungen von Schwarzen Messen, Martyrien und Straßenräubern. Landschaften und Porträts vervollständigen sein thematisches Spektrum. Auch malerisch ist Rosas Handschrift individuell. Sein Farbauftrag erreicht mitunter fast impressionistische Wirkungen. Rosa lebte in Rom. Berufungen nach Stockholm und Paris lehnte er ab. Nur vorübergehend hielt er sich in Florenz auf, wo er den Mittelpunkt der „Accademia dei Percossi" bildete. Erst kurz vor seinem Tode heiratete er seine langjährige Lebensgefährtin Lucrezia Paolino. Im 19. Jahrhundert bildete sich um Salvator Rosa eine romantische Legende, die von den Bildern auf das Leben schloß. Rosa wurde zum „peintre maudit", der zeitweise unter Straßenräubern gelebt haben soll.

HANS ROTTENHAMMER
(München 1564 – Augsburg 1625)
Seite 143

Nach einer ersten Lehrzeit in seiner Heimatstadt bildete sich Rottenhammer in Italien weiter. In Rom arbeitete er mit Paul Bril und Jan Bruegel dem Älteren zusammen; in Venedig hinterließ Tintoretto einen nachhaltigen Eindruck. 1606 ließ sich Rottenhammer in Augsburg nieder, wo er das Bürgerrecht erwarb. Im Augsburger Rathaus und im Bückeburger Schloß schuf er Fresken. Altarbilder Rottenhammers sind in Münchener und Augsburger Kirchen erhalten. Am erfolgreichsten war Rottenhammer jedoch mit kleinformatigen, auf Kupfer gemalten Bildern mythologischen und biblischen Inhalts. Sie wurden von reichen Sammlern, wie Kaiser Rudolf II., mit hohen Preisen bezahlt. Trotz dieser Einkünfte war Rottenhammer verschuldet. Wegen seiner Trunksucht soll er im Alter nicht mehr in der Lage gewesen sein, die Ansprüche seiner Auftraggeber zu befriedigen.

PETER PAUL RUBENS
(Siegen 1577 – Antwerpen 1640)
Seite 24, 90/91, 130, 148, 190/191, 225, 230, 248

Die Eltern des Künstlers mußten als Calvinisten aus Antwerpen fliehen, so daß Rubens in Siegen geboren wurde und seine ersten Lebensjahre in Köln verbrachte. Nach dem Tod des Vaters kehrte

Peter Paul Rubens: Der Maler mit seiner Frau Isabella Brant in der Geißblattlaube; München, Alte Pinakothek.

die Familie nach Antwerpen zurück, und Rubens erhielt eine katholische Erziehung. Zeitlebens blieb Rubens dem flämisch-katholischen Milieu verhaftet. Schon in der Wahl seiner Lehrer, der Romanisten Adam van Noort und Otto van Veen, deutete sich die Richtung an, die Rubens einschlagen sollte. Er weilte 1600–1610 als Hofmaler des Herzogs Vincenzo Gonzaga in Mantua, von wo aus ihn weite Reisen durch Italien und nach Spanien führten. Nach seiner Rückkehr nach Antwerpen 1608 war er sofort als der führende Meister der flämischen Barockmalerei anerkannt. 1609 heiratete er Isabella Brant, die er in seinem „Selbstbildnis mit Frau in der Geißblattlaube" porträtierte. Rubens' Kunst wurde zum Inbegriff des Barockzeitalters. Sie führt die barocken Ausdrucksmittel zu ihrem Höhepunkt und spiegelt so das Lebensgefühl einer ganzen Epoche. Rubens unterhielt einen großen Werkstattbetrieb, der arbeitsteilig produzierte. Oft legte Rubens nur noch letzte Hand an. Die Ausführung der Hintergrundlandschaft blieb in manchen Gemälden Jan Bruegel überlassen. In der Sozialgeschichte der Künstler vertritt Rubens einen neuen Typus. Er war nicht nur humanistisch gebildet wie die Künstler der Renaissance, sondern auch Hofmann und Weltbürger. Als Gesandter des französischen, englischen und spanischen Hofes unternahm er Reisen in diplomatischer Mission. 1629/30 führte er die Friedensverhandlungen zwischen dem spanischen und englischen Hof. Standesgemäß starb Rubens 1640 auf seinem Landschlößchen Steen bei Antwerpen.

SCARSELLINO
(eigentl. Ippolito Scarsella,
Ferrara um 1550 – ebd. 1614)
Seite 237

Durch den großen Bedarf an kirchlichen Kunstwerken im Italien des 16. Jahrhunderts fanden neben den großen Meistern auch zahlreiche Kleinmeister ihr Auskommen. Scarsellino ist ein solcher Künstler, der vom Vorbild der Großen lebt, ohne einen selbständigen Stil zu entwickeln. Das handwerkliche Rüstzeug vermittelte ihm sein Vater Sigismondo Scarsella. Künstlerisch lehnt er sich stark an Paolo Veronese und Jacopo Bassano an. Als Maler, Kartonzeichner, Miniaturist und Kupferstecher war Scarsellino außer in Ferrara auch in Bologna und Venedig tätig.

JOHANN HEINRICH SCHÖNFELD
(Biberach 1609 – Augsburg 1684)
Seite 241

Schönfeld gehört zu den wenigen deutschen Malern des 17. Jahrhunderts, die sich auch im Ausland einen Namen machten. Der aus Oberschwaben gebürtige Künstler ging 1633 nach Rom, wo er sich der klassizistischen Richtung anschloß. Schon hier fand er zu seinem individuellen Stil, der Poussins schweren Klassizismus mit leichter Grazie abwandelt. Die Bildräume sind ausgedehnter und mit nur wenigen gerüsthaften Architekturen gegliedert. 1638 siedelte Schönfeld nach Neapel über. Ein Jahrzehnt lang arbeitete er gleichberechtigt neben neapolitanischen Künstlern wie Bernardo Cavallino. Als Schönfeld 1651 nach Deutschland zurückkehrte, um sich in Augsburg niederzulassen, zehrte seine Kunst von den italienischen Erinnerungen.

JAN VAN SCOREL
(Schoorl 1495 – Utrecht 1562)
Seite 247

Jan van Scorel war der erste niederländische Künstler, der in Italien nicht allein die Begegnung mit der aktuellen Kunst, sondern zugleich mit der Antike suchte. Wie Michelangelo vertrat er das Primat des „Disegno", der geistreichen Bilderfindung, gegenüber der handwerklichen Ausführung. So vernachlässigte er die niederländische Malkultur zugunsten einer harten, scharfkantigen Form von strenger Lokalfarbigkeit. Mit Zitaten antiker Kunstwerke spricht er nicht das künstlerische Empfinden, sondern die gelehrten Kenntnisse des Betrachters an. Scorel hatte bei Jacob Cornelisz van Oostsanen gelernt. In Nürnberg begegnete ihm in Dürer ein humanistisch gebildeter Künstler, dessen Universalismus er sich zum Vorbild nahm. 1520 gelangte Scorel in Venedig an. Als ein Niederländer unter dem Namen Hadrian IV. Papst wurde, stieg Scorel zum päpstlichen Hofmaler und Direktor des Belvedere auf. Nach dem Tod des Papstes kehrte Scorel in seine Heimat zurück. In Utrecht begründete er die Schule der niederländischen Romanisten, die in Marten van Heemskerk den wichtigsten Vertreter fand.

SOLOMON J. SOLOMON
(London 1860 – Birchington 1927)
Seite 92/93

Solomon studierte an der Londoner Royal Academy, an der Münchener Akademie und bei Alexandre Cabanel an der Ecole des Beaux-Arts in Paris. 1919 wurde er Präsident der Royal Society of British Artists. Von der englischen akademischen Malerei, wie sie Lawrence Alma-Tadema und Frederick Lord Leighton in klassizistisch vornehmer Auffassung vertraten, setzt sich Solomon temperamentvoll ab. Die expressive Sinnlichkeit seiner mythologischen und alttestamentlichen Themen steht eher in der Tradition der französischen „Pompiers".

LEONELLO SPADA
(Bologna 1576 – Parma 1622)
Seite 193

Nach Herkunft und Ausbildung gehört Leonello Spada zur bolognesischen Schule. Unter den Brüdern Annibale und Agostino Carracci und Guido Reni war hier ein wichtiges Zentrum barocker Malerei entstanden. Ein abschätziges Urteil Guido Renis soll Spada veranlaßt haben, mit dieser Schule zu brechen und sich dem Gegenspieler Caravaggio in Rom zuzuwenden. Er wurde dessen Gehilfe und begleitete ihn auch auf seiner Flucht nach Neapel und Malta. Nach Caravaggios Tod kehrte er nach Bologna zurück, wo er wegen seiner Nachahmung Caravaggios in Kunst, Kleidung und Auftreten „Scimmia del Caravaggio" genannt wurde. Allmählich gelang es Spada, Cara-

vaggios Realismus und den Eklektizismus der Bolognesen in einer Synthese zu vereinigen. Sein reifes Werk, das er als Hofmaler der Farnese in Parma schuf, rechtfertigt den Ehrennamen „Caravaggio riformato".

Hendrick Terbrugghen: Lautespielender Sänger; Stuttgart, Staatsgalerie.

HENDRICK TERBRUGGHEN
(Deventer 1588 – Utrecht 1629)
Seite 250

In Utrecht hatte sich eine eigene Schule von Caravaggisten herausgebildet. Terbrugghen ist ihr Hauptmeister. 1604–1614, also noch zu Lebzeiten Caravaggios, war Terbrugghen in Rom. Aus dieser Zeit sind keine Werke erhalten. Erst 1620 tritt er mit einer „Dornenkrönung" ans Licht. Zeitlebens behielt Terbrugghen eine Vorliebe für Passionsszenen. Bekannter geworden ist er jedoch durch seine Darstellungen von Trinkern, Musikanten und Spielern. Sie verbinden die Anregungen durch Caravaggios Halbfigurenbilder mit der Tradition des niederländischen Sittenbilds. Trotz des niederen Genres und der bäuerlichen Typen sind Terbrugghens Gemälde von großem koloristischen Reiz. Seine subtile Lichtführung, die den Gegenstand mit einem duftigen Farbschleier überzieht, macht ihn zu einem Vorläufer Vermeers. Besonders ausdrucksvoll vermochte Terbrugghen auch die Hände zu gestalten.

GIOVANNI BATTISTA TIEPOLO
(Venedig 1696 – Madrid 1770)
Seite 69, 218

Tiepolo ist der letzte Hauptmeister des venezianischen Spätbarock. Ohne Einflüsse von außerhalb, etwa des französischen Rokoko, führt Tiepolo die mit Veronese einsetzende Tradition zu ihrem letzten Höhepunkt. Sein Lehrer war Gregorio Lazzarini, doch orientierte sich Tiepolo gleichermaßen an Giovanni Battista Piazzetta und Sebastiano Ricci. Sein Einfluß

über Italien hinaus erstreckte sich vor allem auf die süddeutschen Freskanten. Seine Söhne Giovanni Domenico und Lorenzo führten nach dem Tod Tiepolos die Tradition in der Art des Vaters fort. Tiepolo wuchs in wohlhabenden Verhältnissen als Sohn eines Schiffsmaklers auf. Durch seine Heirat war er mit dem Maler Francesco Guardi verschwägert. Sein Erfolg als Maler erlaubte es Tiepolo, das Leben eines Edelmannes zu führen und Aufträge abzulehnen, die nicht seinen Gehaltsvorstellungen entsprachen. 1750–53 freskierte er im Auftrag des Fürstbischofs Carl Philipp von Greiffenklau die Würzburger Residenz, wo aus der Verbindung mit der Baukunst Balthasar Neumanns ein einzigartiges Gesamtkunstwerk aus Architektur, Plastik und Malerei entstand. 1761 wurde Tiepolo von Karl III. nach Spanien berufen. Anders als in Deutschland stieß er hier jedoch auf den Repräsentanten einer fortschrittlicheren Stilrichtung, Anton Raphael Mengs. So waren seinem Einfluß in Spanien Grenzen gesetzt. Das Œuvre des vielseitigen Künstlers umfaßt biblische Stoffe, Mythologie, Allegorie, Geschichte, Heiligenlegende, Literatur und Porträt. Alle Gegenstände taucht er in den Glanz einer Lichtwelt. Auch in der Ölmalerei verwendet Tiepolo eine an das Fresko gemahnende, helle Palette. Sie ist auf den Zusammenklang von Weiß und Goldtönen mit einem hellen, leuchtenden Blau abgestimmt, das mit seinem Namen als „Tiepolo-Blau" bezeichnet wird.

JACOPO TINTORETTO
(eigentl. Jacopo Robusti,
Venedig 1518 – ebd. 1594)
Seite 25, 76, 83, 132/133, 145, 213

Mit Tintoretto und Veronese teilt sich die venezianische Malerei, die unter Tizian noch eine Einheit gebildet hatte, in zwei Richtungen. Veronese sucht die farbenprächtige, festliche Wirkung, Tintoretto hingegen den religiösen Ausdruck. Seine Kunst verkörpert einen Katholizismus, der durch die Gegenreformation mit neuer Intensität erfüllt wurde. Über die Tür seiner Werkstatt soll Tintoretto selbst das Motto geschrieben haben „Die Zeichnung Michelangelos und die Farbe Tizians". Mit einer großen Sicherheit beherrscht er die menschliche Figur in Verkürzungen und Verschränkungen. Hierin war Michelangelo sein Vorbild. Das Kolorit hingegen ist venezianisch, wobei durch getupftes Weiß ein irreales, manieristisches Licht mit ins Spiel kommt. Mit Vorliebe wählt Tintoretto die Diagonalkomposition. Seine Bilder erhalten dadurch einen dynamischen Tiefenzug. Tintoretto arbeitete ausschließlich für venezianische Auftraggeber, für die Republik, die Kirche und die religiösen Bruderschaften; er soll Venedig nur für kürzere Reisen verlassen haben. Sein umfangreichster Zyklus sind die 50 Gemälde für die Scuola di San Rocco in Venedig, an denen Tintoretto in den Jah-

Giovanni Battista Tiepolo: Anbetung der Könige; München, Alte Pinakothek.

Tizian: Selbstbildnis;
Madrid, Museo del Prado.

TIZIAN

(eigentl. Tiziano Vecellio, Pieve di Cadore
bei Belluno um 1488/89 – Venedig 1576)
Seite 234, 243

Tizians Geburtsdatum ist umstritten.
Lange Zeit nahm man an, er sei 1576 im
Alter von 99 Jahren gestorben. Wahr-
scheinlicher ist eine Geburt um 1488/89,
denn seine ersten Werke datieren aus
dem Jahre 1508. Sie zeigen ihn als Schüler
Giovanni Bellinis und Giorgiones. Vor
allem Giorgiones Verschmelzung von
Mensch und Natur mit dem Mittel des
Helldunkel prägte Tizians weitere Entwicklung. Er sprengte jedoch die Gebun-
denheit der klassischen Bildform. Seine
Gestalten entwickelten eine neue, sinn-
liche Lebensfülle. Die Farben gewinnen
eine strahlende Kraft. Die Bewegungsmo-
tive entfalten sich dynamisch auch in die
Tiefe des Bildraums. Tizians Gesamtwerk
ist, bedingt durch seine lange Lebenszeit
und eine bis ins hohe Alter anhaltende
Produktivität, außerordentlich umfang-
reich. Bacchanale und mythologische
Frauenakte wie die „Venus von Urbino"
oder die „Danae" gehören ebenso zu seinem Repertoire wie religiöse Themen.
Einen Höhepunkt seines Schaffens
bedeutet die „Himmelfahrt Mariä" in S.
Maria dei Frari. Die Kraft der Komposition
und die innere Größe der Gestalten stellen Tizian auf eine Stufe mit den Meistern
der römischen Hochrenaissance. Durch
seine Bildnisse kam Tizian mit den
bedeutendsten Persönlichkeiten seiner
Zeit in Berührung. Karl V. ernannte ihn
zum Hofmaler und erhob ihn in den
Pfalzgrafenstand. Aus Anlaß des Reichs-
tages hielt sich Tizian 1548 in Augsburg
auf, wo er fürstliche Verehrung genoß. In
seinem Verkehr mit der großen Welt und
seiner Lebensführung ist Tizian der erste
Vertreter eines „Malerfürsten". Sein
Selbstbildnis zeigt ihn als würdevolle
Patriarchengestalt.

ren 1564–81 arbeitete. Auch seine älteste
Tochter Marietta bildete Tintoretto zur
Malerin aus. Sie starb jedoch vor ihrem
Vater. Mit richtigem Namen hieß Tinto-
retto Jacopo Robusti; den Namen, unter
dem er bekannt wurde, verdankt er dem
Beruf seines Vaters, der Seidenfärber,
„tintore", war.

293

Paul Troger: Himmelfahrt Mariae;
Altenburg, Benediktinerstift.

PAUL TROGER
(Zell im Pustertal 1698 – Wien 1762)
Seite 127

Nicht die Sprache, sondern die Religion faßt im 18. Jahrhundert das Gebiet von Neapel bis Böhmen und Mähren zu einem einheitlichen Kulturgebiet zusammen. Die süddeutsche kirchliche Kunst ist ausschließlich nach Italien orientiert. Italienische Künstler arbeiteten in Süddeutschland, süddeutsche Künstler wanderten nach Italien. Auch der Hauptmeister des österreichischen Spätbarock, Paul Troger, erhielt seine Ausbildung in Italien. Er bereiste Venedig, Rom und Neapel und eignete sich die Kunst vor allem Giovanni Battista Pittonis und Francesco Solimenas an. Nach seiner Rückkehr aus Italien 1725 fand Troger als fast ausschließliches Betätigungsfeld Kirchenfresken und Altarbilder vor. In Salzburg, Melk, Göttweig und zahlreichen anderen Kirchen und Klöstern freskierte Troger die Decken mit religiösen Allegorien. Während in Italien der klassische Boden der Auflösung der Form entgegenwirkte, neigt Trogers Kunst zur expressiven Überzeichnung.

JOSEPH MALLORD WILLIAM TURNER
(London 1775 – ebd. 1851)
Seite 46/47, 58/59, 254/255, 262/263

In seiner Frühzeit war Turner von Poussin und Lorrain beeinflußt. Allmählich verselbständigte sich das schon bei Lorrain enthaltene Element der atmosphärischen Lichtmalerei. Die Gegenstände verschwimmen. Wasser, Licht und Dunst werden in fließenden, konturlosen Farbvisionen wiedergegeben. Turner malte auf die weiße Leinwand, ohne sie vorher monochrom zu grundieren. War der Farbauftrag nicht deckend oder kratzte der Künstler die Farbe stellenweise ab, so hat der Bildgrund teil an der Lichtwirkung. Ähnlich wie im Aquarell erzielte Turner damit auch in der Ölmalerei durchschei-

nende Effekte. In seinem Spätwerk näherte sich Turner der gegenstandslosen Malerei. Obwohl er mit seinen formalen Experimenten alle Künstler seiner Zeit hinter sich ließ, blieb seine Themenwahl konventionell. Seine Landschaften geben meist reale Orte wieder, die er in England und auf dem Kontinent bereiste. Seine Figurenstaffage ist der Mythologie, der Geschichte und der Bibel entnommen. Wie wichtig Turner der Inhalt war, zeigt sein Reproduktionswerk „Liber Studiorum". Es enthält Wiedergaben seiner Werke in Schabkunst, geordnet nach Gegenständen. Trotzdem kann Turner mit seiner Lichtmalerei als Vorläufer der französischen Impressionisten angesehen werden, deren erstes Auftreten um 1860 er jedoch nicht mehr erlebte.

DIEGO VELASQUEZ
(eigentl. Diego Rodriguez de Silva y Velasquez, Sevilla 1599 – Madrid 1660)
Seite 188, 253

Velasquez, der Hauptmeister der spanischen Malerei des 17. Jahrhunderts, ist der Sproß des aus Portugal stammenden Adelsgeschlechts de Silva. Seine Lebenssphäre war der Hof Philipps IV. in Madrid. Schon 1623 wurde er Hofmaler und bekleidete offizielle Ämter. Staatsporträts nehmen den größten Raum in seinem Schaffen ein. In ihnen kommt die steife Würde des spanischen Hofzeremoniells zum Ausdruck. Zugleich wird in den Gesichtern eine große Lebensnähe spürbar, besonders wenn Velasquez nicht den Adel, sondern die Randfiguren des

William Turner: Dogana und San Giorgio Maggiore; Washington, National Gallery of Art.

MARTIN VAN VALCKENBORCH
(Löwen 1535 – Frankfurt am Main 1612)
Seite 41

Martin van Valckenborch ist der Bruder des als Künstler bedeutenderen Lucas. Er begleitete dessen Lebensweg als Hofmaler des habsburgischen Statthalters der Niederlande, der ihn nach Linz und 1593 nach Frankfurt führte. Nach dem Tod der Brüder führte Martins Sohn Frederik die Frankfurter Werkstatt fort. Neben Porträts und topographischen Ansichten spezialisierten sich die Valckenborchs auf die „Weltlandschaft" in der Art Joachim Patiniers und Bruegels. Reale Versatzstücke wie Berge, Täler, Flüsse und Städte werden darin zu weiten Panoramen zusammengefügt, die mehr von der Komplexität der Welt einfangen, als es ein enger Wirklichkeitsausschnitt könnte. Der Betrachter ist aufgefordert, mit dem Blick die Landschaft zu durchstreifen, um immer neue überraschende Einzelheiten zu entdecken.

Diego Velasquez: Krönung Mariae,
Madrid, Museo del Prado.

Hofstaats, Zwerge und Narren, porträtierte. In geringerem Umfang hat Velasquez auch für die Kirche gearbeitet. Durch seinen Wirklichkeitssinn, mit dem er Themen wie die „Krönung Mariä" gestaltet, unterscheidet er sich grundlegend von der mystischen und expressiven Religiosität seiner Zeitgenossen. Anfangs malte Velasquez in der Art seines Lehrers Francisco Pacheco. 1629–31 und ein zweites Mal 1646–51 bereiste er Italien, wo er entscheidende Anregungen empfing. Mit Rubens, der sich 1628 in Madrid aufhielt, war Velasquez befreundet.

JAN VERMEER
(Delft 1632 – ebd. 1675)
Seite 189

Vermeers Gesamtwerk umfaßt nur 36 gesicherte Gemälde. Meist zeigt Vermeer eine weibliche Einzelfigur in gepflegtem häuslichen Interieur, versunken in belanglose Tätigkeiten wie Brieflektüre, Handarbeit oder Spinettspiel. Obwohl er Menschen darstellt, haben seine Gemälde den Charakter von Stilleben. Wenige, ausgewählte Gegenstände werden durch die farbliche Behandlung und das Spiel des Lichtes zu Kostbarkeiten. Nur in seinem Frühwerk finden sich auch Historienbilder, eines davon mit einem biblischen Thema. Schon hier, in dem Thema „Christus bei Maria und Martha", schlägt Vermeer das Thema weiblicher Versunkenheit an.

Jan Vermeer: Dame am Spinett,
London, National Gallery.

PAOLO VERONESE
(eigentl. Paolo Caliari,
Verona 1528 – Venedig 1588)
Seite 54, 176/177

Veronese, ein Zeitgenosse Tintorettos, vertritt die andere, heitere Seite der venezianischen Kunst. Anstelle der tief empfundenen Religiosität Tintorettos sucht Veronese die farbenprächtige, festliche Wirkung. In weiträumigen Palastarchitekturen mit Ausblicken in die Landschaft versammelt Veronese ein buntschillerndes Volk zu Bankettszenen.

Üppigkeit und unbekümmerter Lebensgenuß herrschen vor. Auch aus der Bibel greift Veronese mit Vorliebe Gastmähler heraus, die ihm die festliche Inszenierung erlauben: die Hochzeit zu Kana, das Abendmahl und das Gastmahl im Hause Levi. Gegen diese Verweltlichung erhob das Offizium der Inquisition Einspruch. Veronese mußte sich rechtfertigen, warum er in einer heiligen Szene Narren, Mohren und Papageien angebracht hatte. Er berief sich auf die künstlerische Freiheit: „Wir Maler nehmen uns dieselben Freiheiten, die sich die Dichter und Narren nehmen." Am besten kommt Veroneses dekorative Begabung in den Großformaten zum Ausdruck; er war deshalb auch ein gesuchter Freskant. Auf lange Sicht übte Veronese einen größeren Einfluß als Tintoretto aus. Noch die Maler des Barock, insbesondere Sebastiano Ricci und Giovanni Battista Tiepolo, zehren von seinem Beispiel.

BENJAMIN WEST
(Springfield Township,
Pennsylvania, 1738 – London 1820)
Seite 100

West kam 1760 nach Rom, wo er als unverbildeter, „wilder" Amerikaner Aufsehen erregte. Er fand sofort reiche Gönner und in Anton Raphael Mengs einen Mentor, der seine künstlerische Entwicklung in klassizistische Bahnen lenkte. Als er 1763 nach London übersiedelte, war er der führende Historienmaler in England. 1792 stieg er sogar in das Amt des Akademiepräsidenten auf und wurde dadurch zu einem maßgebenden Lehrer der nachfolgenden Künstlergeneration. West vertritt einen spröden Klassizismus, der von dem Vorbild antiker Skulpturen und der Kunst Raffaels zehrt. In den 1770er Jahren ließ er sich vorübergehend von der „Sturm und Drang-Kunst" Johann Heinrich Füsslis beeinflussen. Neben Szenen der römischen Geschichte traten zunehmend literarische Themen, die West in den Werken Spensers, Shakespeares und Miltons fand. Auch sein biblisches Gemälde „Saul bei der Hexe von Endor" gehört in diesen Kreis proto-romantischer Themen. Mit Hilfe einer großen Werkstatt schuf West mit über 3000 Bildern ein Werk von fast unglaublichem Umfang.

ROGIER VAN DER WEYDEN
(Tournai um 1399/1400 – Brüssel 1464)
Seite 227, 231

Hubert und Jan van Eyck hatten der niederländischen Malerei den Weg zur naturalistischen Erfassung der Außenwelt gewiesen. Auch Rogier van der Weyden, der zunächst in seiner Heimatstadt Tournai bei Robert Campin lernte, übernahm die naturgetreue Genauigkeit im Detail. Trotzdem entsteht vor seinen Bildern nicht der Eindruck von Naturnähe, eher von bemalter Skulptur. Die Komposition ist hieratisch streng, aber von großer, sti-

lisierter Ausdruckskraft. Besonders in den weiblichen Gestalten sind Gefühle wie Schmerz, Verzweiflung und Trauer überzeugend charakterisiert. Während die Gebrüder van Eyck auf die Renaissance vorausweisen, ist Rogier van der Weyden noch ganz in der Gotik befangen. Die Wirkungsstätte des Künstlers war Brüssel. Sein Einfluß reicht aber weit über die Grenzen der Stadt hinaus. 1450 bereiste er aus Anlaß des Jubeljahres Italien, wo er die „Beweinung Christi" zurückließ. Die „Kreuzabnahme" gelangte nach Spanien. Viele seiner Werke wurden teils mehrfach kopiert und über die Länder verbreitet. So steht auch die deutsche Kunst der Spätgotik, etwa Martin Schongauer, ganz unter dem Eindruck Rogier van der Weydens.

Rogier van der Weyden: Lesende
Hl. Magdalena, Fragment einer Altartafel;
London, National Gallery.

JANUARIUS ZICK
(München 1730 – Ehrenbreitstein bei
Koblenz 1797)
Seite 147

Im Übergang vom Rokoko zum Klassizismus herrscht ein Stilpluralismus. Die Deckenmalerei bleibt spätbarock; im Tafelbild kündigt sich eine Rückwendung zur Antike an, die in Frankreich als „Louis-Seize", in Deutschland als „Zopfstil" bezeichnet wird. Januarius Zick beteiligt sich an diesen Entwicklungen. Seine Deckenfresken für oberschwäbische Klosterkirchen und die Schlösser in Bruchsal, Koblenz und Mainz bewahren den Illusionismus des Barock. In seinen Ölbildern hingegen öffnet er sich dem Einfluß der führenden Klassizisten Anton Raphael Mengs und Joseph Marie Vien, die er auf Reisen in Rom und Paris kennenlernte. Ähnlich wie Fragonard beteiligt er sich auch an der französischen Rembrandtmode des 18. Jahrhunderts, wobei er eher Cuyp als Rembrandt nahekommt. Bei den Zerstörungen des Zweiten Weltkrieges ging ein großer Teil von Zicks Fresken zugrunde. Erhalten blieb die Ausstattung der Klosterkirche in Wiblingen.

Inhalt